簿記論と財務諸表論は同時に学ぼう！

　本書を手にしたみなさんにとって大切なことは「まずは、いかにして税理士試験の会計科目（簿記論、財務諸表論）に合格していくか」ということではないでしょうか。

　そこで、認識しておきたいのが、次の状況です。
・簿記論はほぼ100％計算問題であり、財務諸表論では50％が計算問題、残りの50％が理論問題で出題され、計算問題の内容は簿記論と財務諸表論で差がないこと
・これまで財務諸表論で出題されていた内容が突然簿記論で出題されるなど、片方だけの学習では網羅できない可能性があること
・計算問題を解くにも、理論的な背景（財務諸表論の理論部分）がわかっている方が有利なこと
・学習する際にも理論と計算を並行した方が頭には入りやすいこと
・財務諸表論の合格率は、平均すると20％弱と比較的高いこと
・仮に簿記論を落としても、財務諸表論さえ合格していれば、学習量的にみて税法に進めること

　これらの状況を勘案すると、簿記論と財務諸表論は絶対に同時に学習した方がいい。1つの計算ミスで合否が入れ替わってしまう簿記論の試験のためだけに、1年かけて学習するのはリスクが大きすぎる。

　このような判断から、簿記論・財務諸表論一体型の教科書及び問題集になっています。
　さらに、本書はネットスクールが提供するWEB講座の採用教材にもなっていますので、独学で学習する方が授業を聴きたいと思ったときにも無駄になることなく活用いただけます。

　また本書は、日商簿記3〜2級の学習経験者がスムーズに学習し、合格してもらうために作られた本ですので、日商簿記3〜2級の復習からはじまり、本試験のレベルまでを収載しています。

　状況は我々が整えます。
　みなさんは、この本で勇気を持って始め、本気で学んでみてください。
　そうすれば、みなさん自身ばかりではなく、みなさんの周りの人たちをも幸せにできる、そんな人生が開けてきます。
　さあ、この一歩、いま踏み出しましょう！

ネットスクール株式会社
代表　桑原　知之

目次
Contents

税理士試験　問題集
簿記論・財務諸表論Ⅰ　基礎導入編

本書で使用する略語や記号について

　本書で学習するうえで、次の略語を使用しています。下記の略語は、一般的にも使用されているので、ぜひ覚えてください。

①	B/S	：	貸借対照表（Balance Sheet の略）
②	P/L	：	損益計算書（Profit and Loss statement の略）
③	S/S	：	株主資本等変動計算書（Statements of Shareholders'equity の略）
④	C/F	：	キャッシュ・フロー計算書（Cash Flow statement の略）
			なおC/S（Cash flow Statement）と表記する場合もありますが、本書ではC/F で統一しています。
⑤	C/R	：	製造原価報告書（Cost Report の略）
⑥	T/B	：	試算表（Trial Balance の略）
⑦	a/c	：	勘定（account の略）
⑧	@	：	単価や単位（at の略）

　なお、本書では勘定科目（表示科目）については、科目名を意識していただく狙いから『　』を使って記載しています。つまり『○○』は、「○○勘定」を意味しています。

　（例）投資有価証券勘定に加算するとともに、その他有価証券評価差額金勘定に計上…
　　　→『投資有価証券』に加算するとともに、『その他有価証券評価差額金』に計上…

本書は2024年4月時点の会計基準等にもとづいて作成しています。

答案用紙については、ネットスクールホームページにて
ダウンロードサービスを行っております。

https://www.net-school.co.jp/

本書（問題集）の構成・特長

❶ 答案用紙ページ

答案用紙のページ番号を示しています。なお、答案用紙はネットスクールホームページにてダウンロードサービスも行っておりますのでご利用ください。

❷ 解答・解説ページ

解答・解説編のページ番号を示しています。問題（各問題の標準解答時間は、各Chapterの先頭ページに示しています）を解いた後でしっかり確認しましょう。

❸ 重要度ランキング

問題ごとに、A、B、Cで重要度を示しています（Aがもっとも重要度が高いことを表します）。なお、簿記論対策の問題は簿A、財務諸表論（計算問題）対策の問題は財A と示しています。

❹ 標準時間

問題ごとの標準時間です。時間内で解くことを目標にしてください。

❺ 難易度の区別

問題ごとに、基本問題は基本、応用問題は応用と難易度を示しています。

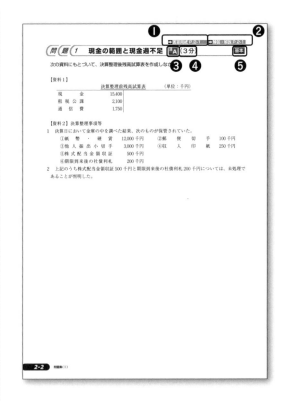

❻ **❻ 解答**

　問題の解答です。しっかり答え合わせをしましょう。

❼ 解説

　問題の解説です。間違えた箇所があれば、解説内容と照らし合わせてその誤りの原因をしっかり確認しておきましょう。また、正解できた箇所についても解説内容をしっかり読んで、解答手順を忘れないようにすることが大切です。

講師からのメッセージ

　WEB講座の講師である中村雄行先生、穂坂治宏先生から、本書を学習する前の心構えとしてメッセージがございます。本書を最大限に有効活用するためにも、まずはこのメッセージをお読みください。

プロフィール
講師　中村雄行
（なかむらゆうこう）
講師歴35年。
実務的な話を織り交ぜながら誰もが納得できるように工夫された、わかり易い講義が大好評！
WEB講座税理士簿記論講義等を担当。

プロフィール
講師　穂坂治宏
（ほさかはるひろ）
講師歴21年、税理士開業（登録平成6年）。「わかればできる」をモットーに、経験に基づく実践的な講義は、楽しみながら学習出来ると大好評！
ＷＥＢ講座税理士財務諸表論講義等を担当。

◆基礎導入編の内容について

　教科書と問題集は、「基礎導入編」「基礎完成編」「応用編」の3部構成となっています。

　基礎導入編で主に取り上げられている項目は「現金預金」「金銭債権」「有形固定資産」「金融商品（有価証券）」などです。大半の内容は日商簿記3〜2級までに学習済みのものですが、これらは税理士試験においても必ず出題される重要項目です。基礎項目ではありますが気を引き締めてしっかり学習しましょう。

◆まずはしっかり基礎固め

　基礎導入編ではまず最初に「簿記一巡」を取り上げています。特に簿記論の学習を進めるにあたっては、この「簿記一巡」の手続きが正しく理解できていないといけません。また、財務諸表論で作成する貸借対照表や損益計算書なども、この「簿記一巡」の手続きを通じて算定された数値を基礎にして作成されるものです。

　「現金預金」以降、基本かつ重要な個別論点が続いていきます。教科書の内容をしっかり理解（インプット）するように努めましょう。

◆アウトプットは必須

　教科書の内容をインプットしただけでは、まだ試験で点数を取れる状態であるとは言えません。試験で点数を取れるようにするには、実際に問題を解く（アウトプット）学習が必須と言えます。基礎導入編の教科書と問題集は学習内容が完全に対応されていますので、教科書の学習を終えたら必ず問題集の問題を実際に解くようにしましょう。

"講師がちゃんと教える" だから学びやすい！分かりやすい！

ネットスクールの税理士WEB講座

【開講科目】簿記論、財務諸表論、法人税法、消費税法、相続税法、国税徴収法

ネットスクールの税理士 WEB 講座の特長

◆自宅で学べる！　オンライン受講システム

臨場感のある講義をご自宅で受講できます。しかも、生配信の際には、チャットやアンケート機能を使った講師とのコミュニケーションをとりながらの授業となります。もちろん、講義は受講期間内であればお好きな時に何度でも講義を見直すことも可能です。

▲講義画面イメージ▲

★講義はダウンロード可能です★

オンデマンド配信されている講義は、お使いのスマートフォン・タブレット端末にダウンロードして受講することができます。事前に Wi-Fi 環境のある場所でダウンロードしておけば、通信料や通信速度を気にせず、外出先のスキマ時間の学習も可能です。
※講義をダウンロードできるのはスマートフォン・タブレット端末のみです。
※一度ダウンロードした講義の保存期間は 1 か月間ですが、受講期間内であれば、再度ダウンロードして頂くことは可能です。

ネットスクール税理士 WEB 講座の満足度

◆受講生からも高い評価をいただいております

WEB講座 79.5%

- ▶ Zoom 面談は、孤独な自宅学習の励みになりましたし、試験直前にお電話をいただいたときは本当に感動しました。（消費／上級コース）
- ▶ 合格できた要因は、質問を 24 時間受け付けている「学び舎」を積極的に利用したことだと思います。（簿財／上級コース）
- ▶ 質問事項や添削のレスポンスも早く対応して下さり、大変感謝しております。（相続／上級コース）
- ▶ 講義が 1 コマ 30 分程度と短かったので、空き時間等を利用して自分のペースで効率よく学習を進めることができました。（国徴／標準コース）

教材 82.3%

- ▶ 理論教材のミニテストと「つながる会計理論」のおかげで、今まで理解が難しかった論点が頭の中でつながった瞬間は感動しました。（財表／標準コース）
- ▶ テキストが読みやすく、側注による補足説明があって理解しやすかったです。（全科目共通）

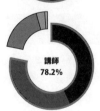

講師 78.2%

- ▶ 財務諸表論の穂坂先生の理論講義がとてもわかり易く良かったです。（簿財／上級コース）
- ▶ 先生方の学習面はもちろん精神的にもきめ細かいサポートのおかげで試験を乗り越えることができました。（法人／上級コース）
- ▶ 堀川先生の授業はとても面白いです。印象に残るお話をからめて授業を進めて下さるので、記憶に残りやすいです。（国徴／標準コース）
- ▶ 田中先生の熱意に引っ張られて、ここまで努力できました。（法人／標準コース）

※ 2019～2023 年度試験向け税理士 WEB 講座受講生アンケート結果より

各項目について 5 段階評価

不満 ← | 1 | 2 | 3 | 4 | 5 | → 満足

税理士 WEB 講座の詳細はホームページへ　**ネットスクール株式会社 税理士 WEB 講座**

https://www.net-school.co.jp/　　| ネットスクール 税理士講座 | 検索 |

※税理士講座の最新情報は、ホームページ等をご確認ください。

税理士試験合格に向けた学習

教科書／問題集　Ⅰ基礎導入編

　次年度の試験に向けた学習を開始しましょう。まずは日商簿記検定３級・２級の学習内容を含めた基礎的な部分について、教科書でインプット学習をします。その後、教科書に準拠した問題集でアウトプット学習を行い、どれだけ理解できたかを確かめます。教科書には、問題集の問題番号が記載されているので、すぐに学習した内容の問題を解くことができます。

教科書／問題集　Ⅱ基礎完成編

　基礎導入編での学習が終わったら、基礎完成編に移ります。基礎導入編と同様に、税理士試験で頻繁に出題される重要項目ばかりなので、漏れなく学習を進めましょう。

　基礎完成編も基礎導入編と同様に、教科書でインプットしたことを必ず問題集を使ってアウトプットし、学習した知識を定着させましょう。

教科書／問題集　Ⅲ応用編

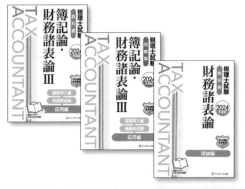

　基礎完成編での学習が終わったら、応用編の学習に移ります。

　また、理論問題対策用の教科書として、「財務諸表論 理論編」も刊行しています。「税理士試験 教科書 簿記論・財務諸表論」シリーズの各編（基礎導入編・基礎完成編・応用編）にある各 Chapter 名と同じテーマで並行して取り組んでいただくことで、計算対策と理論対策を同時に行うことができるようになっています。

穂坂式つながる会計理論

　「財務諸表論」の“効率的”な理論学習を行なうための問題集で、模範解答を覚えることなく、問題集を「読む」ことで合格する力が付くような構成になっています。

　この問題集を繰り返し解くことで、合格に必要な体系的な理論学習を行うことができます。本試験での応用的な出題にも対応できる力を身に付けましょう。

過去問ヨコ解き問題集

　教科書や問題集を使った学習が一通り終わったら、本試験の過去問題を解きましょう。過去に出題された試験問題を解くことで、出題傾向や本試験のレベルを体験できます。

　また、「ヨコ解き過去問題集」では、試験1回分を通して解くのではなく項目ごとに解いていくため、苦手な項目をピンポイントで繰り返し解くことができます。苦手克服に繋げましょう。

　解答・解説では解答方法の記載だけではなく、特筆すべき箇所については、各論点が実際に出題された際の考え方を『ポイント』や『参考』としてまとめておりますので、基本テキストを使った復習（今後の学習方法・戦略の立て方）にお役立てください。

ラストスパート模試

　過去問題集での学習が終わったら、本試験形式で構成された模擬試験問題を解きましょう。本シリーズでは、ネットスクールの税理士講師の先生が作成した模擬問題を3回分収載しています。

　試験問題を本体から取り外し、YouTube で配信している「試験タイマー」を流しながら解くことで、試験本番の臨場感の中で解くことができます。学習してきた力を試験本番で十分に発揮できるよう訓練をしましょう。

試験合格！

ネットスクール公式 YouTube チャンネル

試験勉強や合格後の実務に役立つ動画も随時配信中！

☑ 出題予想や本試験の講評・解説

☑ 最新の実務の動向を解説する「ネットスクール学びちゃんねる」

☑ 試験会場の雰囲気を味わえる試験タイマーなど

アカウントをお持ちの方はぜひチャンネル登録のうえ、ご覧ください。

※掲載している書影は、すべて 2024 年 8 月現在の最新版、教科書／問題集シリーズは 2024 年度版のものとなります。
※書籍のお求めは全国の書店・インターネット書店、またはネットスクール WEB-SHOP をご利用ください。

ネットスクールWEB講座 合格者の声

ネットスクールで見事！合格を勝ち取った受講生様からのお言葉を紹介いたします。

takk 様（40 代男性、簿記論・財務諸表論合格）

簿記1級より引き続き、ネットスクールで簿記論・財務諸表論を受講し、合格をすることができました。ネットスクールの皆様には感謝の言葉しかありません。

　1級合格後、簿記論と財務諸表論のテキストを購入しましたが、独学が非効率だと感じ、簿記論・財務諸表論上級コースを受講することにしました。1級と勝手が違うこと、既に講義が始まっていたこと、財務諸表論の理論は馴染みがなかったことから混乱しましたが、疑問点やスケジューリングなど、ことあるごとに先生に相談をしていました。

　直前期はとにかく問題を解きました。総合問題を主軸に、理論は講義を受けつつアウトプットとして穂坂先生のつながる会計理論を周回していました。おかげで平均点はじりじりと上がっていきましたが、ときにはひどい点数の時もあり、何度先生に泣きついたか。陰鬱な内容を送ってしまうこともありましたが、聞き入れてくださり、気持ちを前向きにする助けとなりました。メンタルコントロールにとても配慮していただいたように思います。

　試験当日は平常心を心掛け、ベストを尽くしてきました。ケアレスミスが若干あり、自己採点では合否どちらにも転がりうるという感じでしたが、結果は合格でした。ほっと胸を撫で下ろすとともに、合格の旨を報告させていただきました。

M.K. 様（30 代女性、医療従事者、財務諸表論合格）

簿記とは全く縁のない職種で働いておりますが、第一子の出産を機に、税理士を目指して簿記論と財務諸表論を独学で勉強しておりました。試験について無知であったため、直前対策コースを受講しましたが、学び足りないことを痛感して1年目の試験を受け、不合格でした。2年目は標準コースで学びなおそうと思い、受講したことが今回の財務諸表論の合格につながったと思っています。

　本年は、育休から復帰し、仕事と家事と第一子の育児、また第二子の出産(11月)とイベントが多く、勉強する時間が限られておりました。しかし、講師の方々のわかりやすく丁寧な講義を早朝や通勤時間にダウンロードして見ることができたこと、再生スピードを調整することができたこと、また、試験までの見通しを把握して勉強できたことが合格につながったと思います。

　簿記論は合格できませんでしたので、また来年度の試験に挑もうと思っております。税法にも挑戦できればいいなと思っているところです。

　財務諸表論に合格できたのはひとえにネットスクール講師の先生のおかげだと思っております。本当にありがとうございました。

中井　優様（40代男性、会計事務所勤務、財務諸表論・官報合格）

所長税理士の引退が現実味を帯び、事務所内に有資格者がいない中、会計2科目を残す自分が合格を目指すしかない状況となった。2021年1月より簿記論・財務諸表論の学習を他校で開始した。第71回本試験では、両科目とも合格ボーダーに全く届かず。しかし、不十分ながらも最後まで学習を継続したことで、簿記の「歩留まり」が自分に発生する。

学習を継続して挑んだ第72回本試験では、簿記論は合格。財務諸表論は53点（理論18点、計算35点）で惜しくも不合格となった。時間的な余裕もないので、穂坂先生の講義を受けるべく、ネットスクールの門を叩いた。

答練期より、自身の学習スタイルが確立する。5時起床からの2時間の早朝学習。21時から23時までの2時間の夜学習の計4時間／日の学習の習慣化、学習時間の確保である。基本、この学習スタイルを継続した。休日はこの学習に数時間を加算した。通勤移動のスキマ時間には、スマートフォンなどを用いた理論の学習をした。答練期の一例では、早朝の2時間で過去問や答練の解答。夜に採点と間違いノートへの書き出しと復習を行った。答練の成績は大原で上位20%程度（上位40%位までが合格圏内）であった。

財務諸表論の理論学習については、つながる会計理論の知識を定着させること意識して、基本センテンスの書き出しや音読、デジタルアプリ「ノウン」の問題編をタブレットやスマートフォンで繰り返し回答した。

結果、合格確実ラインを超える点数（理論29点計算41点の計70点）を得て、官報合格を勝ち取ることができた。

C．T様（女性、財務諸表論合格）

以前は他社の通信講座で2年程学習していましたが、全く結果が出せなかったので、思い切ってネットスクールに乗り換えました。

そこでまず驚いたのが、手厚いサポートでした。最初のZoomカウンセリングにて、これまでの状況を手短に説明しただけで、熊取谷先生に「財務諸表論は計算問題から取り掛かるようにしたらどうですか」というアドバイスをもらいました。私にとってはすごく参考になりました。

講義もとにかく面白く分かり易かったです。ライブ授業の日は、毎回朝から楽しみでした。そして、ひたすら苦行だった理論の勉強が、穂坂先生の講義のお陰で、めちゃくちゃ楽しい時間に変わった事にも驚きました。試験対策だけではなく、背景にあるものや作問に関わっている先生方がどういう考えでいるかなど、とても興味深い話が聞けて、飽きることなく学べました。

現在、3人の子供達の子育てをしながら勉強しておりますが、今年は結果が届いてすぐ、子供達に「合格したよ！」と知らせる事ができ、心の底から嬉しかったです。子供達も一緒に喜んでくれました。毎年、子供達に少し寂しい思いをさせてしまいますが、今年は結果が出せて本当に良かったです。

税理士WEB講座の詳細はホームページへ　**ネットスクール株式会社 税理士WEB講座**

https://www.net-school.co.jp/　　ネットスクール 税理士講座　検索

ネットスクールが自信をもって提唱する
簿財一体型の学習法

【税理士受験を始めた人に共通する最大の悩み】
⇒簿財の会計2科目のボリュームが多くて心が折れそう……

しかし、実は簿財の学習内容は**50％重複**しています。

※ （　）内の時間は1年間での標準学習時間となりますが、日商簿記検定などの学習経験や学習時期
　　などの相違により個人差があります。

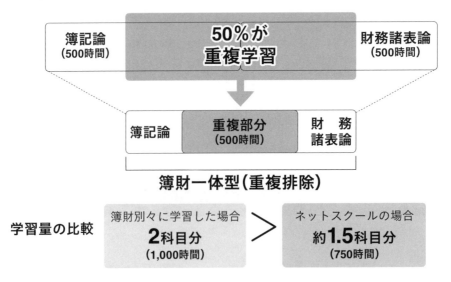

⇒悩みをスッキリ解決する新学習法が、<u>簿財一体型の学習法</u>です！

【参考】簿記論・財務諸表論の重複学習項目一覧

貸借対照表の作成	現金預金	金銭債権	棚卸資産	金融商品
有形固定資産	無形固定資産	繰延資産	営業費	負債会計
退職給付会計	純資産会計	外貨換算会計	リース会計	減損会計

　なお、簿記論は基本的にはすべて計算問題として出題されますが、**財務諸表論では100点満点中50点までが理論問題の出題**となり、その出題量は相当なものとなりますので、**十分な理論対策が必要**となります。理論学習は日商簿記検定試験では1級会計学の出題内容となるため、特に3～2級までの学習修了者にとってはその理論対策が重要となってきます。

　基礎導入編、基礎完成編、応用編の教科書・問題集は主に簿記論・財務諸表論の計算問題対策の教材となっていますので、財務諸表論の理論対策については別冊の**「財務諸表論教科書・理論編」**をご利用ください。

プロの会計人を目指すチャンス到来

今こそ税理士試験にチャレンジしよう！

　簿記論および財務諸表論の受験資格が不要となったことに伴い、日商簿記の学習経験者にとってはこれまでよりも税理士試験（簿・財）にチャレンジしやすい環境になるものと考えられます。

　これまで多くの税理士受験生が日商簿記検定の学習からスタートし、学習の進捗度合いや各級の合格を機に、簿記論や財務諸表論へステップアップしています。

　そこで、以下の日商簿記検定試験の学習範囲との関連性（重複学習の度合い）をご参照いただき、今後における税理士試験へのチャレンジに向けて、学習開始の目安としていただきたいと思います。

　なお、税理士試験では原価計算の出題はありません。また、工業簿記についても原価計算を行わない簡便的な工業簿記（商的工業簿記）の出題に限られています。

◆　日商簿記検定試験の学習範囲との関連性

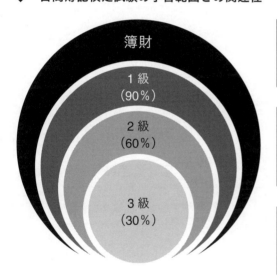

日商簿記1級
・ほとんどの内容は学習済みであり、復習もかねて学習を開始することができます。
・11月の検定試験後〜年明けからのスタートが可能です。

日商簿記2級
・学習済みの内容も多く、比較的余裕をもって学習を開始することができます。
・理想は9月からですが、11月前後からのスタートも可能です。

日商簿記3級
・新規の学習項目も多くなりますが、基礎固めをしながら学習を進めていくことになります。
・9月から約1年をかけての学習をおススメします。

　税理士試験（簿記論・財務諸表論）の学習については、これまででしたら日商簿記検定2級（商業簿記）の学習修了者が主な対象と考えられてきていたのですが、近年の日商簿記検定試験の出題範囲の改正等も考慮すると、**今後は日商簿記検定3級の学習修了者でも税理士試験（簿記論・財務諸表論）の学習開始は十分可能**であると考えられます。

さあ、今こそ税理士試験にチャレンジしましょう！

　税理士試験は難易度の高い試験ではありますが、科目合格制度を採用しており、コツコツと努力を続ければ必ず合格できる可能性がある試験です。そして、税理士の資格は様々な分野で活躍できる魅力にあふれています。この魅力あふれる資格に今こそチャレンジしてみてください！

税理士試験の2大特徴

特徴その1 科目選択制度

以下の試験科目全11科目から5科目を選択して受験する制度です。会計科目の2科目と選択必須科目1科目以上を含む税法科目3科目の合計5科目に合格する必要があります。

会計科目	必須の2科目	簿記論
		財務諸表論

税法科目	選択必須の1科目 ※法人税法または所得税法のいずれか	法人税法
		所得税法
	選択科目 [2科目または1科目選択]	相続税法
		消費税法または酒税法のいずれか
		国税徴収法
		固定資産税
		事業税または住民税のいずれか

特徴その2 科目合格制度

1度の受験で5科目全てに合格する必要はなく、1科目ずつ受験することができます。
なお、1度合格した科目は生涯有効となります。

税理士試験の受験資格及び試験日程については、国税庁ホームページをご覧下さい。

https://www.nta.go.jp/index.htm

国税庁ホームページ ▶ 税の情報・手続・用紙 ▶ 税理士に関する情報 ▶ 税理士試験

Chapter 1

簿記一巡

No	内　　　　容	標準時間	重要度	難易度
問題 1	損益勘定と残高勘定	6分	簿A	基本
問題 2	損益整理 1	7分	簿A	基本
問題 3	損益整理 2	5分	簿A	基本
問題 4	簿記一巡 1	10分	簿A	基本
問題 5	簿記一巡 2	30分	簿A	応用
問題 6	簿記一巡 3	30分	簿A	応用
問題 7	貸借対照表の作成	5分	財A	基本

問題 1　損益勘定と残高勘定　簿A（6分）

基本

下記の資料により、各問に答えなさい。会計期間：4月1日より1年。

【資　料】　○○株式会社の当期末における決算整理後残高試算表

残 高 試 算 表　　　　　　　　（単位：千円）

借　方　科　目	金　　額	貸　方　科　目	金　　額
現　　　　　金	142,000	買　　掛　　金	98,000
繰　越　商　品	279,000	借　　入　　金	30,000
備　　　　　品	37,000	資　　本　　金	200,000
仕　　　　　入	875,000	繰越利益剰余金	20,000
営　　業　　費	125,000	売　　　　　上	1,100,000
		雑　　収　　入	10,000
合　　　計	1,458,000	合　　　計	1,458,000

問1　損益勘定を作成しなさい。

問2　残高勘定を作成しなさい。

問題 2　損益整理 1　簿A（7分）

基本

下記の資料に基づいて、各問に答えなさい。

当期の会計期間：04年4月1日〜05年3月31日。

【資　料】

　　借入金 2,000,000 円（借入期間：01年7月1日〜08年6月30日。）があり、利率は年6％、利払日は毎年6月30日と12月31日である。利息の支払いは当座預金とする。

問1　当期の決算整理前残高試算表に記載される支払利息の金額を答えなさい。

問2　当期の損益計算書に記載される支払利息の金額を答えなさい。

問3　当期の損益勘定に振り替えられる支払利息の金額を答えなさい。

問4　当期の決算整理後残高試算表に記載される支払利息の金額を答えなさい。

問5　当期の支払利息勘定を完成させなさい。

問題 3　損益整理2　簿A（5分）　基本

当社の会計期間は、4月1日より始まる1年である。下記の資料により決算整理仕訳を示しなさい。

【資　料】

決算整理前残高試算表（一部）　　（単位：円）

保　険　料	44,000
支　払　地　代	72,000

1．保険料は従来より毎年12月1日に向こう1年分を支払っているが、支払額は前期も当期も同額であった。計算は月割りとする。
2．支払地代は、従来より毎年1月末に1年分を後払いの約束で支払っている。ここ数年は地代に変動はない。計算は月割りとする。

1 簿記一巡

2 現金預金

3 金銭債権

4 棚卸資産Ⅰ

5 有形固定資産

6 無形固定資産Ⅰ

7 営業費

8 金融商品Ⅰ

問題 4　簿記一巡 1　簿A（10分）　　　　　　　　　　　　　基本

次の資料にもとづいて、（1）〜（3）の各仕訳を示しなさい。なお、大陸式簿記法（準大陸式）による。

- （1）　開始仕訳
- （2）　期中仕訳
- （3）　決算振替仕訳
  - ①　損益振替仕訳
  - ②　利益振替仕訳
  - ③　残高振替仕訳

【資料1】　前期末の残高勘定

		残		高				（単位：千円）
3/31	現　　　　　金	500	3/31	支　払　手　形	350
〃	当　座　預　金	1,200	〃	買　　掛　　金	550
〃	受　取　手　形	600	〃	未　　払　　金	100
〃	売　　掛　　金	450	〃	借　　入　　金	700
〃	土　　　　　地	2,000	〃	資　　本　　金	2,500
			〃	繰越利益剰余金	550
		4,750			4,750

【資料2】期中取引
①　手形売上 300 千円、掛売上 450 千円を計上する。
②　手形仕入 200 千円、掛仕入 350 千円を計上する。
③　受取手形 250 千円、売掛金 400 千円を回収し、即座に当座預金に預け入れた。
④　支払手形 150 千円、買掛金 450 千円を当座預金より返済した。
⑤　未払金 100 千円、借入金 200 千円を現金で返済した。
⑥　土地 500 千円を購入した。決算日現在、当該土地に関する支払いは行われていない。

【資料3】
仕入れた商品については、全て期中に販売しており、期末商品棚卸高はゼロであった。

問題 5　簿記一巡 2　簿A（30分）　応用

次の【資料 1】前期末（×1 年 3 月 31 日）の繰越試算表、【資料 2】期中取引、【資料 3】決算整理事項にもとづいて、問 1〜問 4 に答えなさい。なお、当期の決算日は×2 年 3 月 31 日である。

【資料 1】　前期末（×1 年 3 月 31 日）の繰越試算表

繰 越 試 算 表

×1 年 3 月 31 日　　　　　　　　（単位：千円）

現　　　　　金	370	支 払 手 形	3,800
当 座 預 金	9,500	買 掛 金	1,100
受 取 手 形	3,200	借 入 金	2,300
売 掛 金	1,800	未 払 法 人 税 等	500
繰 越 商 品	950	未 払 利 息	25
前 払 営 業 費	80	貸 倒 引 当 金	120
建 物	5,000	建物減価償却累計額	1,350
備 品	1,500	備品減価償却累計額	900
		資 本 金	10,000
		利 益 準 備 金	2,000
		繰 越 利 益 剰 余 金	305
	22,400		22,400

【資料 2】　期中取引

1　Z 社より商品 13,500 千円を仕入れ、代金のうち 6,000 千円は小切手を振り出して支払い、残額は掛けとした。

2　A 社に商品 18,000 千円を販売し、代金のうち 7,500 千円は小切手で受け取り、ただちに当座預金に預け入れ、残額は掛けとした。

3　Z 社より商品 15,000 千円を仕入れ、代金のうち 3,000 千円は Y 社振出し、当社受取りの約束手形を裏書譲渡し、残額はかねてから売掛金のある得意先 A 社宛の為替手形を同社の引受けを得て振り出した。

4　A 社に商品 22,500 千円を販売し、代金のうち 8,000 千円については同社振出し、当社宛の約束手形で受け取り、2,000 千円については当社振り出し、B 社宛の約束手形の裏書譲渡を受け、残額は掛けとした。

5　売掛金 7,300 千円のうち 300 千円を現金で回収し、残額は小切手で受け取りただちに当座預金に預け入れた。また、受取手形 3,000 千円が満期となり、当座預金に振り込まれた。

6　買掛金 3,000 千円、支払手形 1,000 千円を小切手を振り出して支払った。

7　期首売掛金のうち 100 千円、当期販売分の売掛金のうち 600 千円が貸し倒れた。

8　営業費 180 千円を現金で支払った。

9　借入金 1,150 千円を支払利息 90 千円とともに小切手を振り出して支払った。

10　未払法人税等 500 千円を小切手を振り出して支払った。

【資料3】 決算整理事項

1 売上債権の期末残高に対して、差額補充法により3%の貸倒引当金を設定する。

2 期末商品棚卸高800千円（売上原価の計算は、売上原価勘定で行う）。

3 固定資産の減価償却を以下のとおり行う。

　　　　建物：定額法；耐用年数50年　残存価額　取得原価の10%

　　　　備品：定率法；償却率 年25%

4 営業費110千円を繰延計上し、支払利息15千円を見越計上する。

5 税引前当期純利益に対して30%の法人税等を計上する。

問1　再振替仕訳、期中仕訳を考慮したあとの決算整理前残高試算表を完成させなさい。

問2　決算整理仕訳を考慮したあとの決算整理後残高試算表を完成させなさい。

問3　決算振替仕訳を考慮したあとの損益勘定、繰越利益剰余金勘定および繰越試算表を完成させなさい。

問4　損益計算書および貸借対照表を完成させなさい。

問題 6　簿記一巡 3　簿A　(30分)　応用

1 簿記一巡

2 現金預金

3 金銭債権

4 棚卸資産 I

5 有形固定資産

6 無形固定資産 I

7 営業費

8 金融商品 I

次の【資料1】前期末の残高勘定、【資料2】期中取引、【資料3】決算整理事項にもとづいて、当期の損益勘定、繰越利益剰余金勘定、残高勘定を完成させなさい。なお、当期の決算日は×2年9月30日である（準大陸式）。

【資料1】　前期末の残高勘定

	残	高		(単位：千円)
9/30 現 金 預 金	289,200	9/30 支 払 手 形	153,900	
〃 受 取 手 形	465,000	〃 買 掛 金	341,000	
〃 売 掛 金	335,000	〃 未 払 法 人 税 等	150,000	
〃 繰 越 商 品	36,000	〃 貸 倒 引 当 金	8,000	
〃 貸 付 金	320,000	〃 前 受 金	40,000	
〃 前 払 金	53,000	〃 未 払 家 賃	2,100	
〃 未 収 利 息	1,800	〃 資 本 金	500,000	
		〃 利 益 準 備 金	120,000	
		〃 繰越利益剰余金	185,000	
	1,500,000		1,500,000	

【資料2】　期中取引

1　現金預金に関する取引

(1)　増加額

①	売上高	60,000 千円
②	受取手形取立高	250,000 千円
③	売掛金回収高	180,000 千円
④	前受金の受取高	30,000 千円
⑤	貸付金の回収高	150,000 千円
⑥	利息受取高	8,000 千円

(2)　減少額

①	仕入高	45,500 千円
②	支払手形決済高	96,000 千円
③	買掛金支払高	301,000 千円
④	前払金の支払高	27,000 千円
⑤	備品購入高（当期首取得）	10,000 千円
⑥	未払法人税等の支払高	150,000 千円
⑦	家賃の支払高	9,000 千円
⑧	配当金の支払額	50,000 千円

2　商品売買に関する取引（「現金預金に関する取引」に含まれているものを除く）

(1)　手形売上、手形仕入および受取手形の貸倒れ

①	売上高	330,000 千円
②	約束手形振出しによる仕入高	189,000 千円
③	受取手形貸倒高（前期販売分）	3,000 千円

(2)　売掛金

①	手形の受入による回収高	90,000 千円
②	売掛金貸倒高（前期販売分）	2,000 千円
③	期末残高	568,000 千円

(3)　買掛金

①	約束手形振出しによる支払高	82,000 千円
②	期末残高	308,000 千円

(4)　前受金

期末残高	33,000 千円

(5)　前払金

期末残高	54,000 千円

(6)　売上高、仕入高の各金額は各自推定すること。

3　剰余金の配当等に関する事項

　　×1年12月25日に開催された定時株主総会で、以下のように繰越利益剰余金を原資とする
　剰余金の配当等に関する決議が行われた。

　　　　配当金　50,000千円　別途積立金　30,000千円　利益準備金　5,000千円

【資料3】　決算整理事項

1　売上債権の期末残高に対して、差額補充法により1％の貸倒引当金を設定する。

2　期末商品棚卸高28,000千円（売上原価の計算は、仕入勘定で行う）

3　固定資産の減価償却を以下のとおり行う（記帳方法は直接法による）。

　　備品：定率法；償却率 年25％

4　支払家賃3,300千円と受取利息2,000千円を見越計上する。

5　税引前当期純利益に対して30％の法人税等を計上する。

問題 7　貸借対照表の作成　財計 A（5分）　基本

1 簿記一巡 / 2 現金預金 / 3 金銭債権 / 4 棚卸資産Ⅰ / 5 有形固定資産 / 6 無形固定資産Ⅰ / 7 営業費 / 8 金融商品Ⅰ

以下の貸借対照表を会社計算規則に準拠して完成させなさい。

貸 借 対 照 表

甲株式会社　　×2年3月31日現在　　（単位：千円）

（　　　　　　）		（　　　　　　）	
Ⅰ（　　　　　）		Ⅰ（　　　　　）	
現 金 預 金	45,000	買 掛 金	30,000
売 掛 金　20,000		短 期 借 入 金	15,000
貸 倒 引 当 金　△400	19,600	未 払 費 用	700
有 価 証 券	4,500	（　　　）合計	（　　）
商　　品	3,800	Ⅱ（　　　　　）	
短 期 貸 付 金	10,000	長 期 借 入 金	7,000
未 収 収 益	800	退職給付引当金	3,800
（　　　）合計	（　　）	（　　　）合計	（　　）
Ⅱ（　　　　　）		（　　　）合計	（　　）
1（　　　　　）			
建　　物　24,000		（　　　　　　）	
減価償却累計額　△2,500	21,500	Ⅰ 株 主 資 本	
土　　地　15,000		1（　　　　　）	50,000
（　　　）合計	（　　）	2（　　　　　）	
2（　　　　　）		(1)（　　　）	5,000
特 許 権	3,000	(2)その他資本剰余金	500
（　　　）合計	（　　）	（　　　）合計	
3（　　　　　）		3（　　　　　）	
投 資 有 価 証 券	4,000	(1)（　　　）	1,500
長 期 貸 付 金	7,000	(2)その他利益剰余金	
（　　　）合計	（　　）	別 途 積 立 金	5,000
（　　　）合計	（　　）	（　　　）	17,700
Ⅲ（　　　　　）		（　　　）合計	（　　）
開 発 費	2,000	株 主 資 本 合 計	（　　）
（　　　）合計	（　　）	（　　　）合計	（　　）
（　　　）合計	（　　）	（　　　）合計	（　　）

········ *Memorandum Sheet* ········

Chapter 2

現金預金

No	内　　　容	標準時間	重要度	難易度
問題 1	現金の範囲と現金過不足	3分	簿A	基本
問題 2	銀行勘定調整表の作成 1	5分	簿A	基本
問題 3	銀行勘定調整表の作成 2	3分	簿C	基本
問題 4	現金過不足 1	4分	簿A	基本
問題 5	現金過不足 2	8分	簿A	基本
問題 6	銀行勘定調整及び現金過不足	10分	簿A	応用
問題 7	当座借越	3分	財計B	基本
問題 8	現金の範囲	3分	財計A	基本
問題 9	当座預金と小口現金	5分	簿B	応用
問題 10	総合問題	8分	簿A	応用
問題 11	預金の処理（本試験改題）	8分	簿A	応用

問題 1　現金の範囲と現金過不足 （3分）基本

次の資料にもとづいて、決算整理後残高試算表を作成しなさい。

【資料1】

決算整理前残高試算表　　（単位：千円）

現　　　金	15,400
租 税 公 課	2,100
通 　信　 費	1,750

【資料2】決算整理事項等

1　決算日において金庫の中を調べた結果、次のものが保管されていた。

① 紙 幣 ・ 硬 貨　　12,000千円　　② 郵 便 切 手　　100千円

③ 他 人 振 出 小 切 手　　3,000千円　　④ 収 入 印 紙　　250千円

⑤ 株 式 配 当 金 領 収 証　　500千円

⑥ 期 限 到 来 後 の 社 債 利 札　　200千円

2　上記のうち株式配当金領収証500千円と期限到来後の社債利札200千円については、未処理であることが判明した。

問題 2　銀行勘定調整表の作成1　簿A（5分）　基本

次の資料にもとづいて、各問いに答えなさい。なお、当期は×2年3月31日を決算日とする1年間である。

【資料1】

決算整理前残高試算表　　（単位：千円）

当 座 預 金	86,000	

【資料2】決算整理事項等

1　当社は甲銀行および乙銀行に当座預金口座を開設しており、乙銀行とは限度額50,000千円の当座借越契約を締結している。

2　甲銀行の当座預金の期末残高につき、当社の当座預金出納帳が106,000千円のところ、銀行の残高証明書の金額は102,000千円となっていた。この差異の原因を調査したところ、次のことが判明した。

　①　仕入先へ振り出した小切手で未取付のものが7,500千円あった。

　②　仕入先の買掛金支払いに対する未渡小切手4,000千円があった。

　③　決算日に現金3,000千円を預け入れたが、営業時間外であったため、銀行では翌日の預入れとされていた。

　④　得意先から受け取った小切手2,500千円の預入れ分を銀行が取り立てていなかった。

　⑤　得意先の売掛代金回収分1,000千円を当社の帳簿上11,000千円と誤記していた。

3　決算整理前残高試算表の当座預金の金額は、乙銀行に対する当座借越20,000千円を控除したものである。なお、乙銀行の当座預金に関して不一致は生じていない。

問1　甲銀行の当座預金について、両者区分調整法により銀行勘定調整表を作成しなさい。

問2　必要な修正仕訳を示しなさい。なお、乙銀行に対するものは借入金で処理すること。

問3　決算整理後残高試算表に計上される当座預金の金額を求めなさい。

1 簿記一巡

2 現金預金

3 金銭債権

4 棚卸資産 I

5 有形固定資産

6 無形固定資産 I

7 営業費

8 金融商品 I

問題 3　銀行勘定調整表の作成2　簿C（3分）　基本

問題2の甲銀行の当座預金について、以下の方法による銀行勘定調整表を作成しなさい。

(1)　銀行残高基準法

(2)　企業残高基準法

問題 4　現金過不足1　簿A（4分）　基本

決算日において金庫を調べたところ以下の事実が判明した。なお、現金の帳簿残高は205,000円であった。よって、決算整理仕訳を示しなさい。

＜現金実査の結果＞

　未処理のものを除き、すべて現金として期中処理を行っている。

　1．通　貨　138,600円

　2．他人振出小切手　15,000円（うち7,000円は先日付である。）

　3．自己振出小切手　12,000円

　4．配当金領収証　40,000円（源泉税考慮不要。）

　5．公社債利札　20,000円（源泉税考慮不要。）は期限が到来したが未処理である。

　6．現金の帳簿残高と手許有高との差額については、原因不明であった。

問 題 5　現金過不足2　^簿A（8分）　基本

下記の資料により、決算において必要な修正仕訳をすべて行いなさい。

決算整理前残高試算表　　（単位：円）

現 金 預 金　　　　242,460

＜現金預金勘定の内訳に係る決算手続資料＞

Ⅰ　現　金

(1)　現金出納帳残高：　　？　円

(2)　期末において現金実査を行ったところ、下記のものが金庫に保管されていた。

① 通　貨：94,620円　　② 得意先振出小切手：124,000円

③ 社債券利札（期日到来済であるが未処理）：5,000円

(3)　領収証の控のうち1枚が未処理となっており、その内容は次のようなものである。

摘要欄：甲商店に対する掛代金　　金　額：36,000円

(4)　現金過不足　？　円が生じており、これは原因不明のため整理する。

Ⅱ　当座預金

(1)　当座預金出納帳残高：　　？　円

(2)　当社の取引銀行はS銀行のみである。

(3)　小切手帳の控のうち1枚が未処理となっており、その内容は次のようなものである。

摘要欄：乙商店に対する掛代金　　金　額：44,000円

(4)　上記(3)処理後の出納帳残高は借方残高14,000円となっている。

問題 6　銀行勘定調整及び現金過不足　博A（10分）　応用

　決算につき、以下の資料に基づいて（設問1）修正後残高試算表（一部）を作成し、（設問2）現金預金勘定の内訳を示しなさい。なお、会計期間は03年4月1日～04年3月31日とする。

修正前残高試算表（一部）　　　　（単位：円）

現 金 預 金	1,274,200	買　掛　金	350,000
受 取 手 形	500,000		
売　掛　金	200,000		

＜決算整理事項等＞

1．現金実査を行ったところ、次の事実が判明した。
　(1)　通貨手許有高181,200円
　(2)　得意先振出の1カ月後の先日付小切手2,200円（現金預金で処理済）がある。
　(3)　配当金領収証5,400円を受け取っているが未処理である。
　(4)　期限が到来した社債の利札1,500円が未処理である。
　(5)　現金過不足額については、原因が判明しなかった。

2．04年3月31日の銀行残高証明書の金額は342,000円であり、調整前当座預金残高との差額の内訳は以下のとおりである。
　(1)　銀行に、得意先N商店から売掛代金30,000円の当座振込があったが、その通知が当社に未達だった。
　(2)　一昨日仕入先K商店に買掛金支払いのため、小切手15,000円を振り出したが、未渡しとなっており、金庫に保管されている。
　(3)　仕入先S商店に買掛金支払いのため交付した小切手9,000円が未取付であった。
　(4)　借入金利息1,800円が自動引落しされていたが当社には未達であった。

3．H社株式を購入（現金払い）したときの領収証300,000円（未処理）が手許にある。

4．定期預金（期間02年10月1日～04年9月30日）500,000円が現金預金勘定に含まれている。

問題 7　当座借越　[補計B]（3分）　基本

　決算日における当座預金勘定の内訳は、以下のとおりである。貸借対照表の表示科目および金額を答えなさい。

　　A銀行当座預金　　390千円
　　B銀行当座借越　　420千円
　　C銀行当座預金　　150千円

問題 8　現金の範囲　[補計A]（3分）　基本

　次の資料にもとづいて、×1年3月期の貸借対照表（一部）の空欄に表示科目または金額および、これに関する必要な注記を答えなさい。

【資　料】
1　決算にあたり実査を行ったところ、次のものが金庫の中に保管されていた。
　　①通貨　　　　　　1,800千円　　②他人振出小切手　　　320千円
　　③配当金領収証　　　100千円　　④未使用の収入印紙　　　70千円
2　仕入先A社への買掛金に対して振り出した小切手280千円が未渡しとなっていた。なお、決算整理前残高試算表における買掛金残高は800千円であった。
3　決算整理前残高試算表における当座預金残高は1,500千円であり、定期預金残高は1,300千円である。定期預金の内訳は、B銀行定期預金（満期日×1年12月）300千円、C銀行定期預金（満期日×5年3月）1,000千円である。なお、C銀行定期預金については、長期借入金1,200千円の担保に供されている。

1 簿記一巡
2 現金預金
3 金銭債権
4 棚卸資産Ⅰ
5 有形固定資産
6 無形固定資産Ⅰ
7 営業費
8 金融商品Ⅰ

問題 ⑨　当座預金と小口現金　簿B（5分）　応用

当期の決算整理前残高試算表は【資料1】のとおりである。【資料2】に示す決算整理事項等にもとづいて、決算整理後残高試算表（一部）の空欄をうめなさい。

【資料1】修正および決算整理前の残高試算表の一部

（単位：千円）

借　方　科　目	金　　額	貸　方　科　目	金　　額
現　金　預　金	110,000	買　　掛　　金	185,000
売　　掛　　金	202,050		
営　　業　　費	309,000		

【資料2】決算整理事項等

現金預金について調査をしたところ、次の事実が判明した。

(1)　営業部からの依頼により旅行会社へ旅費（営業費）の支払いのために振り出した小切手で未取付のものが200千円あった。

(2)　当座預金から通信費（営業費）120千円が引き落とされたが、当社にその連絡が未達であった。

(3)　買掛金3,500千円の支払いとして振り出された小切手が、期末現在未渡しであった。

(4)　売掛代金1,950千円の振込みがあったが、未記帳であった。

(5)　期末における当座預金の残高証明金額は38,200千円であったが、帳簿残高は32,670千円であった。

(6)　当座預金以外の預金の帳簿残高は74,330千円である。

(7)　当社は、営業費の支払以外には現金を保有していない。また、営業費の支払いには小口現金制度を採用し、小口現金の補充は毎月初に行っており、3月の営業費の計上が未処理である。期末における紙幣および硬貨の実際有高合計は2,120千円であった。なお、現金過不足は生じていない。

1 簿記一巡
2 現金預金
3 金銭債権
4 棚卸資産 I
5 有形固定資産
6 無形固定資産 I
7 営業費
8 金融商品 I

問題 10　総合問題　簿 A （8分）　　応用

次の資料にもとづいて、各問いに答えなさい。

【資料1】修正および決算整理前の残高試算表の一部

（単位：千円）

借　方　科　目	金　　額	貸　方　科　目	金　　額
現　金　預　金	2,800	支　払　手　形	9,730
受　取　手　形	10,100	買　　掛　　金	10,820
売　　掛　　金	13,700	雑　　収　　入	200
租　税　公　課	1,910		
通　　信　　費	2,390		
雑　　損　　失	200		

【資料2】決算修正事項等

1　決算にあたり金庫を実査した結果、次のものが保管されていた。

　　①紙幣・硬貨　　　：　　300千円　　②未渡小切手　　：　　400千円（注2）
　　③他人振出小切手：　1,720千円　　④配当金領収証：　　100千円（注3）
　　⑤自己振出小切手：　　240千円（注1）　⑥収入印紙　　　：　　330千円（注4）
　　⑦先日付小切手　：　　160千円（注1）　⑧郵便切手　　　：　　170千円（注4）

　　（注1）期中において適切に処理されている。
　　（注2）下記2（1）、（2）を参照のこと。
　　（注3）期中において未処理であることが判明した。
　　（注4）購入時に租税公課または通信費で処理している。

2　決算にさいして、取引銀行から取り寄せた当座預金の残高証明書の金額は1,120千円であったが、当社の帳簿残高と一致していなかった。不一致の原因を調べたところ、以下の事実が判明した。

　（1）　買掛金280千円の支払いとして振り出された小切手が、金庫に保管されていた。
　（2）　通信費120千円の支払いとして振り出された小切手が、金庫に保管されていた。
　（3）　当社振出小切手140千円は、期末現在未取付であった。
　（4）　得意先から売掛金130千円の振込みがあったが、当社には未達であった。
　（5）　決算日に預け入れた200千円は銀行の営業時間外であったため、銀行では翌日入金として処理していた。

3　現金預金勘定の内訳は、現金および当座預金のみであり、現金過不足が生じた場合は雑収入または雑損失で処理すること。また、解答にあたっては上記の資料以外の事項は考慮しなくてよい。

　　問1　【資料2】1より、期末における現金の実際有高の金額を答えなさい。
　　問2　【資料2】2より、決算整理後および決算整理前の当座預金残高を答えなさい。
　　問3　答案用紙に示した決算整理後残高試算表（一部）の空欄をうめなさい。

問題 11 預金の処理 簿A（8分）

甲社の当期（自×1年4月1日　至×2年3月31日）決算整理前残高試算表は【資料1】のとおりである。【資料2】に示す修正事項および決算整理事項にもとづいて決算整理後残高試算表（一部）の空欄をうめなさい。

（留意事項）経過勘定項目の計算にあたっては、月割りで行うこと。

【資料1】修正および決算整理前の残高試算表の一部（×2年3月31日）

（単位：千円）

借	方		貸	方	
科　　　目	金　　額		科　　　目	金　　額	
現　　　金	1,246		買　掛　金	30,668	
当 座 預 金	1,720		借　入　金	145,500	
定 期 預 金	30,000		受 取 利 息	1,800	
売　掛　金	254,168				
営　業　費	740,480				

【資料2】修正事項および決算整理事項

1　銀行勘定の調整に関する事項

　　　　当座預金の残高の内訳は、次のとおりである。なお、B銀行との間で極度額10,000千円の当座借越契約を締結している（△は当座借越額を示す）。当座借越残高は借入金として処理する。

　　　　A銀行　　　8,310千円
　　　　B銀行　△6,590千円
　　　　　計　　　　1,720千円

　　　　A銀行の当座預金の期末残高につき、甲社の当座預金出納帳が8,310千円のところ、銀行の残高証明書の金額は10,550千円となっている。この差異の原因を調査したところ、次のことが判明した。なお、B銀行の当座預金の期末残高については、甲社と銀行に不一致は生じていない。

(1)　3月30日に経費の支払いのために振り出した小切手280千円が、3月31日現在でまだ決済されていない。

(2)　3月31日に預け入れた売掛代金回収の小切手380千円が、時間外のため銀行側では4月1日に入金処理されていた。

(3)　2月に売掛代金回収で受け取った小切手440千円を銀行に預け入れるさい、誤って以下のように貸借逆に仕訳していた。

　　　（借）売　掛　金　440千円　（貸）当座預金　440千円

(4)　3月29日に売掛代金1,600千円の振込みがあったが、甲社では4月4日に入金記帳された。

(5)　3月28日の電話代140千円の自動引落しに関する記帳が、31日現在まだ行われていなかった。

2　定期預金に関する事項

　　　　定期預金証書の額面は30,000千円（預入日：×1年12月1日、利率：年1.5%、預入期間：1年間）である。

Chapter 3

金銭債権

No	内　　容	標準時間	重要度	難易度
問題 1	手形取引の処理	3分	薄A	基本
問題 2	手形の割引・裏書と保証債務	3分	薄B	基本
問題 3	保証債務	10分	薄B	基本
問題 4	手形取引(本試験改題)	8分	薄A	応用
問題 5	営業外手形(本試験改題)	3分	薄B	基本
問題 6	電子記録債権・電子記録債務1	5分	薄B	基本
問題 7	割引現在価値の計算	3分	薄A	基本
問題 8	貸倒れの処理と貸倒引当金の設定	5分	薄A	基本
問題 9	貸倒実績率法による貸倒見積高の算定	3分	薄A	基本
問題 10	財務内容評価法による貸倒見積高の算定	5分	薄A	応用
問題 11	キャッシュ・フロー見積法(本試験改題)	5分	薄B	基本
問題 12	総合問題(本試験改題)	8分	薄C	応用
問題 13	割引手形の会計処理	3分	財B	基本
問題 14	不渡手形の会計処理	3分	財B	基本
問題 15	電子記録債権・電子記録債務2	5分	財B	基本
問題 16	関係会社に対する金銭債権・金銭債務1	3分	財A	基本
問題 17	関係会社に対する金銭債権・金銭債務2	3分	財A	応用
問題 18	貸倒引当金の会計処理	3分	財A	基本
問題 19	貸倒引当金1	3分	財A	基本
問題 20	貸倒引当金2	3分	財B	応用
問題 21	貸倒懸念債権	5分	財A	応用
問題 22	貸倒懸念債権(財務内容評価法)と破産更生債権等	5分	財A	応用

問題 1　手形取引の処理　簿A（3分）　基本

次の各取引の仕訳を示しなさい。なお、現金および預金にかかる勘定科目は「現金預金」を使用すること。

(1)　当社は甲社に商品 500 千円を売り上げ、代金として当社振出約束手形 200 千円と甲社振出約束手形 300 千円を受け取った。

(2)　前に銀行で割り引いた手形が不渡りとなり、手形額面 1,000 千円相当額につき小切手を振り出して支払うとともに、手形の振出人に償還請求を行った。なお、保証債務は手形額面の 1％ を計上していた。

(3)　不渡りとなった上記 (2) の手形 1,000 千円が、後日償還され、当社の当座預金に振り込まれた。

(4)　当社は乙社に商品 900 千円を売り上げ、その代金回収のため自己を指図人とする同額の為替手形を振り出し、乙社の引受けを得た。

問題 2　手形の割引・裏書と保証債務　簿B（3分）　基本

以下の資料にもとづき、答案用紙の決算整理後残高試算表（一部）の空欄をうめなさい。なお、保証債務の時価はいずれも手形額面の 1％ 相当額とし、貸倒引当金については考慮しなくてよい。

【資料1】

決算整理前残高試算表（一部）　　　（単位：千円）

受 取 手 形	21,000	支 払 手 形	17,000
売 掛 金	4,300	買 掛 金	3,500
手 形 売 却 損	200	保 証 債 務	65
保 証 債 務 費 用	65		

【資料2】修正および決算整理事項

1　期中に行った所有手形の裏書譲渡による仕入 3,000 千円があったが、それについては支払手形勘定で処理していた。また、保証債務の計上についても未処理であった。なお、当該手形の決済はまだ行われていない。

2　期中に所有手形 4,000 千円の割引を行い、手形売却損 200 千円を計上していたが、保証債務に関する処理を行っていなかった。なお、当該手形の決済はまだ行われていない。

3　期中に裏書譲渡した手形 3,000 千円のうち 1,500 千円が無事に決済されていたが、当社では何も処理を行っていなかった。なお、この手形については、裏書譲渡時に保証債務の計上を行っている。

問題 3　保証債務　簿B（10分）

　以下の資料に基づいて、決算整理前残高試算表（一部）を作成しなさい。会計期間は4月1日より始まる1年とする。手形の割引・裏書の際に生ずる保証債務の時価はすべて手形額面の2%とする。

【資料1】期首残高試算表（一部）

残　高　試　算　表			（単位：円）
受　取　手　形	350,000	買　　掛　　金	300,000
売　　掛　　金	400,000	貸 倒 引 当 金	15,000
繰　越　商　品	100,000	保　証　債　務	4,000

【資料2】期中取引（一部）

(1)　当期売上高1,500,000円（手形売上700,000円、掛売上800,000円）。

(2)　当期仕入高1,000,000円（すべて掛仕入）

(3)　手形期日入金472,000円、掛代金当座回収465,000円、掛代金当座支払561,000円。

(4)　当期の受取手形180,000円を割引し、割引料800円を差し引かれ、手取額を当座入金した。

(5)　前期の受取手形120,000円を割引し、割引料450円を差し引かれ、手取額を当座入金した。当該手形に対して貸倒引当金が2,400円設定されているので取り崩す。

(6)　掛代金支払のため、前期の受取手形70,000円を裏書譲渡した。当該手形に対して貸倒引当金が1,400円設定されているので取り崩す。

(7)　前期の売掛金10,000円が貸し倒れた。

(8)　(4)の割引手形および(6)の裏書手形の期日は翌期であるが、それ以外の割引および裏書手形（前期における割引、裏書を含む。）については、すべて当期中に支払人が無事決済した。

1 簿 記 一 巡

2 現 金 預 金

3 金 銭 債 権

4 棚 卸 資 産 Ⅰ

5 有 形 固 定 資 産

6 無 形 固 定 資 産 Ⅰ

7 営 業 費

8 金 融 商 品 Ⅰ

問題 4　手形取引　簿 Ａ（8分）

以下の資料にもとづき、答案用紙の３月末決算整理前残高試算表（一部）の空欄をうめなさい。なお、保証債務については考慮する必要がなく、当期は×２年３月31日を決算日とする１年間である。

【資料１】

２月末残高試算表（一部） （単位：千円）

現 金 預 金	307,665	支 払 手 形	352,100
受 取 手 形	250,000	買 掛 金	456,600
売 掛 金	97,200	減価償却累計額	800
器 具 備 品	2,400	売 上	973,800
仕 入	656,440		

【資料２】３月中の取引は、次のとおりである。

1　商品売上は、現金売上が32,500千円、掛売上が65,500千円あった。売掛金の回収は、現金回収が3,240千円、預金振込みが28,140千円、手形による回収が34,500千円であった。また、受取手形の期日決済額は25,000千円である。

2　商品仕入は、現金仕入が27,600千円、掛仕入が57,400千円あった。買掛金の支払いは、現金支払いが24,000千円、手形の振出しが36,000千円であった。また、支払手形の期日決済額は36,500千円である。

3　受取手形のうち1,000千円を銀行で割り引き、割引料（手形額面の２％相当額）を控除された残額が預金口座に振り込まれた。

4　器具備品1,200千円を購入し、約束手形を振り出して支払った。

問題 5　営業外手形　簿 Ｂ（3分）

自動車販売店 Ａ 社は、ＣＤ 販売店 Ｂ 社が営業用に使用していた車両（取得原価3,200千円、減価償却累計額1,800千円）を1,000千円で下取りし、Ｂ 社に新車を販売した。Ａ 社は新車の価格6,000千円と下取価格との差額のうち、3,000千円は Ｂ 社振出しの約束手形を受け取り、残額については後日現金で受け取ることとした。この買換えは Ｂ 社の期首に行われたものとする。

この取引について、Ａ 社と Ｂ 社の仕訳を示しなさい。なお、使用する勘定科目は下記から選択すること。

現 金 預 金	受 取 手 形	売 掛 金	未 収 入 金
営 業 外 受 取 手 形	支 払 手 形	買 掛 金	未 払 金
営 業 外 支 払 手 形	仕 入	車 両 売 却 損	売 上
車 両 売 却 益			

問題 6　電子記録債権・電子記録債務1　簿B（5分）　基本

次の各取引の仕訳を示しなさい。なお、現金および預金にかかる勘定科目は「現金預金」を使用すること。

(1)　売掛金 28,000 円について、電子記録債権の発生記録が行われた。
(2)　買掛金 16,000 円について、電子記録債務の発生記録が行われた。
(3)　電子記録債権のうち 6,000 円を買掛金と引換えに譲渡し、譲渡記録が行われた。
(4)　電子記録債権 4,000 円について得意先から当座預金に振り込まれていたが、その通知が当社に未達であった。
(5)　電子記録債務 2,000 円を当座預金から支払ったが未処理であった。
(6)　電子記録債権のうち 12,000 円を銀行に 11,200 円で譲渡し、譲渡記録が行われ、代金は当座預金に振り込まれていたが未処理であった。

問題 7　割引現在価値の計算　簿A（3分）　基本

次の資料にもとづいて、各問いに答えなさい。

【資　料】利率7％の現価係数と年金現価係数は、次のとおりである。

	1年	2年	3年
現 価 係 数	0.9346	0.8734	0.8163
年金現価係数	0.9346	1.8080	2.6243

問1　現在の 30,000 千円を複利で銀行に預け入れると、3年後の元利合計はいくらになるかを答えなさい。千円未満の端数は四捨五入すること。

問2　銀行に資金を預け入れて3年後に 30,000 千円にしたいと考えるとき、今いくら預け入れればよいかを答えなさい。

問3　3年間にわたって、毎年度末に 30,000 千円の現金収入がある場合、その現在価値はいくらになるかを答えなさい。

問題 8　貸倒れの処理と貸倒引当金の設定　簿 A（5分）　基本

　以下の資料にもとづき、各項目について必要な仕訳を示しなさい。なお、(3)～(5)については、貸倒引当金の繰入れに関し、貸倒引当金の残高はゼロであったものとして答えること。

【資　料】

(1)　期中において、前期発生の売掛金300千円と当期発生の売掛金200千円が貸し倒れた。なお、貸倒れが生じたさいの当該売掛金に対する貸倒引当金の残高は840千円であり、過去の見積りは合理的であった。

(2)　期末において債権の内容を調べたところ、債権のうちの受取手形20,000千円は貸倒懸念債権の区分に、売掛金32,000千円および貸付金3,000千円は破産更生債権等の区分に該当することが判明した。

(3)　期末における売上債権（すべて一般債権）の残高は120,000千円であった。貸倒実績率法（繰入率は0.7％）により、貸倒引当金を設定する。

(4)　期末において貸倒懸念債権に区分された売掛金は20,000千円であり、当該債権に対しては8,000千円の担保が設定されている。財務内容評価法により、債権金額から担保設定額を控除した額の50％を貸倒引当金として設定する。

(5)　期末において破産更生債権等に区分された貸付金は35,000千円であり、当該債権に対しては債務者所有の土地に担保（担保設定時の時価30,000千円、期末時価28,000千円）を設定している。当該債権を破産更生債権等に振り替えるとともに、財務内容評価法により、債権金額から担保処分見込額を控除した額を貸倒引当金として設定する。

問題 9　貸倒実績率法による貸倒見積高の算定　簿A（3分）　基本

　以下の資料にもとづき、(1) 当期の貸倒実績率を求め、(2) 答案用紙の決算整理後残高試算表を完成させるとともに、(3) 売掛金の貸借対照表価額を答えなさい。なお、当期は×5年3月31日を決算日とする1年間である。

【資　料】

決算整理前残高試算表　　　（単位：千円）

現 金 預 金	115,000	貸倒引当金	8,700
売 掛 金	220,000		

1　×4年7月31日に、得意先A社から売掛金の回収としてA社振出しの小切手5,200千円を受け取っていたが、記入漏れであることが判明した。

2　当社は売掛金について、貸倒実績率（売掛金期末残高に対する翌期の実際貸倒額の割合の過去3年分の単純平均値）をもとに貸倒引当金を設定している。繰入れは差額補充法により行い、貸倒実績率は以下の表をもとに算定すること。

（単位：千円）

	×1年度	×2年度	×3年度	×4年度
売掛金期末残高	185,000	178,000	201,000	（各自算定）
実 際 貸 倒 額	9,435	8,695	9,078	10,452

1 簿記一巡
2 現金預金
3 金銭債権
4 棚卸資産Ⅰ
5 有形固定資産
6 無形固定資産Ⅰ
7 営業費
8 金融商品Ⅰ

問題 10　財務内容評価法による貸倒見積高の算定　薄A（5分）応用

以下の【資料】にもとづき、答案用紙の決算整理後残高試算表（一部）を完成させなさい。

【資料1】

<table>
<tr><td colspan="4" align="center">決算整理前残高試算表（一部）</td><td>（単位：千円）</td></tr>
<tr><td>受 取 手 形</td><td>202,000</td><td>預 り 保 証 金</td><td>3,600</td></tr>
<tr><td>売 掛 金</td><td>124,000</td><td>貸 倒 引 当 金</td><td>4,455</td></tr>
</table>

【資料2】決算整理事項等

1　当社は、金銭債権を「一般債権」、「貸倒懸念債権」および「破産更生債権等」に区分して貸倒引当金を設定している。一般債権については、決算期末日の受取手形および売掛金の残高に対し4％相当額を引き当てる。貸倒懸念債権については、債権額から担保等の処分見込額を控除した金額の50％を引き当てる。また、破産更生債権等については、債権額から担保等の処分見込額を控除した金額すべてを引き当てる。なお、繰入れは差額補充法により行う。

2　決算整理前残高試算表の貸倒引当金は、一般債権について設定されたものである。

3　得意先A社は、経営破綻の状態には至っていないが、債務の弁済に重大な問題が生じている。A社に対する債権は、受取手形1,700千円および売掛金1,200千円（いずれも当期発生）であり、これらについては一般債権と区別し貸倒懸念債権として扱うこととする。なお、取引開始時にA社所有の土地（時価1,000千円）に対して担保を設定している。

4　得意先B社は、期中に民事再生法の規定により再生手続の開始の申立てを行ったが、会計上はなんら処理していない。当期末におけるB社に対する債権は、受取手形10,500千円、売掛金5,100千円（いずれも当期発生）であり、同社から担保として営業保証金3,600千円を受け入れている。

→ 答案用紙 P.3-5　　→ 解答・解説 P.3-7

1 簿記一巡

2 現金預金

3 金銭債権

4 棚卸資産Ⅰ

5 有形固定資産

6 無形固定資産Ⅰ

7 営業費

8 金融商品Ⅰ

問題 11 キャッシュ・フロー見積法 簿 B （5分）　　（本試験改題） 基本

当社（決算日は3月31日）は、A社に対する長期債権（期限一括返済）の支払条件の緩和を求められていたところ、×4年3月末に【資料2】に示す代案1または代案2により条件緩和に応じる決断をした。なお、×4年3月末には契約どおりの利息の支払いがあった。

【資料1】および【資料2】にもとづいて、【資料3】当社の会計処理案の①〜④に適当な用語または金額を記入しなさい。なお、計算過程で千円未満の端数が生じたときは、最終値を四捨五入すること。

【資料1】A社に対する長期債権の契約内容

貸出金額	貸出日	期間	金利	利払日	返済期日
1,000,000千円	×1年4月1日	5年	年5％	年1回 3月31日	×6年3月31日

【資料2】A社に提示する予定の条件緩和の代案
代案1　×4年4月1日から金利を2％にする。
代案2　×4年4月1日から金利を2.5％とし、返済期日を1年延期する。

＜残存期間におけるキャッシュ・フローの比較表＞

（単位：千円）

	×5年3月31日	×6年3月31日	×7年3月31日	合計
当初の契約内容	50,000	1,050,000	—	1,100,000
代案1	20,000	1,020,000	—	1,040,000
代案2	25,000	25,000	1,025,000	1,075,000

【資料3】当社の会計処理案
当社は、条件提示後の×4年3月31日決算から、緩和された条件（代案1または代案2）による将来キャッシュ・フローを当初の約定利子率で割り引いた割引現在価値の総額と当該債権の帳簿価額との差額を、貸倒見積額とする方法にもとづいて貸倒引当金を設定する。なお、条件緩和以前においては、この債権に対する貸倒引当金の設定はなかったものとする。

＜代案比較表：×4年3月31日と×5年3月31日の決算仕訳案＞

（単位：千円）

代案1	借方科目	金額	貸方科目	金額
×4年 3月31日	現金預金	50,000	受取利息	50,000
	貸倒引当金繰入	①	貸倒引当金	①
×5年 3月31日	現金預金	20,000	受取利息	20,000
	貸倒引当金	②	③	②

（単位：千円）

代案2	借 方 科 目	金 額	貸 方 科 目	金 額
×4年 3月31日	現 金 預 金	50,000	受 取 利 息	50,000
	貸倒引当金繰入	68,081	貸 倒 引 当 金	68,081
×5年 3月31日	現 金 預 金	25,000	受 取 利 息	25,000
	貸 倒 引 当 金	④	③	④

➡答案用紙 P.3-5　➡解答・解説 P.3-10

問題 *12* 総合問題 薄C（8分）　　　　　（本試験改題）応用

NS社の債権取引および貸倒引当金に関する資料は次のとおりである。以下の資料にもとづいて、資料中の　①　および決算整理後残高試算表　②　～　④　の金額を求めなさい。なお、決算日は3月31日である。

【資料1】

前期末残高試算表（一部）　　　（単位：千円）

受 取 手 形	35,500	貸 倒 引 当 金	1,970
売 掛 金	41,200		
貸 付 金	（　　）		

（注）貸倒引当金は、受取手形に関しては期末残高の2％を、売掛金と貸付金に関してはそれぞれ期末残高の3％を計上し、差額補充法で処理している。

【資料2】期中取引

1　期中における売掛金の増加額は、掛売上による370,000千円であった。一方、減少額は、当座預金への入金による回収額が180,000千円、受取手形による回収額が　①　千円、当社振出しの約束手形による回収額が4,000千円であった。

2　期中における受取手形の増加額は、上記　①　で示された金額以外に手形売上による94,000千円であった。減少額は、当座預金への期日入金が243,000千円、前期に取得した受取手形を割り引いたものが15,000千円（割引にさいして割引料750千円を控除した残額を当座預金に入金）、前期に取得した受取手形を買掛金支払いのために裏書譲渡したものが10,000千円であった。なお、割引時および裏書時における保証債務の時価を額面の2％と評価して計上するとともに、それぞれの手形に対して設定してあった貸倒引当金の取崩しを行ったが、両者とも期中決済された。

3　期中に得意先A社が倒産し、A社に対する売掛金1,700千円が回収不能となった。なお、当該売掛金のうち、当期発生分は750千円であった。

4　期中に貸付金の増加はなく、回収額は利息20千円をあわせて250千円で当座預金に入金した。なお、貸倒れ20千円が発生し、当初、貸倒損失として処理したが、前期の貸付分に関するものであった。なお、設定時の貸倒引当金は合理的な見積りにもとづくものである。

【資料3】決算整理事項

当期の貸倒引当金繰入額は2,252千円である。なお、当期より売掛金と貸付金については、それぞれ期末残高の4％を貸倒引当金として設定することとしたが、受取手形については前期と同じ繰入率で設定している。

<table>
<tr><td colspan="4" align="center">決算整理後残高試算表（一部）</td><td align="right">（単位：千円）</td></tr>
<tr><td>受　取　手　形</td><td>②</td><td>貸　倒　引　当　金</td><td>（　　　　　）</td></tr>
<tr><td>売　　掛　　金</td><td>③</td><td>保証債務取崩益</td><td>500</td></tr>
<tr><td>貸　　付　　金</td><td>④</td><td>貸倒引当金戻入益</td><td>500</td></tr>
<tr><td>保証債務費用</td><td>500</td><td></td><td></td></tr>
<tr><td>貸倒引当金繰入</td><td>2,252</td><td></td><td></td></tr>
</table>

➡答案用紙 P.3-5　➡解答・解説 P.3-11

問題 13　割引手形の会計処理 （3分） 基本

次の取引にもとづいて必要な仕訳を示しなさい。また、貸借対照表等に関する注記も示しなさい。

　A社振出しの約束手形10,000千円を取引先銀行で割り引き、割引料500千円を差し引かれた9,500千円を当座預金に入金した。なお、割引時における保証債務の時価は、手形額面の1％である。なお、保証債務費用は、手形売却損に含めることとする。

➡答案用紙 P.3-5　➡解答・解説 P.3-12

問題 14　不渡手形の会計処理 （3分） 基本

次の取引にもとづいて、会社計算規則に準拠した貸借対照表（一部）の空欄の金額を記入しなさい。

　決算整理前残高試算表に計上されている、受取手形55,000千円には、期中に不渡りとなった得意先振出しの受取手形20,000千円が含まれており、当該手形の償還請求時に支払った償還請求費用2,000千円は支払時に仮払金として処理している。

　なお、当該不渡手形の回収には、一年超を要するものと見込まれている。

問題 **15　電子記録債権・電子記録債務2** 財計 B （5分） 基本

次の資料にもとづき、当期末における貸借対照表(一部)を完成させなさい。

【資料1】

決算整理前残高試算表
×5年3月31日
（単位：円）

現　金　預　金	56,200	支　払　手　形	20,000
受　取　手　形	42,000	買　　掛　　金	54,000
売　　掛　　金	63,500	貸　倒　引　当　金	500

【資料2】決算整理事項等

1　以下の電子記録債権・債務の取引の処理が未処理であることが判明した。
(1)　売掛金7,000円について、電子記録債権の発生記録が行われた。
(2)　買掛金4,000円について、電子記録債務の発生記録が行われた。
(3)　電子記録債権のうち1,500円を買掛金と引換えに譲渡し、譲渡記録が行われた。
(4)　電子記録債権1,000円について得意先から当座預金に振り込まれていたが、その通知が当社に未達であった。
(5)　電子記録債務500円を当座預金から支払ったが未処理であった。
(6)　電子記録債権のうち3,000円を銀行に2,800円で譲渡し、譲渡記録が行われ、代金は当座預金に振り込まれていたが未処理であった。

2　電子記録債権を含む売上債権の期末残高に対して、差額補充法により2％の貸倒引当金を設定する。

問題 **16　関係会社に対する金銭債権・金銭債務1** （3分） 基本

次の資料にもとづいて、関係会社に対する金銭債権・債務の表示を(1)独立科目表示方式、(2)科目別注記方式のそれぞれの方法によった場合、貸借対照表および注記を作成しなさい。

【資料1】

残　高　試　算　表
（単位：千円）

勘　定　科　目	金　　額	勘　定　科　目	金　　額
受　取　手　形	7,000	買　　掛　　金	10,000
短　期　貸　付　金	6,500		

【資料2】

1　受取手形のうち、1,000千円はA社(親会社)に対するものである。
2　短期貸付金のうち、2,000千円はA社に対するものであり、400千円は当社の取締役に対するものである。
3　買掛金のうち、5,000千円はA社に対するものである。

問題 17　関係会社に対する金銭債権・金銭債務2　時計A　（3分）応用

　次の資料にもとづいて、会社計算規則に準拠した×1年3月期の貸借対照表（一部）の空欄に表示科目または金額およびこれに関する必要な注記を答えなさい。なお、子会社および親会社に対する金銭債権・債務の表示については、(1)独立科目表示方式、(2)科目別注記方式、(3)一括注記方式の3つの方法により行うこと。

【資料1】

残 高 試 算 表　　　（単位：千円）

勘 定 科 目	金 額	勘 定 科 目	金 額
受 取 手 形	80,000	支 払 手 形	80,000
売 掛 金	60,000	買 掛 金	40,000
短 期 貸 付 金	20,000	短 期 借 入 金	15,000
		前 受 金	1,000

【資料2】
1　受取手形のうち、10,000千円はA社（親会社）に対するものである。
2　売掛金のうち、14,000千円はB社（子会社）に対するものである。
3　支払手形のうち、20,000千円はA社に対するものである。
4　買掛金のうち、10,000千円はA社に対するものである。
5　短期貸付金のうち、10,000千円はB社に対するものである。

問題 18　貸倒引当金の会計処理　時計A　（3分）　基本

　次の資料にもとづいて、会社計算規則に準拠した損益計算書（一部）の空欄に表示科目および金額を記入しなさい。

【資料1】

残 高 試 算 表　　　（単位：千円）

勘 定 科 目	金 額	勘 定 科 目	金 額
受 取 手 形	40,000	貸 倒 引 当 金	700
売 掛 金	20,000		
貸 付 金	6,000		

【資料2】
1　貸倒引当金を期末残高に対して、営業債権については2％、営業外債権については3％の貸倒実績率にもとづいて計上し、差額補充法により処理する。
2　残高試算表の貸倒引当金のうち、600千円は営業債権に対するもの、100千円は営業外債権に対するものである。

問題 **19 貸倒引当金1** 難A（3分）　基本

次の資料にもとづいて、会社計算規則に準拠した損益計算書（一部）の空欄に表示科目および金額を記入しなさい。記入する科目または金額がない場合は「—」と記入しなさい。

【資料1】

残 高 試 算 表　（単位：千円）

勘 定 科 目	金 額	勘 定 科 目	金 額
受 取 手 形	40,000	貸 倒 引 当 金	1,200
売 掛 金	55,000		
貸 付 金	6,000		
貸 倒 損 失	2,500		

【資料2】

1　残高試算表の貸倒損失は、前期発生売掛金に対するものが1,500千円、当期発生売掛金に対するものが1,000千円である。なお、前期末における貸倒引当金は、すべて営業債権に対して設定されている。

2　貸倒引当金を金銭債権の期末残高に対して、2％計上する。

問題 **20 貸倒引当金2** 難B（3分）　応用

次の資料にもとづいて、会社計算規則に準拠した損益計算書（一部）の空欄に表示科目および金額を記入しなさい。

【資料1】

残 高 試 算 表　（単位：千円）

勘 定 科 目	金 額	勘 定 科 目	金 額
受 取 手 形	140,000	貸 倒 引 当 金	5,000
売 掛 金	110,000	：	：
貸 付 金	60,000	：	：
：	：	雑 収 入	5,000
：	：		
：	：		
貸 倒 損 失	6,000		

【資料2】

1　金銭債権の期末残高に対して3％の貸倒引当金を計上する。ただし、繰入額と戻入額は相殺して計上すること。また、貸倒引当金繰入は債権の性格に応じて販売費及び一般管理費または営業外費用に計上する。なお、残高試算表の貸倒引当金はすべて営業債権にかかるものである。

2　期中に、売掛金6,000千円が回収不能になったため、全額貸倒損失として計上している。なお、当該売掛金のうち当期発生分は4,100千円である。

問題 21 貸倒懸念債権 財計A（5分） 応用

問1　次の資料にもとづいて、会社計算規則における貸借対照表および損益計算書(一部)を記入しなさい。当期の会計期間は、×8年4月1日～×9年3月31日である。

【資料1】

残 高 試 算 表　　　　（単位：千円）

勘 定 科 目	金 額	勘 定 科 目	金 額
長 期 貸 付 金	140,000	受 取 利 息	7,000

【資料2】

　　長期貸付金は、×7年4月1日にA社に対して貸し付けたもので、当初の条件は元本を4年後に一括返済、利息は年5％で毎年3月31日に後払いする。

　　近年、A社の財務内容が悪化しており、×9年3月末の利払後、当社に対して条件の緩和の申し出があり、金利を年2％へ減額の申入れをしてきた。

　　当社は、この条件を承諾し、キャッシュ・フロー見積法により貸倒引当金の計上を行う。なお、計算の過程で千円未満の金額が生じた場合には、千円未満を割引現在価値の総和を求める段階で四捨五入すること。

問2　当期の会計期間が×9年4月1日～×10年3月31日の場合の決算整理仕訳を示しなさい。
　　ただし、他の条件は上記問1と変わらないものとする。

問題 22 貸倒懸念債権(財務内容評価法)と破産更生債権等 財計 A (5分) 応用

次の資料にもとづいて、会社計算規則に準拠した貸借対照表および損益計算書の空欄に表示科目および金額を記入しなさい。また、重要な会計方針にかかる事項に関する注記も行いなさい。

【資料1】

残 高 試 算 表 （単位：千円）

勘 定 科 目	金 額	勘 定 科 目	金 額
受 取 手 形	250,000	預 り 保 証 金	1,500
売 掛 金	196,000		
短 期 貸 付 金	30,000		

【資料2】

1 取引先A社が経営破綻し、民事再生法の規定にもとづく再生開始の申立てを行った。同社に対する債権は、受取手形7,400千円、売掛金2,600千円であり、回収には翌期首より1年超を要する見込みとなった。なお、担保として営業保証金1,500千円を預っている。また、A社に対する債権については、財務内容評価法により、担保の処分見込額を控除した残額の全額を貸倒引当金として計上(特別損失)する。

2 短期貸付金30,000千円はB社に対して貸し付けたものである。B社は当期において業績が悪化しており、貸倒懸念債権と判断した。B社の財政状態および経営成績を考慮した結果、財務内容評価法により、同社に対する債権金額から担保の処分見込額10,000千円を控除した残額について40%の貸倒引当金を計上する。また、C社振出の手形をB社が裏書した受取手形が2,000千円ある。

3 その他の営業債権はすべて一般債権であり、貸倒実績率法により過去の貸倒実績率にもとづき、期末残高の2%の貸倒引当金を計上する。

Chapter 4

棚卸資産Ⅰ

No	内容	標準時間	重要度	難易度
問題 1	払出単価の計算方法	8分	簿A	基本
問題 2	商品の期末評価1	3分	簿A	基本
問題 3	商品の期末評価2	3分	簿A	基本
問題 4	商品の期末評価3	3分	簿B	応用
問題 5	商品の期末評価4	3分	簿B	応用
問題 6	洗替法と切放法・P／L（減耗・評価損）	8分	簿B	基本
問題 7	原価率などの算定1	3分	簿A	基本
問題 8	原価率などの算定2	3分	簿A	基本
問題 9	売上原価などの算定1	3分	簿A	基本
問題 10	売上原価などの算定2	10分	簿B	基本
問題 11	売上原価などの算定3	10分	簿A	基本
問題 12	商品売買の各会計処理	15分	簿A	基本
問題 13	一般商品売買の会計処理（前T／Bと後T／B作成）	12分	簿A	基本
問題 14	仕入・売上の計上基準	5分	簿C	応用
問題 15	棚卸資産の単価計算	8分	財B	基本
問題 16	値引きと割引の表示1	3分	財A	基本
問題 17	値引きと割引の表示2	5分	財A	応用
問題 18	他勘定振替	3分	簿A	基本
問題 19	他勘定振替高の表示	3分	財C	応用
問題 20	損益計算書に関する注記	3分	財B	基本

問題 1　払出単価の計算方法　（8分）　基本

次の資料にもとづき、(1)先入先出法、(2)移動平均法、(3)総平均法による場合の売上原価と期末商品棚卸高を計算しなさい。ただし、12月末日を決算日とする。

1 月 1 日	前期繰越	@ 1,200 円	10 個
2 月 10 日	仕　入	@ 1,440 円	15 個
4 月 21 日	売　上		20 個
6 月 5 日	仕　入	@ 1,584 円	20 個
7 月 9 日	売　上		20 個
9 月 27 日	仕　入	@ 1,824 円	5 個
11 月 1 日	売　上		5 個

問題 2　商品の期末評価 1　（3分）　基本

次の場合の(1)棚卸減耗損、(2)商品評価損をそれぞれ計算し、(3)必要な決算整理仕訳を示しなさい。なお、すべての棚卸資産にかかる費用は売上原価に算入するものとし、売上原価は仕入で計算する。

期末商品帳簿棚卸高　500 個　　　　@ 750 円（取得原価）

期末商品実地棚卸高　475 個　　　　@ 760 円（売　　価）　　　見積販売直接経費 @ 30 円

期首商品　なし

なお、正味売却価額は、売価から見積販売直接経費を控除して求めることに留意すること。

問題 3　商品の期末評価 2　簿A（3分）　基本

以下の資料にもとづいて、損益計算書を完成させなさい。

【資料1】

決算整理前残高試算表（一部）　　　（単位：円）

繰 越 商 品	750,000	売　　　上	3,600,000
仕　　　入	2,750,000		

【資料2】期末商品棚卸高

	帳簿棚卸数量	実地棚卸数量	取 得 原 価	売　　　　価	見積販売直接経費
A 商品	500 個	480 個	@ 800 円	@ 780 円	@ 30 円
B 商品	400 個	395 個	@ 1,200 円	@ 1,300 円	@ 30 円

なお、正味売却価額は、売価から見積販売直接経費を控除して求めることに留意すること。

問題 4　商品の期末評価 3　簿B（3分）　応用

以下の資料にもとづいて、貸借対照表（一部）と損益計算書（一部）を完成させなさい。

【資料1】

決算整理前残高試算表（一部）　（単位：円）			
売　掛　金	350,000	売　　　上	2,100,000
繰　越　商　品	322,000		
仕　　　入	1,450,000		

【資料2】決算整理事項

1　決算直前に品違いにより掛売上の返品（20個）があったが、未処理であった。当該返品商品についての、売価総額は23,000円、原価総額は16,300円である。

2　期末商品棚卸高（ただし、上記1の返品商品は実地棚卸数量に含まれている）

	帳簿棚卸数量	実地棚卸数量	取 得 原 価	売　　　　価	見積販売直接経費
商　品	380 個	370 個	@ 815 円	@ 450 円	@ 100 円

なお、正味売却価額は、売価から見積販売直接経費を控除して求めることに留意すること。

3　棚卸減耗のうち40％は通常発生する程度のものであり、原価処理する。それを超える部分は、非原価処理とする。

4　商品の売価は重要な事業部門の廃止により大幅に下落している。

問題 5　商品の期末評価 4　簿B（3分）　応用

以下の資料にもとづいて、損益計算書を完成させなさい。

【資料1】

決算整理前残高試算表（一部）　（単位：円）			
繰　越　商　品	355,000	売　　　上	2,450,000
仕　　　入	1,900,000		

【資料2】決算整理事項

1　A商品とB商品の2種類を扱っている。

2　期末棚卸高に関する資料

　　①A商品　取得原価　　@ 420 円　帳簿棚卸数量 660 個

　　　　　　正味売却価額@ 390 円　実地棚卸数量 635 個

　　　　　なお、実地棚卸数量635個のうち品質低下品（見積処分価額は@ 210 円）が20個あった。

　　②B商品　取得原価　　@ 400 円　帳簿棚卸数量 220 個

　　　　　　正味売却価額@ 380 円

　　　　　帳簿棚卸数量と実地棚卸数量に差異はないが、うち30個が品質低下品（見積処分価額は@ 150 円）である。

3　棚卸減耗損は売上原価の内訳科目として処理する。

➡答案用紙 P.4-3　　➡解答・解説 P.4-5

問題 6　洗替法と切放法・P／L（減耗・評価損）　（8分）　基本

　以下の資料に基づいて、収益性の低下に基づく簿価切下額について、当期に戻し入れを行う方法（洗替法）と、戻し入れを行わない方法（切放法）を採用した場合とに分けて、それぞれ報告式損益計算書（売上総利益まで）を作成しなさい。

(1)　前期末の商品に関する資料は、以下のとおりである。

	単　　価	数　　量
帳簿棚卸高（原価）	＠800円	400個
実地棚卸高（原価）	＠800円	380個
実地棚卸高（平均売価）	＠820円	380個

(2)　当期商品仕入高：3,000,000円

(3)　売上高：3,100,000円

(4)　当期末の商品に関する資料は、以下のとおりである。

	単　　価	数　　量
帳簿棚卸高（原価）	＠770円	500個
実地棚卸高（原価）	＠770円	460個
実地棚卸高（平均売価）	＠780円	460個

(5)　平均売価は、期末前後での販売実績により合理的に算定された価額であり、当該金額から見積販売直接経費を差し引いた金額をもって正味売却価額とする。なお、見積販売直接経費は、前期・当期ともに平均売価の５％であるものとする。

(6)　棚卸減耗損及び収益性低下に基づく評価損は、いずれも売上原価に算入する。

➡答案用紙 P.4-3　　➡解答・解説 P.4-7

問題 7　原価率などの算定 1　（3分）　基本

　次の資料にもとづいて、(1)原価率、(2)利益率、(3)利益加算率を計算しなさい。解答は％で表示し、割り切れない場合は小数点以下第１位を四捨五入して整数で答えなさい。

【資　料】　決算整理前残高試算表（一部）

決算整理前残高試算表　　　　　（単位：千円）

勘　定　科　目	金　　額	勘　定　科　目	金　　額
繰　越　商　品	281,500	売　　　　　　上	1,750,000
仕　　　　　　入	1,306,500		

期末商品棚卸高　275,500千円

問題 8 原価率などの算定 2 簿A （3分） 基本

　次の資料にもとづいて、(1)原価率、(2)利益率、(3)利益加算率を計算しなさい。解答は％で表示し、割り切れない場合は小数点以下第1位を四捨五入して整数で答えなさい。さらに、(4)損益計算書を完成させなさい。

【資料1】　決算整理前残高試算表（一部）

決算整理前残高試算表 （単位：千円）

勘 定 科 目	金 額	勘 定 科 目	金 額
繰 越 商 品	135,000	売 上	2,055,000
仕 入	1,840,000		

【資料2】

1　期末商品棚卸高　175,000千円
2　仕入勘定から仕入値引22,500千円、仕入戻し45,000千円が控除されている。
3　売上勘定から売上値引195,000千円、売上戻り64,000千円が控除されている。

問題 9 売上原価などの算定 1 簿A （3分） 基本

次の資料にもとづいて、各問いに答えなさい。

(1)決算整理仕訳を示しなさい。
(2)損益計算書の①売上高、②売上原価を算定しなさい。

【資料1】　決算整理前残高試算表（一部）

決算整理前残高試算表 （単位：千円）

勘 定 科 目	金 額	勘 定 科 目	金 額
繰 越 商 品	110,000	売 上	1,520,000
仕 入	1,210,000		

【資料2】　割引等について

1　期末商品棚卸高　98,000千円
2　仕入勘定から仕入割引12,500千円が控除されている。
3　売上勘定から売上値引45,000千円が控除されている。

問題 10 売上原価などの算定 2　簿B（10分）　基本

次の資料にもとづいて、各問いに答えなさい。原価率および利益加算率の解答は％で表示し、割り切れない場合は小数点以下第1位を四捨五入して整数で答えなさい。

(1)決算整理仕訳を示しなさい。

(2)原価率、利益加算率を算定しなさい。

(3)損益計算書（経常利益まで）を完成させなさい。

【資料1】　決算整理前残高試算表（一部）

決算整理前残高試算表　　　（単位：千円）

勘 定 科 目	金　　額	勘 定 科 目	金　　額
繰 越 商 品	165,000	売　　　　　　上	1,700,000
仕　　　　　入	1,200,000	仕 入 値 引	24,000
売 上 値 引	34,000	仕 入 戻 し	38,000
売 上 戻 り	40,000	仕 入 割 引	31,500

【資料2】　参考事項

1　期末商品棚卸高　107,800千円

2　期中の値引き・返品・割引については、掛けと減殺する仕訳を行っている。

問題 11 売上原価などの算定 3　簿A （10分）　基本

次の資料にもとづいて、決算整理後残高試算表を作成しなさい。

【資料1】　決算整理前残高試算表（一部）

決算整理前残高試算表　　　（単位：千円）

勘 定 科 目	金　額	勘 定 科 目	金　額
売　掛　金	237,500	買　掛　金	220,000
繰　越　商　品	150,000	売　　上	?
仕　　入	1,363,500		

【資料2】　参考事項

(1)　当期の商品売買にかかる値引等の状況は以下のとおりであるが、すべて未処理である。

	値　引	割　戻	返　品
売上にかかるもの	22,500千円	−	105,000千円
仕入にかかるもの	26,000千円	36,500千円	45,000千円

(2)　商品売買は、すべて掛けで取引している。

(3)　利益率を20％に設定している。

(4)　買掛金の決済にともない、仕入割引24,000千円を受けたが、そのさい、

(借)買　　掛　　金　　24,000　　（貸)仕　　　　　入　　　　24,000

と記帳した。

(5)　期末商品実地棚卸高 230,000千円（棚卸減耗等は生じていない）

問題 12 商品売買の各会計処理　簿A （15分）　基本

次の一連の取引を、(1)三分法、(2)分記法、(3)総記法、(4)売上原価対立法、それぞれにより仕訳を示しなさい。なお、期首の甲商品残高は150,000千円であり、仕訳不要の場合は、借方科目欄に「仕訳なし」と記入すること。

①　甲商品1,350,000千円を掛けで仕入れた。

②　①の甲商品のうち20,000千円につき値引きを受け、35,000千円につき返品した。

③　①の甲商品の掛代金を現金で支払った。なお、早期決済につき27,000千円の割引を受けた。

④　甲商品のうち1,230,000千円を1,640,000千円で掛売りした。

⑤　④の甲商品のうち、75,000千円値引きし、70,000千円（原価52,500千円）返品を受けた。

⑥　④の甲商品の掛代金を現金で回収した。

⑦　決算につき、決算整理仕訳を行う。

➡ 答案用紙 P.4-9　　➡ 解答・解説 P.4-13

問題 13　一般商品売買の会計処理（前T/Bと後T/B作成）　簿A（12分）　基本

　下記の資料に基づいて、当期末における決算整理前残高試算表及び決算整理後残高試算表を作成しなさい。

　なお、Ａ商品は三分法、Ｂ商品は売上原価対立法、Ｃ商品は総記法、Ｄ商品は分記法により処理を行うものとする。

【資料1】　期首残高

　　現金預金41,660円、売掛金18,000円、繰越Ａ商品3,400円、Ｂ商品2,440円、Ｃ商品2,500円、

　　Ｄ商品3,200円、買掛金10,200円、未払営業費700円、資本金50,000円、繰越利益剰余金10,300円

【資料2】　期中取引

　1．仕入高

　　(1)　Ａ商品：掛仕入21,840円、当座仕入5,460円

　　(2)　Ｂ商品：掛仕入21,330円、現金仕入7,110円

　　(3)　Ｃ商品：掛仕入25,440円、当座仕入6,360円

　　(4)　Ｄ商品：掛仕入26,320円、現金仕入6,580円

　2．売上高

　　(1)　Ａ商品：掛売上26,000円、当座売上6,500円

　　(2)　Ｂ商品：掛売上28,500円（原価21,375円）、現金売上9,500円（原価7,125円）

　　(3)　Ｃ商品：掛売上36,000円、当座売上9,000円

　　(4)　Ｄ商品：掛売上41,250円（原価24,750円）、現金売上13,750円（原価8,250円）

　3．その他

　　(1)　売掛金129,750円現金回収

　　(2)　買掛金95,130円現金支払

　　(3)　営業費21,230円現金支払

【資料3】　決算整理事項

　1．期末商品棚卸高：Ａ商品4,700円、Ｃ商品2,800円

　2．営業費の繰延：530円

➡答案用紙 P.4-10 ➡解答・解説 P.4-15

1 簿記一巡

2 現金預金

3 金銭債権

4 棚卸資産 I

5 有形固定資産

6 無形固定資産 I

7 営業費

8 金融商品 I

問題 **14 仕入・売上の計上基準** （5分）　　　応用

次の資料にもとづいて、損益計算書（営業利益まで）を作成しなさい。

【資料1】　仕入に関する事項

(1)　甲社では仕入の計上基準として検収基準を採用している。

(2)　期首に商品1,480千円が倉庫にあったが、そのうち240千円は当期に検収を行い、残りは前期に検収が終わっている。

(3)　当期中に仕入先から到着した商品は10,750千円（送り状価額）であり、その商品すべての検収は完了している。

(4)　期末には商品900千円（仕入諸掛および【資料2】(4)の船積前の商品を含む）が倉庫等に残っており、すべて検収は完了している。なお、減耗や収益性の低下は生じていなかった。

【資料2】　売上に関する事項

(1)　国内の取引先への売上の計上基準は出荷基準、海外の取引先への売上の計上基準は船積基準である。

(2)　前期中に発送した商品820千円が、当期になってから得意先に到着し検収された旨の通知が届いた。

(3)　当期中に国内の得意先に発送した商品は20,080千円である。

(4)　甲社では当期から海外の取引先へ商品の販売を始めた。海外へ発送した商品は2,100千円であり、そのうち船への積込みが終わっていない商品は350千円である。

【資料3】

(1)　当期に仕入れた商品に要した検収費は120千円、購入事務費は140千円であった。

(2)　当期に商品290千円（原価）を見本品として得意先に提供した。

問題 15 棚卸資産の単価計算 （8分）　　基本

　以下の資料にもとづき、(1)先入先出法、(2)総平均法(月別)、(3)移動平均法により、答案用紙の貸借対照表および損益計算書を作成しなさい。金額が「0」の場合、0と記入すること。なお、決算日は3月31日である。

【資料1】　決算整理前残高試算表

残　高　試　算　表　　　　（単位：千円）

勘　定　科　目	金　　額	勘　定　科　目	金　　額
繰　越　商　品	150,000	売　　　　　　上	10,000,000
仕　　　　　　入	8,400,000		

【資料2】　決算整理の未了事項および参考事項

　1　残高試算表の繰越商品の金額は前期末残高を示している。
　2　期末商品に関する資料は次のとおりである。
　(1)　3月の商品の仕入・売上

　　　　　3月 1日　前月繰越　200千個　原価　@600円
　　　　　3月10日　仕　　入　400千個　原価　@630円
　　　　　3月15日　売　　上　400千個　売価　@750円
　　　　　3月20日　仕　　入　400千個　原価　@650円
　　　　　3月25日　売　　上　300千個　売価　@750円

　(2)　決算日(3月31日)における実地棚卸高は290千個、正味売却価額は@640円である。
　(3)　棚卸減耗損は売上原価に表示する。

問題 16 値引きと割引の表示1 A （3分）　　基本

次の資料にもとづいて、損益計算書(経常利益まで)を作成しなさい。

【資料1】　決算整理前残高試算表(一部)

決算整理前残高試算表　　　　（単位：千円）

勘　定　科　目	金　　額	勘　定　科　目	金　　額
繰　越　商　品	330,000	売　　　　　　上	3,400,000
仕　　　　　　入	2,400,000	仕　入　値　引	48,000
売　上　値　引	68,000	仕　入　戻　し	76,000
売　上　戻　り	80,000	仕　入　割　引	63,000

【資料2】　値引き・返品・割引等について

　1　期末商品棚卸高　215,600千円
　2　期中の値引き・返品・割引については、掛けと相殺する仕訳を行っている。

問題 17 値引きと割引の表示2 〔棚計〕A（5分） 応用

次の資料にもとづいて、損益計算書（一部）を作成しなさい。

【資料1】 決算整理前残高試算表（一部）

決算整理前残高試算表 （単位：千円）

勘 定 科 目	金 額	勘 定 科 目	金 額
売 掛 金	475,000	買 掛 金	440,000
繰 越 商 品	300,000	売 上	？
仕 入	2,727,000		

【資料2】 値引き・割引等について

1 当期の商品売買にかかる値引等の状況は以下のとおりであるが、すべて未処理である。

	値 引	割 戻	返 品
売上にかかるもの	45,000千円	－	210,000千円
仕入にかかるもの	52,000千円	73,000千円	90,000千円

2 商品売買は、すべて掛けで取引している。

3 利益率を20％に設定している。

4 買掛金の決済にともない、仕入割引48,000千円を受けたが、そのさい、

（借）買 掛 金	48,000	（貸）仕 入	48,000

と記帳した。

5 期末商品実地棚卸高 460,000千円（棚卸減耗等は生じていない）

問題 18 他勘定振替 〔簿〕A（3分） 基本

次の資料にもとづいて必要な期中仕訳を示しなさい。

【資 料】

(1) 商品1,200千円を見本品として得意先に提供した。

(2) 販売用の商品500千円が火災によって焼失した。

(3) 倉庫に保管しておいた商品20千円が盗難によって減少した。

(4) 商品80千円を備品として自家消費した。

1 簿記一巡
2 現金預金
3 金銭債権
4 棚卸資産Ⅰ
5 有形固定資産
6 無形固定資産Ⅰ
7 営業費
8 金融商品Ⅰ

問題 19 他勘定振替高の表示 　棚計C （3分） 　応用

次の資料にもとづいて、損益計算書(一部)を作成しなさい。

【資料1】 決算整理前残高試算表(一部)

決算整理前残高試算表

×2年3月31日 （単位：千円）

勘 定 科 目	金 額	勘 定 科 目	金 額
繰 越 商 品	48,000	売　　　　　上	250,000
仕　　　　　入	182,000		

【資料2】 決算整理事項等

1　期末において下記の処理が未処理であったことが判明したため、修正をする。
(1)　期中に商品4,000千円(原価)を見本品として使用していたが、未処理であった。
(2)　期中に、当期に仕入れた商品1,200千円(原価)が火災により焼失したが、未処理であった。
2　期末商品棚卸高は50,000千円である。また、仕入の中に期中に営業譲受により取得した商品5,600千円(原価)が含まれている。

問題 20 損益計算書に関する注記 　棚計B （3分） 　基本

次の資料にもとづいて、損益計算書に必要な注記を会社計算規則により示しなさい。

【資料1】 決算整理前残高試算表(一部)

決算整理前残高試算表

（単位：千円）

勘 定 科 目	金 額	勘 定 科 目	金 額
土　　　　　地	100,000	売　　　　　上	500,000

【資料2】 決算整理事項等

(1)　売上の中には、関係会社に対して売り上げたものが、60,000千円ある。
(2)　関係会社に対して、当期に土地40,000千円を55,000千円で売却しているが、未処理である。

Chapter 5

有形固定資産

No	内　　　容	標準時間	重要度	難易度
問題1	取得原価の決定	5分	薄A	基本
問題2	減価償却費の計算	5分	薄A	基本
問題3	直接法による記帳	3分	薄B	応用
問題4	減価償却費の計算（残存価額0の場合）	5分	薄A	基本
問題5	総合問題1（本試験改題）	8分	薄B	応用
問題6	取得原価の計算1（購入の場合）	2分	財A	基本
問題7	取得原価の計算2（購入の場合）	2分	財A	基本
問題8	取得原価の計算（一括購入により取得した場合）	2分	財C	基本
問題9	取得原価の計算（割賦購入により取得した場合）	3分	財C	応用
問題10	建設仮勘定	3分	財A	基本
問題11	減価償却（定額法・定率法・級数法・生産高比例法）	5分	財A	基本
問題12	期中取得の場合	3分	財A	基本
問題13	減価償却（定額法・定率法）	3分	財A	応用
問題14	有形固定資産の表示方法	5分	財A	基本
問題15	耐用年数の短縮	3分	財A	基本
問題16	減価償却方法の変更（定率法から定額法）	3分	財A	基本
問題17	固定資産の売却	3分	財A	基本
問題18	買換えにともなう会計処理	3分	財A	応用
問題19	固定資産の除却および除却資産の売却	3分	財A	基本
問題20	災害にともなう会計処理	3分	財A	基本
問題21	資本的支出と収益的支出	3分	財A	基本
問題22	耐用年数の短縮	3分	薄A	応用
問題23	減価償却方法の変更（定額法から定率法）	3分	薄B	応用
問題24	減価償却方法の変更（定率法から定額法）	3分	薄B	応用
問題25	有形固定資産の買換え	3分	薄B	基本
問題26	有形固定資産の除却	3分	薄B	基本
問題27	災害発生時の処理	5分	薄B	基本
問題28	総合問題2	8分	薄C	応用
問題29	国庫補助金の受入・有形固定資産の取得	3分	薄A	基本
問題30	圧縮記帳の処理	3分	薄B	基本
問題31	資本的支出と収益的支出	3分	薄A	基本

問題 1　取得原価の決定　簿A（5分）　基本

次の各取引によって取得した有形固定資産の取得原価を求めなさい。

1　製造用機械を 250,000 千円で購入し、1,000 千円の値引きを受けた。また、購入手数料として 3,000 千円、試運転費として 1,500 千円を別途支払った。

2　土地付き建物を一括して 720,000 千円で取得した。なお、取得した資産の時価は土地 576,000 千円、建物 324,000 千円であった。

3　備品を自家用に製作した。製造原価は材料費 40,000 千円、労務費 24,000 千円、経費 16,000 千円であった。なお、据付および試運転のために 2,000 千円を要した。

4　発起人より土地（時価 200,000 千円）の現物出資を受け、株式を交付した。なお、全額を資本金とする。

5　当社所有の土地（簿価 800,000 千円、時価 960,000 千円）とA社所有の土地（時価 960,000 千円）を交換した。

6　当社所有の土地（簿価 800,000 千円、時価 850,000 千円）とA社所有の土地（時価 960,000 千円）を交換し、時価の差額を現金で支払った。

7　保有する有価証券（その他有価証券：簿価 300,000 千円、時価 350,000 千円）をB社所有の土地（時価 350,000 千円）と交換した。

8　仕入先より備品（時価 360,000 千円）の贈与を受けた。

問題 2　減価償却費の計算　簿A（5分）　基本

次の資料にもとづいて、×1年度期首に取得した車両の①×1年度および②×2年度の減価償却費を(1)定額法、(2)定率法（償却率 0.369）、(3)級数法および(4)生産高比例法で計算しなさい。なお、円未満の端数が生じる場合は四捨五入すること。

【資　料】

取得原価：1,200,000 円　残存価額：取得原価の 10%　耐用年数：5 年

見積総走行距離：200,000km　×1年度実際走行距離：30,000km　×2年度実際走行距離：40,000km

問題 3　直接法による記帳　簿 B（3分）　応用

次の資料にもとづき、当期末（×5年3月31日）における貸借対照表（一部）を完成させなさい。

【資 料】

決算整理前残高試算表（一部）

×5年3月31日　　　　（単位：千円）

建　　　物	95,920	
備　　　品	35,000	

1　建物は×2年12月1日に取得したものであり、定額法（償却率0.034、残存価額は取得価額の10%、耐用年数30年）によって減価償却（記帳方法は直接法）を実施している。

2　備品は×3年10月1日に取得したものであり、定率法（償却率0.250、残存価額は取得原価の10%、耐用年数8年）によって減価償却（記帳方法は直接法）を実施している。

問題 4　減価償却費の計算（残存価額 0 の場合）　簿 A（5分）　基本

次の資料にもとづいて、×1年度期首に取得した車両の①×1年度および②×2年度の減価償却費を(1)定額法、(2)定率法（償却率 0.500）、(3)級数法および(4)生産高比例法で計算しなさい。

【資 料】

取得原価：1,200,000円　残存価額：ゼロ　耐用年数：5年
見積総走行距離：200,000km　×1年度実際走行距離：30,000km
　　　　　　　　　　　　　×2年度実際走行距離：40,000km

問題 ⑤　総合問題 1　簿 B （8分）　　　　　　　　（本試験改題）　応用

次の資料にもとづき、当期(自×20年4月1日至×21年3月31日)の決算整理後残高試算表(一部)を作成しなさい。

【資料1】

決算整理前残高試算表 （一部）　　　（単位：円）

建　　　　　物	57,450,000	未　　払　　金	2,500,000
構　築　物	530,000		
車　　　　　両	4,335,000		
器　具　備　品	2,730,000		

【資料2】

(1)　有形固定資産の各勘定科目の残高内訳は以下のとおりである。

（単位：円）

勘定科目	内　　訳	取得時期	取得価額	帳簿価額	耐用年数
建　　物	本社建物	×11年3月期	70,000,000	54,950,000	40年
	支社建物(※1)	×21年3月	2,500,000	2,500,000	40年
構　築　物		×12年3月期	2,000,000	530,000	10年
車　　両	営業用	×19年3月期	2,400,000	1,635,000	4年
	営業用	×19年4月	2,000,000	1,500,000	4年
	営業用(※2)	×20年4月	1,200,000	1,200,000	4年
器具備品		×20年12月	2,730,000	2,730,000	5年

※1　×21年3月20日に建物建設の手付金として支出した金額を計上しており、完成引渡しの予定は、×21年9月末である。なお、総工事費は15,000,000円である。

※2　前期首に未払金を計上した車両代金について、当期において支出した金額を計上していた。

(2)　減価償却

減価償却の方法は、すべての有形固定資産について定額法を採用しているが、取得年度により次のとおりに区分して計算を行う。

①　×19年3月31日以前に取得した資産については、旧定額法（残存価額は取得原価の10%）により計算する。なお、償却率は次のとおりである。

耐用年数	償　却　率
4年	0.250
5年	0.200
10年	0.100
40年	0.025

②　×19年4月1日以降に取得した資産については、定額法（残存価額0円）により計算する。なお、償却率は、上記①の表と同一である。

➡答案用紙 P.5-2　　➡解答・解説 P.5-4

問題 6　取得原価の計算1（購入の場合）財計A（2分）基本

売価200,000千円の自動車を2,500千円の値引きを受けて購入し、代金は自動車登録料4,500千円とともに現金で支払った。このときの車両の取得原価を答えなさい。

➡答案用紙 P.5-2　　➡解答・解説 P.5-4

問題 7　取得原価の計算2（購入の場合）財計A（2分）基本

製造用機械を100,000千円で購入し、5,000千円の値引きを受けた。また、購入手数料が8,000千円、試運転費が3,500千円かかった。このときの機械の取得原価を答えなさい。

➡答案用紙 P.5-2　　➡解答・解説 P.5-4

問題 8　取得原価の計算（一括購入により取得した場合）財計C（2分）基本

土地付建物を一括して700,000千円で現金購入した。なお、購入した資産の時価は土地が380,000千円、建物が420,000千円であった。このときの土地と建物の取得原価を答えなさい。

➡答案用紙 P.5-3　　➡解答・解説 P.5-5

問題 9　取得原価の計算（割賦購入により取得した場合）財計C（3分）応用

次の一連の取引について仕訳を示しなさい。

(1)　当社（決算年1回、決算日3月31日）は×1年9月30日に機械を割賦契約で購入した（現金販売価格400,000千円）。現品引取りと同時に頭金35,000千円を小切手を振り出して支払い、残額は毎月末に77,000千円ずつ5回に分割して支払うことにした。

(2)　×1年10月31日、割賦代金の支払日が到来したため、小切手を振り出して支払った。なお、利息の計算は定額法による。

➡答案用紙 P.5-3　　➡解答・解説 P.5-5

問題 10　建設仮勘定　財計A（3分）基本

次の資料にもとづき、必要な仕訳を示しなさい。なお、減価償却費の計算については考慮しなくてよい。

【資　料】

　建設を依頼していた機械装置が完成したが、当該機械装置にかかる支払額に関して、頭金25,000千円、残額の支払額50,000千円、据付試運転費用5,000千円が建設仮勘定に計上されているため、修正する。

1 簿記一巡

2 現金預金

3 金銭債権

4 棚卸資産Ⅰ

5 有形固定資産

6 無形固定資産Ⅰ

7 営業費

8 金融商品Ⅰ

問題 11　減価償却（定額法・定率法・級数法・生産高比例法） 財計A （5分） 基本

　次の資料にもとづき、×1年度期首に取得した車両の(1)×1年度および(2)×2年度の減価償却費を、①～④の各方法によって計算しなさい。

【資　料】

　車両に関する資料

　　　取得原価　240,000千円　　　残存価額　取得原価の10%　　　耐用年数　5年

　　　見積総走行距離　400,000km

　　　×1年度実際走行距離　60,000km　　　　×2年度実際走行距離　80,000km

　①　定額法　　　②　定率法（償却率0.370）　　　③　級数法　　　④　生産高比例法

問題 12　期中取得の場合 財計A （3分） 基本

　次の資料にもとづき、当社の当期（×1年4月1日～×2年3月31日）について、解答欄の空欄をうめなさい。なお、当社はこの車両以外の有形固定資産を所有していないものとする。

【資　料】

　　当社は、車両（取得原価60,000千円）を×1年6月1日に取得し、同日より事業の用に供した。この車両は、残存価額は取得原価の10%、償却率は年0.250とする定率法（月割り）による減価償却を行う。

問題 13　減価償却（定額法・定率法） 財計A （3分） 応用

　次の資料にもとづき、N社の第12期（×20年4月1日～×21年3月31日）における貸借対照表および損益計算書（一部）を完成させなさい。なお、残存価額は取得価額の10%とするが、×19年4月1日以降に取得した資産については、残存価額をゼロとした定額法により計算すること。

【資　料】

（単位：千円）

勘定科目	取得時期	取得原価	期首帳簿価額	耐用年数	償却方法
建　　物	×10年4月	1,000,000	775,000	40年	定額法
構　築　物	×19年4月	70,000	63,000	10年	定額法
器具備品	×18年4月	80,000	45,000	8年	定率法（償却率0.250）

問題 14 有形固定資産の表示方法 財計A （5分） 基本

次の有形固定資産にかかる資料にもとづき、(1)～(4)に示した表示方法により、貸借対照表（一部）を作成しなさい。

【資　料】

決算整理後残高試算表 （単位：千円）

勘　定　科　目	金　　額	勘　定　科　目	金　　額
建　　　　　物	250,000	建物減価償却累計額	50,000
備　　　　　品	100,000	備品減価償却累計額	7,500

(1)　科目別間接控除方式（原則的な方式）

(2)　一括間接控除方式

(3)　減価償却累計額を控除した残額のみを記載し、注記は科目ごとに行う方法
（科目別直接控除注記方式）

(4)　減価償却累計額を控除した残額のみを記載し、注記は一括して行う方法
（一括直接控除注記方式）

問題 15 耐用年数の短縮 財計A （3分） 基本

次の資料にもとづき、機械甲に関して、×4年度決算にさいして必要な仕訳を示しなさい。

【資　料】

当社は機械甲（取得原価800,000千円、残存価額80,000千円、耐用年数8年、×1年度期首に取得、間接法により記帳）を定額法で償却してきたが、×4年度期首に新機械が導入されて、機械甲が著しく減価した。そこで、×4年度期首に残存耐用年数を残り2年に変更した。この耐用年数の変更は、設定時の耐用年数が合理的な見積りにもとづくものであり、変更後も合理的な見積りにもとづいている。なお、会計期間は1年間とする。

1 簿記一巡

2 現金預金

3 金銭債権

4 棚卸資産Ⅰ

5 有形固定資産

6 無形固定資産Ⅰ

7 営業費

8 金融商品Ⅰ

問題 16　減価償却方法の変更（定率法から定額法）　 A （3分）基本

　次の資料にもとづき、当社の第12期（×23年4月1日～×24年3月31日）における、貸借対照表（一部）を完成させなさい。

【資料】

　当社は、前期に取得した備品について、購入時から定率法によって減価償却を行ってきた。しかし、当期首において新たな情報が入手できたことから、減価償却方法を定率法から定額法に変更することとした。

　備品に関する資料

	取得価額	減価償却累計額	残存価額	耐用年数
備　品	10,000千円	3,190千円	1,000千円	6年

年　　数	5年	6年
定率法償却率	0.369	0.319

問題 17　固定資産の売却　 A （3分）　　　基本

　次の取引にもとづき、車両売却時の仕訳を示しなさい。なお、減価償却計算は使用した月数により行い、1カ月未満の端数は切り上げて1カ月として行うこと。

【資料】

　当社は、×1年9月10日に車両（取得原価60,000千円）を20,000千円で売却し、代金は現金で受け取った。なお、当社は車両について定率法（償却率0.250）により減価償却を行っており、この車両についての期首減価償却累計額は41,016千円であり（間接法）、当期の会計期間は×1年4月1日～×2年3月31日である。

問題 18　買換えにともなう会計処理　財計A（3分）　応用

次の資料にもとづき、各問いに答えなさい。なお、減価償却は使用した月数により行うこと。

【資　料】

　　×1年9月30日に車両（取得原価250,000千円、期首減価償却累計額150,000千円、残存価額は取得原価の10％、耐用年数6年、定額法、間接法）を下取価格130,000千円で下取りに出し、新車両400,000千円を購入した。下取価格と新車両代金の差額は、翌月末に支払うこととした。当期の会計期間は、×1年4月1日～×2年3月31日までである。

問1　上記取引の仕訳を示しなさい。
問2　上記取引の下取りに供した車両の時価が120,000千円であった場合の仕訳を示しなさい。なお、下取価格と時価の差額は新車両の値引きとして処理をする。

問題 19　固定資産の除却および除却資産の売却　財計A（3分）基本

次の取引(1)および(2)について仕訳を示しなさい。なお、減価償却計算は使用した月数により行い、1カ月未満の端数は切り上げて1カ月として行うこと。

(1)　当社は、備品（取得原価100,000千円、期首減価償却累計額72,000千円、間接法）を×1年7月23日に除却した。この備品の見積売却価額は10,000千円である。なお、当期の会計期間は×1年4月1日～×2年3月31日であり、当該備品は残存価額10％、耐用年数5年の定額法で償却を行っている。

(2)　上記の除却資産（見積売却価額10,000千円）を13,000千円で売却し、代金は現金で受け取った。

問題 20　災害にともなう会計処理　財計A（3分）基本

次の資料にもとづき、各問いに答えなさい。なお、減価償却計算は使用した月数により行い、1カ月未満の端数は切り上げて1カ月として行うこと。

【資　料】

　　×20年6月18日に火災により、建物（取得原価800,000千円、残存価額は取得原価の10％、耐用年数20年、定額法、間接法）が焼失した。この建物には火災保険200,000千円がかけられていたので、保険会社に保険金の支払いの請求を行った。なお、この建物の期首減価償却累計額は612,000千円であり、当期は×20年4月1日を期首とする1年間である。

問1　建物が焼失し、保険金の支払いを請求したときの仕訳を示しなさい。
問2　保険会社より、保険金185,000千円を支払う旨の通知がきた場合の仕訳を示しなさい。

問題 21 資本的支出と収益的支出 ［財計 A］（3分）　基本

次の資料にもとづき、当期末（×21年3月31日）の貸借対照表および損益計算書（一部）を完成させなさい。なお、当社の会計期間は1年間である。

【資料1】

決算整理前残高試算表（一部）　（単位：千円）

勘　定　科　目	金　　　額	勘　定　科　目	金　　　額
建　　　　　物	500,000	建物減価償却累計額	225,000
修　　繕　　費	80,000		

【資料2】

1　建物は×5年4月1日に取得したものである。

2　×20年4月1日にこの建物について修繕を行い、その結果耐用年数が5年延長した。改修費80,000千円は全額を修繕費として処理していたが、耐用年数の延長に対応する部分については資本的支出として処理する。

3　建物については耐用年数30年、残存価額は取得原価の10%、定額法により減価償却を行っている。なお、資本的支出部分についても残存価額を考慮すること。

問題 22 耐用年数の短縮 ［薄 A］（3分）　応用

次の資料にもとづき、決算にさいして必要な仕訳を示しなさい。

【資　料】

当社は機械A（取得原価400,000円、残存価額40,000円、耐用年数4年、×1年度期首に取得）を定額法（間接法）で償却してきたが、×2年度期首に新機械が導入され、機械Aが著しく減価した。そこで×2年度期首からの残存耐用年数を2年に変更した。なお、設定時の耐用年数は合理的な見積りにもとづくものであり、変更後も合理的な見積りにもとづいている。

問題 23　減価償却方法の変更（定額法から定率法）　簿 B（3分）応用

次の資料にもとづき、当期の減価償却費の金額を計算しなさい。

【資　料】

　当社は、機械装置について、購入時から定額法によって減価償却を行ってきた。しかし、当期首において新たな情報が入手できたことから、減価償却方法を定額法から定率法に変更することとした。

	取得価額	期首減価償却累計額	残存価額	耐用年数
機械装置	180,000 千円	54,000 千円	18,000 千円	6 年

年数	4 年
定率法償却率	0.438

問題 24　減価償却方法の変更（定率法から定額法）　簿 B（3分）応用

次の資料にもとづき、当期の減価償却費の金額を計算しなさい。

【資　料】

　当社は、備品（取得原価 200,000 千円、残存価額は取得原価の 10％、耐用年数 8 年、当期首減価償却累計額 115,625 千円）について、新たな情報が入手できたことから、当期首から正当な理由にもとづいて償却方法を定率法から定額法に変更する。

年数	5 年	8 年
定率法償却率	0.369	0.250

問題 25 有形固定資産の買換え 簿B（3分） 基本

次の資料にもとづき、設問(1)、(2)に答えなさい。

【資　料】

　×1年9月30日にB車両 2,400,000円を購入し、購入代金の一部としてA車両（取得原価 2,000,000円、期首減価償却累計額 720,000円）を下取り（下取価格 1,280,000円）に供し、差額は現金で支払った。なお、車両の減価償却については、年償却率0.200の定率法（残存価額10%、月割計算、記帳方法は間接法）によっている。また、当会計期間は×1年4月1日から×2年3月31日までである。

(1)　上記取引の仕訳を示しなさい。

(2)　上記取引の下取りに供した車両の時価が 1,000,000円であった場合の仕訳を示しなさい。なお、下取価格と時価の差額は値引きとして処理する。

問題 26 有形固定資産の除却 簿B（3分） 基本

次の資料にもとづき、×3年9月末日に除却した場合の仕訳を示しなさい。

【資　料】

　×1年4月1日（期首）に購入した備品（取得原価 600,000千円、残存価額 60,000千円、耐用年数3年、定額法）を除却した。見積売却価額は 100,000千円である。なお、過年度の減価償却は適正に行われており、記帳方法は間接法によっている。また、当社の会計期間は1年間である。

問題 27 災害発生時の処理 簿B（5分） 基本

次の資料にもとづき、(1)～(5)の各仕訳を示しなさい。

【資　料】

倉庫として使用している以下の建物が当期の期首に火災により焼失した。なお、減価償却の記帳方法は間接法によっている。

焼失した建物	取　得　原　価	減価償却累計額	火災保険契約額
建物A	300,000千円	250,000千円	未契約
建物B	800,000千円	460,000千円	500,000千円
建物C	600,000千円	320,000千円	200,000千円

(1)　建物Aが焼失した。

(2)　建物Bが焼失した。

(3)　保険会社より建物Bの保険金 500,000千円を支払う旨の連絡を受けた。

(4)　建物Cが焼失した。

(5)　保険会社より建物Cの保険金 140,000千円を支払う旨の連絡を受けた。

問 題 28 総合問題2 簿C（8分） 応用

次の資料にもとづいて、決算整理後残高試算表（一部）を作成しなさい。当期は×20年4月1日から×21年3月31日までの1年間である。

【資料1】

決算整理前残高試算表（一部）　　　　　（単位：千円）

現　金　預　金	125,000	建物減価償却累計額	118,000
建　　　　物	850,000	備品減価償却累計額	49,891
車　　　　両	?		
備　　　　品	135,000		
減 価 償 却 費	?		
固 定 資 産 売 却 損	?		

【資料2】

固定資産に関する資料は、次のとおりである。ただし、×19年3月31日以前に取得した資産については残存価額を取得原価の10％として計算しており、×19年4月1日以降に取得した資産については残存価額を0円として計算している。

	取得原価	期首帳簿価額	償却方法	耐用年数	償却率	取得日
建物A	400,000 千円	292,000 千円	定額法	50 年	－	×5年4月1日
建物B	450,000 千円	440,000 千円	定額法	45 年	－	×19年4月1日
車両A	2,500 千円	1,406 千円	定率法	8 年	0.250	×18年4月1日
車両B	? 千円	－ 千円	定率法	8 年	0.313	×20年10月1日
備品	135,000 千円	85,109 千円	定率法	10 年	0.206	×18年4月1日

1　建物Aは、当期7月31日に火災により焼失した。建物Aには契約額を300,000千円とする保険が掛けられており、査定の結果、当期3月15日に300,000千円の支払いを受けることが確定し、当該保険金が当社の当座預金口座に振り込まれた。当該建物にかかる期中処理の一切が未処理である。

2　当期9月30日、車両Aを下取りに供し、新たに車両B（取得価額3,000千円）を購入した。車両Aの時価は1,200千円、下取価格は1,450千円である。下取価格と車両Bの取得価額の差額は、現金で支払った。車両Bは取得の翌日から事業の用に供している。なお、一連の処理は適正に行われており、下取価格と時価との差額は値引きとして処理している。

3　過年度の減価償却は適正に行われている。

4　定率法につき端数が生じる場合は、そのつど千円未満を四捨五入すること。

1 簿記一巡　2 現金預金　3 金銭債権　4 棚卸資産Ⅰ　5 有形固定資産　6 無形固定資産Ⅰ　7 営業費　8 金融商品Ⅰ

問題 29 国庫補助金の受入・有形固定資産の取得 簿A（3分）基本

次にあげる一連の取引について仕訳を示しなさい。

×1年4月1日　国庫補助金 600,000 千円を現金で受け取った。

×1年10月1日　国庫補助金事業に関する備品 1,000,000 千円を現金で購入し、国庫補助金相当額の圧縮記帳（直接減額方式）を直接控除法で行った。

×2年3月31日　決算にさいし、上記備品の減価償却（耐用年数5年、定額法、残存価額は取得原価の10%、記帳方法は間接法）を行う。

問題 30 圧縮記帳の処理 簿B（3分）基本

次の資料にもとづき、決算整理後残高試算表（一部）を完成させなさい。なお、当会計期間は×1年4月1日から×2年3月31日までである。

【資料1】

決算整理前残高試算表（一部）　（単位：千円）

建　　　　物	240,000	建物減価償却累計額	81,000
		工　事　負　担　金	20,000

【資料2】決算整理事項等

(1)　建物のうち 60,000 千円は×1年8月1日に工事負担金に自己資金を加えて取得したものである。この建物は同日より事業の用に供しており、直接減額方式（直接控除法）による圧縮記帳を行うが、圧縮記帳に関する処理が期末時点で行われていない。

(2)　建物はすべて定額法（耐用年数30年、残存価額は取得価額の10%）により減価償却を行う。

1 簿記一巡

2 現金預金

3 金銭債権

4 棚卸資産Ⅰ

5 有形固定資産

6 無形固定資産Ⅰ

7 営業費

8 金融商品Ⅰ

問題 31 資本的支出と収益的支出 簿 A（3分） 基本

次の資料にもとづき、×12年3月31日の貸借対照表（一部）および損益計算書（一部）を完成させなさい。

【資料1】

決算整理前残高試算表（一部）			（単位：千円）
建　　　　物	500,000	建物減価償却累計額	150,000
修　繕　費	75,000		

【資料2】

1　建物は×1年4月1日に取得したものである。同日より使用を開始している。

2　×11年4月1日に建物について改修を行い、この結果、耐用年数が5年延長し、当期首から25年使用できるようになった。改修費用75,000千円は全額を『修繕費』で処理していたが、そのうち耐用年数の延長に対応する部分については資本的支出として処理する。なお、資本的支出部分についても残存価額を考慮すること。

3　建物は、耐用年数30年、残存価額は取得原価の10％として定額法により減価償却を行っている。

········ *Memorandum Sheet* ········

Chapter 6

無形固定資産 I

No	内　　容	標準時間	重要度	難易度
問題1	無形固定資産の減価償却	3分	簿A	基本
問題2	のれんの処理	3分	簿B	基本
問題3	自社利用のソフトウェア	3分	簿A	基本
問題4	自社利用のソフトウェア（耐用年数の変更）	3分	簿A	基本
問題5	無形固定資産の償却1	3分	財計B	基本
問題6	無形固定資産の償却2	5分	財計A	基本
問題7	自社利用のソフトウェア（耐用年数の変更）	3分	財計B	基本

問題 1　無形固定資産の減価償却　簿A（3分）　基本

　次の資料にもとづき、決算整理後残高試算表（一部）を完成させなさい。なお、当期は×3年3月31日を決算日とする1年間である。

【資　料】

1

決算整理前残高試算表（一部）　　　（単位：千円）

特　　許　　権	180,000	
商　　標　　権	333,000	
鉱　　業　　権	600,000	

2　決算整理事項

(1)　特許権は×2年12月1日に180,000千円で取得したものであり、8年間で月割償却する。

(2)　商標権は×1年7月1日に360,000千円で取得したものであり、10年間で月割償却する。

(3)　鉱業権は×2年10月1日に取得したものであり、生産高比例法により償却する。この鉱区の推定埋蔵量は10,000トン、当期採掘量は1,500トンである。

問題 2　のれんの処理　簿B（3分）　基本

　当社は、当期首に資料の財政状態にあるA社を150,000千円で買収し、代金は小切手を振り出して支払った（現金預金で処理）。(1)買収時の仕訳および(2)のれんの当期末における処理の仕訳を示しなさい。なお、のれんは発生年度から20年間の定額法で償却を行い、会計期間は1年間とする。

【資　料】買収時におけるA社の貸借対照表

A社　　　　　　　　　　　　貸　借　対　照　表　　　　　　　（単位：千円）

諸　　資　　産	288,000	諸　　負　　債	160,000
		資　　本　　金	100,000
		利　益　剰　余　金	28,000
	288,000		288,000

問題 3 自社利用のソフトウェア 簿A（3分） 基本

次の自社利用のソフトウェアに関する資料にもとづき、各年度の減価償却費を答えなさい。なお、当社の決算日は毎年3月31日の年1回である。

【資　料】
1　取得原価：30,000千円
2　取　得　日：×1年5月1日
3　見込利用可能期間：5年
4　減価償却方法：定額法

問題 4 自社利用のソフトウェア（耐用年数の変更） 簿A（3分） 基本

次の自社利用のソフトウェアに関する資料にもとづき、各年度の減価償却費を答えなさい。なお、当社の決算日は毎年3月31日の年1回である。

【資　料】
1　取得原価　　　：200,000千円
2　取　得　日　　：×3年4月1日
3　減価償却方法：定額法
4　当該自社利用のソフトウェアは、取得当初に利用可能期間を合理的に見積もった結果、利用可能期間は5年と見積もられた。しかし、×4年度末に利用可能期間の見直しを行った結果、当初からの利用可能期間は4年間と見積もられた。

問題 5 無形固定資産の償却1 解計B（3分） 基本

ＮＴ株式会社の当期（×10年4月1日〜×11年3月31日）における下記の資料により、会社計算規則に準拠した適切な会計処理を行い、答案用紙の空欄をうめなさい。

【資料1】

決算整理前残高試算表　　　　　（単位：千円）

勘　定　科　目	金　　　額	勘　定　科　目	金　　　額
:	:	:	:
仮　　払　　金	8,160	:	:
:	:	:	:

【資料2】　決算整理事項等（過年度の処理はすべて適切に行われている）
1　当期の8月1日に県に支出した、国道舗装のための当社の負担金4,800千円は仮払金として処理したままである。当該負担金は支出日より10年間で償却する。
2　地元の商店街のアーケード設置のために、当期の6月1日に支出した当社の負担金3,360千円は仮払金として処理したままである。当該負担金は支出日より7年間で償却する。
3　無形固定資産は、すべて定額法で償却を行う。

1 簿記一巡
2 現金預金
3 金銭債権
4 棚卸資産Ⅰ
5 有形固定資産
6 無形固定資産Ⅰ
7 営業費
8 金融商品Ⅰ

問題 6 無形固定資産の償却2 財計A (5分) 基本

NS株式会社の当期(×9年4月1日～×10年3月31日)における下記の資料により、会社計算規則に準拠した適切な会計処理を行い、答案用紙の空欄をうめなさい。

【資料1】

決算整理前残高試算表

(単位：千円)

勘 定 科 目	金 額	勘 定 科 目	金 額
の　　れ　　ん	1,000	：	：
特　　許　　権	1,200	：	：
実 用 新 案 権	340	：	：
商　　標　　権	1,500	：	：
借　　地　　権	3,000	：	：

【資料2】 決算整理事項等(過年度の処理はすべて適切に行われている)

1 のれんは×1年10月1日に取得したものである。効果の及ぶ期間である20年間で償却している。

2 特許権は×5年6月1日に取得したものであり、法定償却期間8年で償却している。

3 実用新案権は×7年2月1日に取得したものであり、法定償却期間5年で償却している。

4 商標権は、当期首に当社商品のブランド名を商標登録したさいに取得したものであり、法定償却期間10年で償却する。

5 借地権は、前期首に建物の所有を目的とする土地の賃借にともなう支払いをしたさいに計上したものである。

6 無形固定資産は、すべて定額法で償却を行う。

問題 7 自社利用のソフトウェア(耐用年数の変更) 財計B (3分) 基本

次の自社利用のソフトウェアに関する資料にもとづき、×5年度の貸借対照表および損益計算書の一部を作成しなさい。なお、当社の決算日は毎年3月31日の年1回である。

【資料】

1 取得原価 ：100,000千円

2 取得日 ：×3年4月1日

3 減価償却方法：定額法

4 当該自社利用のソフトウェアは、取得当初に利用可能期間を合理的に見積もった結果、利用可能期間は5年と見積もられた。しかし、×5年度期首に利用可能期間の見直しを行った結果、当初からの利用可能期間は4年間と見積もられた。

5 過年度の減価償却費の計算は適切に行われていた。

Chapter 7

営業費

No	内　　容	標準時間	重要度	難易度
問題1	従業員給与・賞与の処理	3分	薄A	基本
問題2	役員報酬・役員賞与	3分	薄C	基本
問題3	諸経費の処理1	3分	薄B	基本
問題4	諸経費の処理2（本試験改題）	5分	薄B	応用
問題5	営業費とは	3分	財計B	基本
問題6	人件費の処理	3分	財計B	基本
問題7	販売費及び一般管理費	10分	財計A	応用

問題 1　従業員給与・賞与の処理　簿A（3分）　基本

次の各取引の仕訳を示しなさい。なお、支払いは現金で行っている。仕訳のさいに使用する勘定科目は、以下の枠内のものを使用すること。

現　金　預　金	預　　り　　金	賞　与　引　当　金	給　　　　　料
賞　　　　　与	法　定　福　利　費	福　利　厚　生　費	賞　与　引　当　金　繰　入
法　人　税　等			

(1) 従業員に対して月給手取額630,000千円を支払った。ただし、所得税額等および社会保険料従業員負担額70,000千円を源泉徴収している。

(2) 所得税等および社会保険料を納付した。なお、源泉徴収による預り金は35,000千円、社会保険料事業主負担額は18,000千円であった。

(3) 賞与41,000千円を支払った。

(4) ×2年6月に支給する従業員賞与の支給予定額は45,000千円であり、当該賞与の支給対象期間は×1年12月から×2年5月までの6カ月間であるため、当期負担額を引当金計上する。なお、当期の決算日は×2年3月31日である。①当期決算時と②翌期の賞与支払時の仕訳について答えなさい。

問題 2　役員報酬・役員賞与　簿C（3分）　基本

次の各取引の仕訳を示しなさい。なお、支払いはすべて現金（現金預金勘定）で行っている。

(1) ×1期において、役員に対して報酬80,000千円を支払った。

(2) ×1期末において、役員賞与引当金を計上する。なお、翌期の株主総会で役員賞与を165,000千円とする議案を提出する予定である。

(3) ×2期中、役員に対して賞与165,000千円を支払った。

問題 3　諸経費の処理 1　簿B（3分）　基本

次の各取引の仕訳を示しなさい。なお、支払いはすべて現金（現金預金勘定）で行っている。

(1) 当期に消耗品を20,000円購入し、そのうち19,000円だけ消費した場合、①購入時、②決算時の仕訳を示しなさい。ただし、消耗品については、購入時に費用処理する方法によっている。

(2) (1)につき、消耗品を購入時に資産処理している場合について仕訳を示しなさい。

(3) 期中に郵便切手17,500円を購入し、そのうち15,500円だけ消費した場合、①購入時、②決算時の仕訳を示しなさい。なお、期首に郵便切手は所有していなかった。

問題 4　諸経費の処理2　簿B（5分）　（本試験改題）　応用

次の資料にもとづいて、決算整理後残高試算表の一部を完成させなさい。なお、決算日は3月31日である。

【資料1】　決算整理前残高試算表（一部）

決算整理前残高試算表　　　　（単位：千円）

勘 定 科 目	金 額	勘 定 科 目	金 額
現 金 預 金	110,000	預 り 金	6,000
貯 蔵 品	250		
仮 払 金	8,210		
給 料	324,000		
法 定 福 利 費	28,100		
通 信 費	12,500		

※貯蔵品は郵便切手250千円である。

【資料2】　決算整理事項等

1　期末現在、未使用の郵便切手200千円がある。

2　仮払金は、3月中に納付した2月分の源泉徴収（所得税・住民税・社会保険料等）にかかるもの5,400千円と、2月分の会社負担社会保険料2,810千円であることが判明した。

3　当期3月分の従業員給料を3月25日に支給し、次のように仕訳した（単位：千円）。

（借）給　　　　料　　24,100　　　（貸）現 金 預 金　　24,100

ただし、3月分の給料内訳は次のとおりである。

給 料 額	29,400 千円
所 得 税	△ 1,650 千円
住 民 税	△ 840 千円
社 会 保 険 料	△ 2,810 千円
差 引 支 給 額	24,100 千円

なお、源泉徴収した所得税および住民税は翌月10日までに納付する。また、社会保険料については、給与から天引きした上記の個人負担分に同額の会社負担分を加えた金額を、翌月末までに納付するため、未払費用を計上する。

問題 5　営業費とは　財計B（3分）　基本

営業費に関する次の文章の空欄①～⑦にあてはまる用語を【語群】から選び、記号で答えなさい。ただし、同じ用語を複数回使用することも可能である。

　　営業費とは、企業の主要な営業活動にかかる費用のうち　①　を除く部分であり、いわゆる「　②　」に該当する。

　　販売費とは、　③　にかかる費用のことである。一方、一般管理費とは、　④　にかかる費用のことである。これらは実務上　⑤　な部分があるため、「　⑥　」として　⑦　処理する。

【語群】
ア　販売費	イ　一般管理費	ウ　販売費及び一般管理費	エ　売上原価
オ　一括で	カ　別々に	キ　商品・製品の物流、在庫管理、販売促進等	
ク　生産管理部門・経営支援部門等	ケ　容易に区分が可能	コ　厳密な区別が困難	

問題 6　人件費の処理　財計B（3分）　基本

次の資料にもとづいて、答案用紙に示した各項目の決算整理後の金額を答えなさい。

【資料1】　給料に関する事項

　　決算整理前残高試算表における給料勘定の残高は200,000千円であったが、決算にさいして以下のことが判明した。

　1　役員に対する報酬50,000千円(当期支給額の全額)が給料として処理されていた。

　2　先日の従業員給料13,000千円(うち源泉徴収税額750千円)について、現金支給額12,250千円を仮払金として処理していた。

【資料2】　賞与に関する事項

　　翌期の賞与の支払いに備えるため、14,000千円の賞与引当金を設定する。

➡️ 答案用紙 P.7-3　➡️ 解答・解説 P.7-3

1 簿記一巡

2 現金預金

3 金銭債権

4 棚卸資産Ⅰ

5 有形固定資産

6 無形固定資産Ⅰ

7 営業費

8 金融商品Ⅰ

問題 7　販売費及び一般管理費　集計A（10分）　応用

次の資料にもとづいて、答案用紙に示した販売費及び一般管理費の内訳に関して、空欄に適切な語句または金額を記入しなさい。

【資料1】　決算整理前残高試算表（一部）

決算整理前残高試算表　　　　　　（単位：千円）

勘　定　科　目	金　　額	勘　定　科　目	金　　額
貯　　蔵　　品	260	賞 与 引 当 金	11,000
事 務 用 消 耗 品	5,540		
仮　　払　　金	100,000		
販売費及び一般管理費	888,000		

【資料2】　決算整理前における販売費及び一般管理費の内訳

（単位：千円）

科　　　　　目	金　　額	科　　　　　目	金　　額
給 料 手 当	456,000	通　　信　　費	32,300
賞　　　　　与	57,500	そ の 他 の 費 用	318,900
租 税 公 課	23,300	合　　　　　計	888,000

【資料3】　決算整理の未処理事項等

1　貯蔵品に関する事項
(1)　決算整理前残高試算表の貯蔵品は、郵便切手260千円である。
(2)　決算にさいして金庫を調査したところ、未使用の郵便切手310千円があった。

2　事務用消耗品に関する事項
事務用消耗品については、購入時に資産計上する方法により処理している。なお、期末における未使用分は490千円であった。

3　仮払金に関する事項
全額が、当期中に研究開発のために支出した金額であることが判明し、その全額を当期の費用として処理することとした。

4　給料手当に関する事項
当期の退職給付にかかる費用56,000千円を、給料手当として処理していた。

5　賞与に関する事項
(1)　決算整理前残高試算表の賞与引当金は、当期の賞与の支払いに備えて前期末に設定したものであるが、当期の賞与16,500千円の支払い時に、全額を賞与として処理していた。
(2)　翌期の上半期における賞与支給予定額24,000千円のうち、当期負担分18,000千円を引当金に計上する。

········ *Memorandum Sheet* ········

Chapter 8

金融商品 I

No	内　　容	標準時間	重要度	難易度
問題 1	有価証券の取得・売却	3分	簿A	基本
問題 2	有価証券の売却単価の算定	5分	簿A	基本
問題 3	債券の売買（端数利息の処理）	3分	簿B	基本
問題 4	売買目的有価証券の期末評価	5分	簿A	基本
問題 5	満期保有目的の債券 1	5分	簿A	基本
問題 6	満期保有目的の債券 2	8分	簿C	応用
問題 7	総合問題 1（本試験改題）	10分	簿B	応用
問題 8	その他有価証券 1	3分	簿A	基本
問題 9	その他有価証券 2	3分	簿A	基本
問題 10	総合問題 2	5分	簿B	応用
問題 11	有価証券の減損	3分	簿A	基本
問題 12	総合問題 3	8分	簿B	応用
問題 13	有価証券の認識基準	3分	財B	応用
問題 14	有価証券の分類と評価 1	3分	財A	基本
問題 15	有価証券の分類と評価 2	5分	財A	基本

問題 1　有価証券の取得・売却 （3分）　　基本

　当期中のNS社株式（売買目的有価証券に該当する）の取得・売却にかかる資料は以下のとおりである。(1)〜(4)の仕訳を示しなさい。なお、仕訳の必要がない場合は借方科目欄に「仕訳なし」と記入し、売却にともなう手数料は売却損益に含める方法によること。

【資料】

(1)　1株あたり500千円で120株を購入し、手数料1,000千円とともに現金（現金預金で処理）で支払った。

(2)　1株あたり525千円で60株を追加購入し、手数料500千円とともに現金（現金預金で処理）で支払った。

(3)　株式分割により20株を無償取得した。

(4)　1株あたり475千円で150株を売却し、手数料1,200千円が差し引かれた手取額を現金（現金預金で処理）で受け取った。

問題 2　有価証券の売却単価の算定 （5分）　　基本

　以下の売買目的有価証券にかかる一連の取引について、売却単価の計算を(1)総平均法によった場合の売却損益および期末株式単価と、(2)移動平均法によった場合の売却損益および期末株式単価を答えなさい。売却にかかる手数料は売却損益の修正として処理し、売却損となった場合は数値に△を付すこと。

【資料】

1　期首：帳簿価額は12,000千円（100株）であった。

2　6/30：1株あたり125千円で250株購入し、別途購入にともなう手数料150千円を支払った。

3　9/30：1株あたり126千円で180株売却し、別途売却にともなう手数料250千円を支払った。

4　1/31：1株あたり133千円で100株購入し、別途購入にともなう手数料180千円を支払った。

5　3/31：決算日をむかえた。

問題 3　債券の売買（端数利息の処理）　簿B（3分）　基本

以下の資料にもとづき、売買目的で保有する社債（額面利息は年率6％、利払日は9月末日と3月末日）について、(1)～(3)の仕訳を示しなさい。なお、利息の計算は月割りによること。

【資料】

(1) 7／1：社債額面250,000円を額面100円につき95円で買い入れ、代金は前回の利払日から前日までの端数利息とともに現金（現金預金で処理）で支払った。

(2) 9／30：上記社債の利払日（現金預金で処理）

(3) 11／30：上記社債のすべてを額面100円につき97円で売却し、代金は端数利息とともに現金（現金預金で処理）で受け取った。

問題 4　売買目的有価証券の期末評価　簿A（5分）　基本

以下の資料にもとづき、売買目的有価証券（NS社株式）の評価差額を(1)切放法および(2)洗替法によって処理した場合の①～⑥の各時点の仕訳を示しなさい。なお、有価証券の売却原価の算定は移動平均法によるものとし、売買は現金を通じて行っている。仕訳に使用する勘定科目は以下から選び、仕訳の必要がない場合は借方科目欄に「仕訳なし」と記入すること。

現　金　預　金　　　有　価　証　券　　　有価証券評価損益　　　有価証券売却益
有価証券売却損　　　支　払　手　数　料

【資料】

×1年度

① 3月1日　NS社株式150株を1株あたり3,750円で購入した。なお、別途購入手数料1,800円を支払った。

② 3月31日　決算日現在、NS社株式の時価は1株あたり3,800円であった。

×2年度

③ 4月1日　期首につき必要な処理を行う。

④ 8月27日　NS社株式250株を1株あたり3,825円で購入した。なお、別途購入手数料3,750円を支払った。

⑤ 11月11日　NS社株式300株を1株あたり3,845円で売却し、売却手数料3,500円（支払手数料勘定で処理すること）を差し引かれた残額を受け取った。

⑥ 3月31日　決算日現在、NS社株式の時価は1株あたり3,810円であった。

問題 5　満期保有目的の債券1　簿A（5分）　基本

　×1年4月1日に、NS社社債（額面：300,000円、満期日：×4年3月31日、券面利子率：年6%、実効利子率：年8.3%、利払日：9月末日および3月末日）を282,000円で取得した。当社はこの債券を満期まで所有する意図をもって保有しており（投資有価証券勘定で処理すること）、取得原価と額面金額の差額はすべて金利の調整と認められる。

　そこで、償却原価の計算について(1)利息法を用いた場合および(2)定額法を用いた場合について、①～④の各時点における仕訳を示しなさい。なお、利息計算は月割りで行い、利息配分額の計算の過程で円未満の端数が生じた場合は円未満を四捨五入すること。取引は現金を通じて行うものとし、仕訳の必要がない場合は、借方科目欄に「仕訳なし」と記入すること。

①　×1年4月1日（社債取得日）
②　×1年9月30日（第1回利払日）
③　×2年3月31日（第2回利払日・期中仕訳のみ答えること）
④　×2年3月31日（当社の決算日・決算整理仕訳のみ答えること）

問題 6　満期保有目的の債券2　簿C（8分）　応用

　×1年8月1日に、NS社社債（額面：300,000円、満期日：×4年7月31日、券面利子率：6%、実効利子率：年8.3%、利払日：1月末日および7月末日）を282,000円で取得した。当社は、この債券を満期まで所有する意図をもって保有しており（投資有価証券勘定で処理すること）、取得原価と額面金額の差額はすべて金利の調整と認められる。

　そこで、償却原価の計算について(1)利息法を用いた場合および(2)定額法を用いた場合について、①～⑤の各時点における仕訳を示しなさい。なお、利息計算は月割りで行い、利息配分額の計算の過程で円未満の端数が生じた場合は円未満を四捨五入すること（利息法の決算日に計上する償却額は、利払日に計算される償却額を期間按分することによって求めること）。取引は現金を通じて行うものとし、仕訳の必要がない場合は、借方科目欄に「仕訳なし」と記入すること。

①　×1年8月1日（社債取得日）
②　×2年1月31日（第1回利払日）
③　×2年3月31日（当社の決算日）
④　×2年4月1日（翌期首）
⑤　×2年7月31日（第2回利払日）

問題 **7**　　**総合問題 1**　簿 **B** （10分）　　　　　　　　　（本試験改題）　応用

　NS 社（決算日は 3 月 31 日）は、×1 年から 3 年間、毎年 4 月 1 日に同日新規発行された額面 1,000,000 円の国債（順に第 x 1 回国債、第 x 2 回国債、第 x 3 回国債）を購入してきた。それらの取得価額はいずれも額面と異なる。いずれの国債も 10 年満期、金利は年 5 ％で利払いは年 1 回 3 月 31 日とする。NS 社はこれらの国債を満期まで保有する目的で購入し、現在も保有している。次の【資料 1】から【資料 5】にもとづいて、【資料 6】NS 社の会計処理の①～⑤に適当な金額を記入しなさい。なお、計算過程で円未満の端数が生じたときは、そのつど、四捨五入すること。

【資料 1】期末における評価は利息法による償却原価法を採用している

	第 x 1 回国債	第 x 2 回国債	第 x 3 回国債
利息法での実効利子率	6.02％	5.81％	5.67％

【資料 2】過去 3 年間における有価証券利息

（単位：円）

	×2 年 3 月決算	×3 年 3 月決算	×4 年 3 月決算
有価証券利息の金額	55,685	110,641	165,137

【資料 3】各決算日における国債の時価

（単位：円）

	×2 年 3 月 31 日	×3 年 3 月 31 日	×4 年 3 月 31 日
第 x 1 回国債	932,100	939,300	945,670
第 x 2 回国債	－	948,400	952,220
第 x 3 回国債	－	－	956,350

【資料 4】国債取得に関して付随費用は一切発生しないものとする

【資料 5】NS 社は、これらの国債以外に有価証券を保有していない

【資料 6】NS 社の会計処理

　1　×1 年 4 月 1 日の国債の購入に関する仕訳

　　×2 年 3 月決算における有価証券利息の金額から第 x 1 回国債の購入金額を求めなさい。

（単位：円）

借 方 科 目	金　　額	貸 方 科 目	金　　額
投 資 有 価 証 券	①	現 金 預 金	①

1 簿記一巡

2 現金預金

3 金銭債権

4 棚卸資産 I

5 有形固定資産

6 無形固定資産 I

7 営業費

8 金融商品 I

2　×2年4月1日の国債の購入に関する仕訳

（単位：円）

借　方　科　目	金　　　額	貸　方　科　目	金　　　額
投　資　有　価　証　券	②	現　金　預　金	②

3　×4年3月31日の国債の評価にかかる仕訳

（単位：円）

借　方　科　目	金　　　額	貸　方　科　目	金　　　額
投　資　有　価　証　券	③	（　各　自　推　定　）	③

4　×4年3月31日に保有している国債の償却原価の総額は 　④　 円である。保有目的に反してこれらをすべて売却したとすれば、有価証券売却益は 　⑤　 円となる。

➡答案用紙 P.8-5　　➡解答・解説 P.8-9

問題 8　その他有価証券1　簿A （3分）　基本

　当社は、NS社株式（取得原価250,000円）を「その他有価証券」として保有している。当該有価証券の当期末時価が① 275,000円の場合および② 230,000円の場合について、(1)全部純資産直入法および(2)部分純資産直入法により評価差額を処理した場合の、当期末の仕訳および翌期首の仕訳を示しなさい。なお、税効果は無視するものとする。

➡答案用紙 P.8-5　　➡解答・解説 P.8-10

問題 9　その他有価証券2　簿A （3分）　基本

　×1年4月1日に、NS社社債（額面300,000千円、満期日×4年3月31日、クーポン利子率年6％、利払日3月末）を282,000千円で取得した。当社は、この債券を「その他有価証券」として保有しており、取得原価と額面金額の差額はすべて金利の調整と認められるため、償却原価法（定額法）を適用し、評価差額は全部純資産直入法により処理している。この社債につき、以下の各時点の仕訳を示しなさい。取引は現金を通じて行う。

　なお、×2年3月31日におけるこの社債の時価は295,000千円である。利息計算は月割りで行い、税効果は無視するものとする。

(1)　×2年3月31日（第1回利払日・決算日）
(2)　×2年4月1日（翌期首）

1 簿記一巡

2 現金預金

3 金銭債権

4 棚卸資産 I

5 有形固定資産

6 無形固定資産 I

7 営業費

8 金融商品 I

問題 10　総合問題2　簿B（5分）　応用

　以下の有価証券に関する資料にもとづき、当期（×3年3月31日を決算日とする1年間）の損益計算書における「営業外収益から営業外費用を控除した額」を答えなさい。解答がマイナスとなる場合は、数値の前に△を付すこと。

【資料1】有価証券の価格情報　（単位：千円）

銘柄	保有目的区分	取得年月日	取得原価	前期末時価	当期末時価	備考
A社株式	売買目的有価証券	×1.4.30	25,800	26,500	20,500	（注1）
B社社債	満期保有目的債券	×2.4.1	39,796	－	41,500	（注2）
C社株式	その他有価証券	×2.1.30	21,000	19,500	21,500	－

（注1）×2年9月10日に当該株式の20%を売却し、売却益400千円を計上している。

（注2）額面金額42,000千円（償還期間3年、発行と同時に取得、クーポン利子率年5%、実効利子率年7%）と取得価額39,796千円との差額は金利の調整と認められるため、償却原価法（原則法）を適用する。当該社債の利払日は3月末日の年1回後払いである。

【資料2】

1　売買目的有価証券の時価評価差額は、切放法により処理している。

2　その他有価証券の時価評価差額については、部分純資産直入法により処理している。

3　利息の計算は月割りによる。

4　税効果会計は無視するものとする。

5　計算の結果、千円未満の端数が生じる場合には、そのつど四捨五入する。

問題 11　有価証券の減損　簿A（3分）　基本

　その他有価証券に分類されているA社株式（市場価格なし、取得原価 @8,000千円）10株について、発行会社の財政状態が下記のように悪化し、回復の見込みがないため実質価額に評価替えを行う。評価替えについての仕訳を示すとともに、貸借対照表価額を求めなさい。なお、同社の発行済株式総数は120株である。

貸　借　対　照　表　（単位：千円）

諸　資　産	1,050,000	諸　負　債	630,000
		資　本　金	600,000
		繰越利益剰余金	△180,000
	1,050,000		1,050,000

問題 12 総合問題3 簿B（8分）   応用

以下の資料にもとづき、決算整理後残高試算表（一部）の空欄に適切な金額を記入しなさい。なお、当期は×5年3月31日を決算日とする1年間である。

【資料1】

決算整理前残高試算表（一部）　（単位：千円）

有 価 証 券	27,000
投資有価証券	942,600
関係会社株式	840,000

【資料2】

期末保有株式の価格情報　（単位：千円）

銘　　柄	保有目的区分	帳簿価額	期末時価
A社株式	売買目的有価証券	27,000	30,000
B社株式	その他有価証券	220,000	85,000
C社株式	その他有価証券	75,000	80,000
D社社債	その他有価証券	500,000	500,000
E社社債	その他有価証券	147,600	149,000
F社株式	子 会 社 株 式	840,000	－

1　その他有価証券の評価差額は、全部純資産直入法により処理し、税効果会計は無視するものとする。

2　B社株式の期末時価は著しく低下しており、回復する見込みがあると認められない。

3　D社社債は発行と同時に額面で取得したものである。

4　E社社債は、×1年4月1日に発行と同時に額面総額150,000千円を額面100千円あたり96千円で取得したものである。額面金額と取得価額の差額はすべて金利の調整と認められるため、償却原価法（定額法）を適用する。なお、満期日×6年3月31日、券面利子率年2.5%、利払日は毎年3月31日であるが、券面利息の受取りにかかる処理を失念していた。なお、当該社債は翌期中に満期日が到来するため、有価証券勘定に振り替える。

5　F社の発行済株式総数は15,000株であり、そのうち当社の保有数は10,500株である。当該株式の市場価格はないが、期末現在の同社の純資産額は450,000千円である。F社株式の実質価額は著しく低下しており、回復する見込みがあると認められない。

問題 13 有価証券の認識基準 簿計 B（3分） 応用

次の取引から、有価証券の売買の認識を(1)約定日基準、(2)修正受渡日基準によった場合の、会社法および会社計算規則に準拠した貸借対照表および損益計算書（一部）の記入をしなさい。会計期間は×2年3月31日を期末とする1年である。なお、空欄となる箇所には「—」を記入すること。

1 A株式（売買目的有価証券）

×2年3月25日に26,000千円で購入する契約を締結した。受渡日は×2年4月3日であり、そのときに代金を現金で支払うこととした。なお、A株式の決算日の時価は29,000千円である。

2 B株式（売買目的有価証券）

×2年3月25日に24,500千円で売却する契約を締結した。受渡日は×2年4月5日であり、そのときに代金を現金で受け取ることとした。なお、B株式の約定日の帳簿価額は22,000千円、決算日の時価は29,000千円である。

問題 14 有価証券の分類と評価1 簿計 A（3分） 基本

次の資料にもとづいて、会社法および会社計算規則に準拠した当期（×1年4月1日～×2年3月31日）の貸借対照表および損益計算書（一部）の記入をしなさい。

【資料】

銘　柄	取得原価	期末時価	備　　　考
A社株式	16,000千円	16,500千円	売買目的で保有している。
B社株式	13,000千円	14,000千円	相互持合いのために保有している。
C社社債	4,750千円	4,900千円	満期保有目的で保有している（額面5,000千円、券面利子率6％、利払日3月末）。取得原価と額面金額との差額は金利の調整部分ではない。
D社株式	7,000千円	2,500千円	D社発行済株式の30％を保有している。時価の回復可能性は不明である。
E社株式	9,000千円	8,800千円	E社発行済株式の80％を保有している。

1 その他有価証券の評価差額は、全部純資産直入法によって処理し、税効果会計は無視すること。

2 C社社債は前期首に取得し、満期は×3年3月31日である。

3 時価が取得原価の50％以上下落した場合に減損処理の判断をする。

1 簿記一巡
2 現金預金
3 金銭債権
4 棚卸資産Ⅰ
5 有形固定資産
6 無形固定資産Ⅰ
7 営業費
8 金融商品Ⅰ

問題 15 有価証券の分類と評価2　財計A（5分）　基本

次の資料にもとづいて、会社法および会社計算規則に準拠した当期（×1年4月1日～×2年3月31日）の貸借対照表および損益計算書（一部）の記入をしなさい。なお、注記事項については、貸借対照表等に関する事項のみを記載すること。

【資　料】

銘　柄	帳簿価額	保有目的	期末時価	備　考
P社株式	16,000千円	その他	15,600千円	下記1参照
Q社株式	8,000千円	支配目的	市場価格なし	下記2参照
R社社債	12,800千円	満期保有	12,500千円	下記3参照
S社株式	6,100千円	その他	6,300千円	下記1・4参照

1　その他有価証券の評価差額は、部分純資産直入法によって処理し、税効果会計は無視すること。

2　当社はQ社の議決権の60％を保有している。Q社は財政状態が著しく悪化しており、直近の貸借対照表は次のとおりである。

貸　借　対　照　表		（単位：千円）	
諸　　資　　産	18,000	諸　　負　　債	12,500
		資　　本　　金	10,000
		繰越利益剰余金	△4,500
	18,000		18,000

3　当期の7月1日に取得し、償還日は×5年6月30日である。額面16,000千円、クーポン利子率は年2％、利払日は6月末日と12月末日である。

取得原価と額面金額の差額はすべて金利の調整部分であり、償却原価法（定額法）を適用する。

4　S社は当社の議決権の60％を所有している。なお、親会社株式は投資その他の資産の区分に関係会社株式として表示する。

解答解説編

問題 1 解答

問1 （単位：千円）

損 益

月日	摘要	金額	月日	摘要	金額
3 31	仕 入	875,000	3 31	売 上	1,100,000
〃	営 業 費	125,000	〃	雑 収 入	10,000
〃	繰越利益剰余金	110,000			
		1,110,000			1,110,000

問2 （単位：千円）

残 高

月日	摘要	金額	月日	摘要	金額
3 31	現 金	142,000	3 31	買 掛 金	98,000
〃	繰越商品	279,000	〃	借 入 金	30,000
〃	備 品	37,000	〃	資 本 金	200,000
			〃	繰越利益剰余金	130,000
		458,000			458,000

解説

（1） 総収益と総費用の差額（当期純利益）は、繰越利益剰余金 a/c へ振り替えます。

（借）損　　益 110,000　　（貸）繰越利益剰余金 110,000

（2） 繰越利益剰余金の残高：試算表20,000千円 ＋当期純利益110,000千円＝130,000千円

繰越利益剰余金

残 高	130,000	× × × ×	20,000
		損　　益	110,000
	130,000		130,000

問題 2 解答

問1　　90,000　　円

問2　　120,000　　円

問3　　120,000　　円

問4　　120,000　　円

問5

支 払 利 息 （単位：円）

月日	摘要	金額	月日	摘要	金額
6 30	当座預金	60,000	4 1	未払利息	30,000
12 31	当座預金	60,000	3 31	損　　益	120,000
3 31	未払利息	30,000			
		150,000			150,000

解説

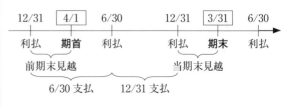

1．見越額：$2,000,000 円 × 6\% × \dfrac{3 カ月}{12 カ月}$

　　＝ 30,000 円

2．半年分支払額：$2,000,000 円 × 6\% × \dfrac{6 カ月}{12 カ月}$

　　＝ 60,000 円

3．前期末の見越計上額は、当期の期首に支払利息勘定の貸方へ再振替されます。

4．期末整理前
支払利息

5．期末整理後
支払利息

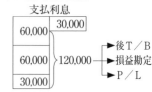

（単位：円）

	借方科目	金　額	貸方科目	金　額
1	前払保険料	17,600	保　険　料	17,600
2	支 払 地 代	14,400	未 払 地 代	14,400

解説

1．保険料（先払）

(1) 整理前の勘定残高

　　毎期8カ月分（4/1〜11/末）の繰延計上をしていますので、決算整理前の保険料は20カ月分の金額を示しています。

保　険　料

8カ月分	4/1 再振替（17,600）	
1年分	12/1 支払額（26,400）	} 整理前残高　44,000 20カ月分

(2) 1カ月分の金額を計算します。

　　44,000円÷20カ月＝2,200円／月

(3) 前払の金額：2,200円×8カ月＝17,600円

2．支払地代（後払）

(1) 整理前の勘定残高

　　毎期2カ月分（2/1〜3/末）の見越計上をしていますので、決算整理前の支払地代は10カ月分の金額を示しています。

支 払 地 代

		4/1 再振替（14,400）　2カ月分
1年分	1/末 支払額（86,400）	} 整理前残高　72,000 10カ月分

(2) 1カ月分の金額を計算します。

　　72,000円÷10カ月＝7,200円／月

(3) 未払の金額：7,200円×2カ月＝14,400円

1 簿記一巡

2 現金預金

3 金銭債権

4 棚卸資産I

5 有形固定資産

6 無形固定資産I

7 営業費

8 金融商品I

(1)

（単位：千円）

借方科目	金　額	貸方科目	金　額
現　　　　金	500	支 払 手 形	350
当 座 預 金	1,200	買　掛　金	550
受 取 手 形	600	未　払　金	100
売　掛　金	450	借　入　金	700
土　　　　地	2,000	資　本　金	2,500
		繰越利益剰余金	550

(2)

（単位：千円）

	借方科目	金　額	貸方科目	金　額
①	受 取 手 形	300	売　　　　上	750
	売　掛　金	450		
②	仕　　　　入	550	支 払 手 形	200
			買　掛　金	350
③	当 座 預 金	650	受 取 手 形	250
			売　掛　金	400
④	支 払 手 形	150	当 座 預 金	600
	買　掛　金	450		
⑤	未　払　金	100	現　　　　金	300
	借　入　金	200		
⑥	土　　　　地	500	未　払　金	500

(3)

① 損益振替仕訳

（単位：千円）

借方科目	金　額	貸方科目	金　額
売　　　　上	750	損　　　　益	750
損　　　　益	550	仕　　　　入	550

② 利益振替仕訳

（単位：千円）

借方科目	金　額	貸方科目	金　額
損　　　　益	200	繰越利益剰余金	200

③ 残高振替仕訳

（単位：千円）

借方科目	金　額	貸方科目	金　額
残　　　　高	5,100	現　　　　金	200
		当 座 預 金	1,250
		受 取 手 形	650
		売　掛　金	500
		土　　　　地	2,500
支 払 手 形	400	残　　　　高	5,100
買　掛　金	450		
未　払　金	500		
借　入　金	500		
資　本　金	2,500		
繰越利益剰余金	750		

解説

(1)　開始仕訳

　　本試験で開始仕訳を問われることは稀ですが、推定簿記などの論点で役立ちますので、簿記一巡の流れを理解するように心がけましょう。

(3)　決算振替仕訳

　① 損益振替仕訳

　　決算整理後の収益及び費用を損益勘定に集約します。損益勘定の貸借差額で当期純利益を求めます。

　② 利益振替仕訳

　　損益勘定で求めた当期純利益（750千円（売上）－550千円（仕入）＝200千円）を繰越利益剰余金勘定に振替えます。

　③ 残高振替仕訳

　　資産・負債・純資産の期末残高を残高勘定に集約します。

問1　決算整理前残高試算表

決算整理前残高試算表
×2年3月31日　（単位：千円）

現　　　金（	490）	支払手形（	800）
当座預金（	15,260）	買　掛　金（	5,600）
受取手形（	5,200）	借　入　金（	1,150）
売　掛　金（	4,800）	貸倒引当金（	20）
繰越商品（	950）	建物減価償却累計額（	1,350）
建　　　物（	5,000）	備品減価償却累計額（	900）
備　　　品（	1,500）	資　本　金（	10,000）
仕　　　入（	28,500）	利益準備金（	2,000）
営　業　費（	260）	繰越利益剰余金（	305）
貸倒損失（	600）	売　　　上（	40,500）
支払利息（	65）		
（	62,625）	（	62,625）

問2　決算整理後残高試算表

決算整理後残高試算表
×2年3月31日　（単位：千円）

現　　　金（	490）	支払手形（	800）
当座預金（	15,260）	買　掛　金（	5,600）
受取手形（	5,200）	借　入　金（	1,150）
売　掛　金（	4,800）	未払法人税等（	3,150）
繰越商品（	800）	未払利息（	15）
前払営業費（	110）	貸倒引当金（	300）
建　　　物（	5,000）	建物減価償却累計額（	1,440）
備　　　品（	1,500）	備品減価償却累計額（	1,050）
売上原価（	28,650）	資　本　金（	10,000）
営　業　費（	150）	利益準備金（	2,000）
貸倒引当金繰入（	280）	繰越利益剰余金（	305）
貸倒損失（	600）	売　　　上（	40,500）
減価償却費（	240）		
支払利息（	80）		
法人税等（	3,150）		
（	66,310）	（	66,310）

問3　損益勘定、繰越利益剰余金勘定および繰越試算表

損　　益　　（単位：千円）

3/31売上原価（	28,650）	3/31売　　上（	40,500）
〃　営　業　費（	150）		
〃　貸倒引当金繰入（	280）		
〃　貸倒損失（	600）		
〃　減価償却費（	240）		
〃　支払利息（	80）		
〃　法人税等（	3,150）		
〃　繰越利益剰余金（	7,350）		
（	40,500）	（	40,500）

繰越利益剰余金　　（単位：千円）

3/31次期繰越（	7,655）	4/1前期繰越（	305）
		3/31損　　益（	7,350）
（	7,655）	（	7,655）

繰　越　試　算　表
×2年3月31日　（単位：千円）

現　　　金（	490）	支払手形（	800）
当座預金（	15,260）	買　掛　金（	5,600）
受取手形（	5,200）	借　入　金（	1,150）
売　掛　金（	4,800）	未払法人税等（	3,150）
繰越商品（	800）	未払利息（	15）
前払営業費（	110）	貸倒引当金（	300）
建　　　物（	5,000）	建物減価償却累計額（	1,440）
備　　　品（	1,500）	備品減価償却累計額（	1,050）
		資　本　金（	10,000）
		利益準備金（	2,000）
		繰越利益剰余金（	7,655）
（	33,160）	（	33,160）

1 簿記一巡

2 現金預金

3 金銭債権

4 棚卸資産Ⅰ

5 有形固定資産

6 無形固定資産Ⅰ

7 営業費

8 金融商品Ⅰ

問4　損益計算書および貸借対照表

損 益 計 算 書

自×1年4月1日　至×2年3月31日　（単位：千円）

Ⅰ	売上高			（ 40,500 ）
Ⅱ	売上原価			
	1	期首商品棚卸高	（ 950 ）	
	2	当期商品仕入高	（ 28,500 ）	
		合　計	（ 29,450 ）	
	3	期末商品棚卸高	（ 800 ）	（ 28,650 ）
		売 上 総 利 益		（ 11,850 ）
Ⅲ	販売費及び一般管理費			
	1	営 業 費	（ 150 ）	
	2	貸倒引当金繰入	（ 280 ）	
	3	貸 倒 損 失	（ 600 ）	
	4	減 価 償 却 費	（ 240 ）	（ 1,270 ）
		営 業 利 益		（ 10,580 ）
Ⅳ	営業外費用			
	1	支 払 利 息		（ 80 ）
		税引前当期純利益		（ 10,500 ）
		法 人 税 等		（ 3,150 ）
		当 期 純 利 益		（ 7,350 ）

貸 借 対 照 表

×2年3月31日　（単位：千円）

現　　金	（ 490 ）	支 払 手 形	（ 800 ）
当 座 預 金	（ 15,260 ）	買 掛 金	（ 5,600 ）
受取手形（ 5,200 ）		借 入 金	（ 1,150 ）
売 掛 金（ 4,800 ）		未払法人税等	（ 3,150 ）
貸倒引当金（ 300 ）	（ 9,700 ）	未 払 費 用	（ 15 ）
商　　品	（ 800 ）	資 本 金	（ 10,000 ）
前 払 費 用	（ 110 ）	利益準備金	（ 2,000 ）
建　　物（ 5,000 ）		繰越利益剰余金	（ 7,655 ）
減価償却累計額（ 1,440 ）	（ 3,560 ）		
備　　品（ 1,500 ）			
減価償却累計額（ 1,050 ）	（ 450 ）		
	（ 30,370 ）		（ 30,370 ）

解説

（以下、仕訳・勘定の単位：千円）

　簿記一巡の手続きを理解する問題となっています。簿記一巡の手続きは、1　開始手続、2　営業手続、3　決算手続という流れがありますので、その流れを意識しながら問題を解くよ

うに心がけましょう。

問1　決算整理前残高試算表（前 T/B）の作成
　前期末の経過勘定項目について、再振替仕訳を行います。

4/1	（借）営 業 費	80	（貸）前払営業費	80
〃	（借）未 払 利 息	25	（貸）支 払 利 息	25

　期中取引の仕訳を行うとともに、各勘定（取引数の多い一部のみ）に集計します。勘定に集計を行わなかった科目については繰越試算表に直接数値を加減していきます。

(1)	（借）仕　　　入	13,500	（貸）当 座 預 金	6,000
			（貸）買 掛 金	7,500

(2)	（借）当 座 預 金	7,500	（貸）売　　　上	18,000
	売 掛 金	10,500		

(3)	（借）仕　　　入	15,000	（貸）受 取 手 形	3,000
			売 掛 金	12,000

(4)	（借）受 取 手 形	8,000	（貸）売　　　上	22,500
	支 払 手 形	2,000		
	売 掛 金	12,500		

(5)	（借）現　　　金	300	（貸）売 掛 金	7,300
	当 座 預 金	10,000	受 取 手 形	3,000

(6)	（借）買 掛 金	3,000	（貸）当 座 預 金	4,000
	支 払 手 形	1,000		

(7)	（借）貸倒引当金	100	（貸）売 掛 金	700
	貸 倒 損 失	600		

(8)	（借）営 業 費	180	（貸）現　　　金	180

(9)	（借）借 入 金	1,150	（貸）当 座 預 金	1,240
	支 払 利 息	90		

(10)	（借）未払法人税等	500	（貸）当 座 預 金	500

1 簿記一巡

2 現金預金

3 金銭債権

4 棚卸資産Ⅰ

5 有形固定資産

6 無形固定資産Ⅰ

7 営業費

8 金融商品Ⅰ

現　金

前期繰越	370	(8)	180
(5)	300	前 T/B	490

当座預金

前期繰越	9,500	(1)	6,000
(2)	7,500	(6)	4,000
(5)	10,000	(9)	1,240
		(10)	500
		前 T/B	15,260

受取手形

前期繰越	3,200	(3)	3,000
(4)	8,000	(5)	3,000
		前 T/B	5,200

売掛金

前期繰越	1,800	(3)	12,000
(2)	10,500	(5)	7,300
(4)	12,500	(7)	700
		前 T/B	4,800

支払手形

(4)	2,000	前期繰越	3,800
(6)	1,000		
前 T/B	800		

買掛金

(6)	3,000	前期繰越	1,100
前 T/B	5,600	(1)	7,500

貸倒引当金

(7)	100	前期繰越	120
前 T/B	20		

売上

前 T/B	40,500	(2)	18,000
		(4)	22,500

仕入

(1)	13,500	前 T/B	28,500
(3)	15,000		

営業費

4/1	80	前 T/B	260
(8)	180		

貸倒損失

(7)	600	前 T/B	600

支払利息

(9)	90	4/1	25
		前 T/B	65

※上記の仕訳、勘定記入を参考に前 T/B を完成させます。

問2　決算整理後残高試算表（後 T/B）の作成
　決算整理仕訳を行い、決算整理後残高試算表を完成させます。

(1)　貸倒引当金の設定

(借) 貸倒引当金繰入　280　　(貸) 貸倒引当金　280[01]

01）当期設定額
　(5,200 千円＋ 4,800 千円) × 3％＝ 300 千円
　　　受取手形　　　売掛金
　繰 入 額　300 千円－ 20 千円＝ 280 千円
　　　　　　　　　　　前T/B

上記より後 T/B の金額：
　貸倒引当金繰入　　280 千円
　貸倒引当金　　　　300 千円

(2) 売上原価の算定

(借)	売 上 原 価	950	(貸)	繰 越 商 品	950
(借)	売 上 原 価	28,500	(貸)	仕 入	28,500
(借)	繰 越 商 品	800	(貸)	売 上 原 価	800

上記より後 T/B の金額：

    繰越商品　　　　800 千円

    売上原価　　28,650 千円

(3) 減価償却費の計上

(借)	減価償却費	240	(貸)	建物減価償却累計額	90 [02]
				備品減価償却累計額	150 [03]

02) 5,000 千円 × 0.9 ÷ 50 年 = 90 千円

03) (1,500 千円 − 900 千円) × 0.25 = 150 千円

上記より後 T/B の金額：

    減価償却費　240 千円

    建物減価償却累計額　1,350 千円 + 90 千円
    　　　　　　　　　　　= 1,440 千円

    備品減価償却累計額　900 千円 + 150 千円
    　　　　　　　　　　　= 1,050 千円

(4) 経過勘定項目の計上

(借)	前払営業費	110	(貸)	営 業 費	110
(借)	支 払 利 息	15	(貸)	未 払 利 息	15

上記より後 T/B の金額：

    前払営業費 110 千円

    営業費　260 千円（前 T/B）− 110 千円
    　　　　　　　　= 150 千円

    支払利息　65 千円（前 T/B）+ 15 千円
    　　　　　　　　= 80 千円

    未払利息　15 千円

(5) 法人税等の計上

(借)	法 人 税 等	3,150	(貸)	未払法人税等	3,150 [04]

04) 税引前当期純利益 = 40,500 千円（収益合計）
    　　− 30,000 千円（費用合計）= 10,500 千円
    10,500 千円 × 30% = 3,150 千円

上記より後 T/B の金額：

    法人税等　　　　3,150 千円

    未払法人税等　　3,150 千円

※上記の仕訳、前 T/B を参考に後 T/B を完成させます。

問3　損益勘定、繰越利益剰余金勘定および繰越試算表の作成

　決算振替仕訳を行い、損益勘定、繰越利益剰余金勘定および繰越試算表を完成させます。

決算振替仕訳1

　収益、費用の各勘定を損益勘定へ振り替える。

(借)	売 上	40,500	(貸)	損 益	40,500
(借)	損 益	33,150	(貸)	売 上 原 価	28,650
				営 業 費	150
				貸倒引当金繰入	280
				貸 倒 損 失	600
				減 価 償 却 費	240
				支 払 利 息	80
				法 人 税 等	3,150

　上記の仕訳を損益勘定に転記します。

決算振替仕訳2

　損益勘定で算定された利益を繰越利益剰余金勘定へ振り替える。

(借)	損 益	7,350	(貸)	繰越利益剰余金	7,350

　※損益勘定の貸借差額

　上記の仕訳を繰越利益剰余金勘定に転記します。

　※1、2をもとに繰越試算表を完成させます。資産、負債、純資産（繰越利益剰余金以外）の各勘定の残高は決算整理後残高試算表における数値と同額となります。ただ、繰越利益剰余金の金額は決算振替仕訳が考慮されますので注意が必要です。

問4　貸借対照表および損益計算書の作成

　※貸借対照表および損益計算書の作成にあたって以下の注意が必要です。

　貸借対照表…繰越試算表をもとに作成されます。ただし、貸倒引当金、減価償却累計額の表示は原則として各資産の勘定から控除します。

　損益計算書…損益勘定をもとに作成されます。ただし、売上原価の表示は期首商品棚卸高に当期商品仕入高を加算し、期末商品棚卸高を減算して表示します。

損　　　　　益　　（単位：千円）

9/30 仕　　入	(618,500)	9/30 売　　上	(932,000)
〃 貸倒引当金繰入	(9,000)	〃 受取利息	(8,200)
〃 減価償却費	(2,500)		
〃 支払家賃	(10,200)		
〃 法人税等	(90,000)		
〃 繰越利益剰余金	(210,000)		
	(940,200)		(940,200)

繰越利益剰余金　　（単位：千円）

12/25 未払配当金	(50,000)	10/1 前期繰越	(185,000)
〃 別途積立金	(30,000)	9/30 損　　益	(210,000)
〃 利益準備金	(5,000)		
9/30 残　　高	(310,000)		
	(395,000)		(395,000)

残　　　　　高　　（単位：千円）

9/30 現金預金	(278,700)	9/30 支払手形	(328,900)
〃 受取手形	(632,000)	〃 買掛金	(308,000)
〃 売掛金	(568,000)	〃 未払法人税等	(90,000)
〃 繰越商品	(28,000)	〃 貸倒引当金	(12,000)
〃 貸付金	(170,000)	〃 前受金	(33,000)
〃 前払金	(54,000)	〃 未払家賃	(3,300)
〃 未収利息	(2,000)	〃 資本金	(500,000)
〃 備品	(7,500)	〃 利益準備金	(125,000)
		〃 別途積立金	(30,000)
		〃 繰越利益剰余金	(310,000)
	(1,740,200)		(1,740,200)

解説

（以下、仕訳・勘定の単位：千円）

　簿記一巡の流れを確認する問題となっています。各勘定ごとに正確に集計を行えるかがポイントとなります。

1　開始仕訳を行います。

（借）現金預金	289,200	（貸）支払手形	153,900
受取手形	465,000	買掛金	341,000
売掛金	335,000	未払法人税等	150,000
繰越商品	36,000	貸倒引当金	8,000
貸付金	320,000	前受金	40,000
前払金	53,000	未払家賃	2,100
未収利息	1,800	資本金	500,000
		利益準備金	120,000
		繰越利益剰余金	185,000

2　再振替仕訳を行います。

（借）受取利息	1,800	（貸）未収利息	1,800
（借）未払家賃	2,100	（貸）支払家賃	2,100

3　期中取引の仕訳を行います。

現金預金

　増加額

（借）現金預金	678,000	（貸）売上	60,000
		受取手形	250,000
		売掛金	180,000
		前受金	30,000
		貸付金	150,000
		受取利息	8,000

　減少額

（借）仕入	45,500	（貸）現金預金	688,500
支払手形	96,000		
買掛金	301,000		
前払金	27,000		
備品	10,000		
未払法人税等	150,000		
支払家賃	9,000		
未払配当金	50,000		

手形

（借）受取手形	330,000	（貸）売上	330,000
（借）仕入	189,000	（貸）支払手形	189,000
（借）貸倒引当金	3,000	（貸）受取手形	3,000

売掛金

（借）受取手形	90,000	（貸）売掛金	90,000
（借）貸倒引当金	2,000	（貸）売掛金	2,000
（借）**売掛金**	**505,000**	（貸）**売上**	**505,000**

└→推定による

買掛金

（借）買掛金	82,000	（貸）支払手形	82,000
（借）**仕入**	**350,000**	（貸）**買掛金**	**350,000**

└→推定による

1 簿記一巡　2 現金預金　3 金銭債権　4 棚卸資産Ⅰ　5 有形固定資産　6 無形固定資産Ⅰ　7 営業費　8 金融商品Ⅰ

前受金

| (借)前 受 金 | 37,000 | (貸)売 上 | 37,000 |

└→推定による

前払金

| (借)仕 入 | 26,000 | (貸)前 払 金 | 26,000 |

└→推定による

剰余金の配当等

(借)繰越利益剰余金	85,000	(貸)未払配当金	50,000
		別途積立金	30,000
		利益準備金	5,000

<参考> 決算整理前残高試算表

決算整理前残高試算表

×2年9月30日 （単位：千円）

現 金 預 金	(278,700)	支 払 手 形	(328,900)
受 取 手 形	(632,000)	買 掛 金	(308,000)
売 掛 金	(568,000)	貸倒引当金	(3,000)
繰 越 商 品	(36,000)	前 受 金	(33,000)
貸 付 金	(170,000)	資 本 金	(500,000)
前 払 金	(54,000)	利益準備金	(125,000)
備 品	(10,000)	別途積立金	(30,000)
仕 入	(610,500)	繰越利益剰余金	(100,000)
支 払 家 賃	(6,900)	売 上	(932,000)
		受 取 利 息	(6,200)
	(2,366,100)		(2,366,100)

4 決算整理仕訳を行います。

貸倒引当金の設定

| (借)貸倒引当金繰入 | 9,000 [01] | (貸)貸倒引当金 | 9,000 |

01）当期設定額：

（632,000 千円＋568,000 千円）× 1 ％
〔受取手形期末残高〕　〔売掛金期末残高〕
＝ 12,000 千円

繰 入 額：
12,000 千円－ 3,000 千円 ＝ 9,000 千円
　　　　　　　（前 T / B）

売上原価の算定

| (借)仕 入 | 36,000 | (貸)繰 越 商 品 | 36,000 |
| (借)繰 越 商 品 | 28,000 | (貸)仕 入 | 28,000 |

減価償却費の計上

| (借)減価償却費 | 2,500 [02] | (貸)備 品 | 2,500 |

02）10,000 千円× 0.25 ＝ 2,500 千円

経過勘定項目の計上

| (借)支 払 家 賃 | 3,300 | (貸)未 払 家 賃 | 3,300 |
| (借)未 収 利 息 | 2,000 | (貸)受 取 利 息 | 2,000 |

法人税等の計上

| (借)法 人 税 等 | 90,000 [03] | (貸)未払法人税等 | 90,000 |

03）税引前当期純利益
＝ 940,200 千円－ 640,200 千円 ＝ 300,000 千円
　　（収益合計）　　（費用合計）
300,000 千円× 30％ ＝ 90,000 千円

開始仕訳、再振替仕訳、期中仕訳、決算整理仕訳を終えての各勘定の整理と売上、仕入金額の算定

現金預金

| 前期繰越 | 289,200 | 減少額合計 | 688,500 |
| 増加額合計 | 678,000 | 残 高 | 278,700 |

受取手形

前期繰越	465,000	現金預金	250,000
売 上	330,000	貸倒引当金	3,000
売掛金	90,000	残 高	632,000

売 掛 金

前期繰越	335,000	現金預金	180,000
売 上	505,000	受取手形	90,000
（推 定）		貸倒引当金	2,000
		残 高	568,000

前 払 金

前期繰越	53,000	仕 入	26,000
現金預金	27,000	（推 定）	
		残 高	54,000

支 払 手 形

現金預金	96,000	前期繰越	153,900
		仕 入	189,000
残 高	328,900	買 掛 金	82,000

買 掛 金

現金預金	301,000	前期繰越	341,000
支払手形	82,000	仕 入	350,000
残 高	308,000	（推 定）	

前 受 金

売 上	37,000	前期繰越	40,000
（推 定）			
残 高	33,000	現金預金	30,000

売上

損益勘定へ	932,000	現金預金	60,000
		受取手形	330,000
		売掛金	505,000
		前受金	37,000

受取利息

再振替	1,800	現金預金	8,000
損益勘定へ	8,200	未収利息	2,000

仕入

現金預金	45,500	繰越商品	28,000
支払手形	189,000	損益勘定へ	618,500
買掛金	350,000		
前払金	26,000		
繰越商品	36,000		

支払家賃

現金預金	9,000	再振替	2,100
未払家賃	3,300	損益勘定へ	10,200

繰越利益剰余金

未払配当金	50,000	前期繰越	185,000
別途積立金	30,000		
利益準備金	5,000		
利益振替前残高	100,000		

5 決算振替仕訳を行います。

収益の損益勘定への振替え

(借)売上 932,000 (貸)損益 940,200
受取利息 8,200

費用の損益勘定への振替え

(借)損益 730,200 (貸)仕入 618,500
貸倒引当金繰入 9,000
減価償却費 2,500
支払家賃 10,200
法人税等 90,000

当期純利益の繰越利益剰余金勘定への振替え

(借)損益 210,000 (貸)繰越利益剰余金 210,000

決算振替仕訳を終えての損益勘定と繰越利益剰余金勘定

損益

仕入	618,500	売上	932,000
貸倒引当金繰入	9,000	受取利息	8,200
減価償却費	2,500		
支払家賃	10,200		
法人税等	90,000		
繰越利益剰余金	210,000		

繰越利益剰余金

未払配当金	50,000	前期繰越	185,000
別途積立金	30,000		
利益準備金	5,000	損益	210,000
残高	310,000		

6 資産・負債・純資産を残高勘定へ振り替える仕訳を行います。

資産の残高勘定への振替え

(借)残高 1,740,200 (貸)現金預金 278,700
受取手形 632,000
売掛金 568,000
繰越商品 28,000
貸付金 170,000
前払金 54,000
未収利息 2,000
備品 7,500

負債・純資産の残高勘定への振替え

(借)支払手形 328,900 (貸)残高 1,740,200
買掛金 308,000
未払法人税等 90,000
貸倒引当金 12,000
前受金 33,000
未払家賃 3,300
資本金 500,000
利益準備金 125,000
別途積立金 30,000
繰越利益剰余金 310,000

1 簿記一巡
2 現金預金
3 金銭債権
4 棚卸資産I
5 有形固定資産
6 無形固定資産I
7 営業費
8 金融商品I

貸　借　対　照　表

甲株式会社　　　　　　　　　×2年3月31日現在　　　　　　　（単位：千円）

（資産の部）			（負債の部）		
Ⅰ（流動資産）			Ⅰ（流動負債）		
現金預金		45,000	買掛金		30,000
売掛金	20,000		短期借入金		15,000
貸倒引当金	△400	19,600	未払費用		700
有価証券		4,500	（流動負債）合計		（45,700）
商品		3,800	Ⅱ（固定負債）		
短期貸付金		10,000	長期借入金		7,000
未収収益		800	退職給付引当金		3,800
（流動資産）合計		（83,700）	（固定負債）合計		（10,800）
Ⅱ（固定資産）			（負債）合計		（56,500）
1（有形固定資産）					
建物	24,000		（純資産の部）		
減価償却累計額	△2,500	21,500	Ⅰ　株主資本		
土地		15,000	1（資本金）		50,000
（有形固定資産）合計		（36,500）	2（資本剰余金）		
2（無形固定資産）			(1)（資本準備金）	5,000	
特許権		3,000	(2)その他資本剰余金	500	
（無形固定資産）合計		（3,000）	（資本剰余金）合計		（5,500）
3（投資その他の資産）			3（利益剰余金）		
投資有価証券		4,000	(1)（利益準備金）	1,500	
長期貸付金		7,000	(2)その他利益剰余金		
（投資その他の資産）合計		（11,000）	別途積立金	5,000	
（固定資産）合計		（50,500）	（繰越利益剰余金）	17,700	
Ⅲ（繰延資産）			（利益剰余金）合計		（24,200）
開発費		2,000	株主資本合計		（79,700）
（繰延資産）合計		（2,000）	（純資産）合計		（79,700）
（資産）合計		（136,200）	（負債及び純資産）合計		（136,200）

解説

　貸借対照表は、会社計算規則72条から86条にもとづいて作成します。

Chapter 2

現金預金

1 簿記一巡
2 現金預金
3 金銭債権
4 棚卸資産Ⅰ
5 有形固定資産
6 無形固定資産Ⅰ
7 営業費
8 金融商品Ⅰ

	帳簿残高	実際有高
前T／B残高	15,400 千円	－
紙幣・硬貨	（前T/Bに計上）	12,000 千円
他人振出小切手	（前T/Bに計上）	＋ 3,000 千円
株式配当金領収証	＋ 500 千円	＋ 500 千円
期限到来後の社債利札	＋ 200 千円	＋ 200 千円
合　計	16,100 千円	15,700 千円

よって、帳簿残高より実際有高の方が400千円少ないので、雑損失を計上します。

(3) 貯蔵品の処理

期末における郵便切手および収入印紙の未使用分は、翌期以後の費用となるため、『貯蔵品』として計上します。

（借）貯　蔵　品　100 [03]（貸）通　信　費　100 [01]

（借）貯　蔵　品　250 [04]（貸）租税公課　250 [01]

03）郵便切手の期末有高
04）収入印紙の期末有高

問題1　解答

決算整理後残高試算表	（単位：千円）		
現　　　金（	*15,700* ）	受取配当金（	*500* ）
貯　蔵　品（	*350* ）	有価証券利息（	*200* ）
租税公課（	*1,850* ）		
通　信　費（	*1,650* ）		
雑　損　失（	*400* ）		

解説

（以下、仕訳の単位：千円）

決算整理仕訳

(1) 未処理事項の処理

株式配当金領収証（未処理）および期限到来後の社債利札（未処理）は、即時的な支払手段（通貨代用証券）となるため、『現金』として取り扱います。

（借）現　　　金 [01] 500　（貸）受取配当金　500

（借）現　　　金 [02] 200　（貸）有価証券利息　200

01）株式配当金領収証
02）期限到来後の社債利札

(2) 現金過不足の期末処理

（借）雑　損　失　400　（貸）現　　　金　400

現金の帳簿残高と実際有高は、次のように求めます。

問1

銀行勘定調整表

甲銀行		×2年3月31日		（単位：千円）
当座預金残高	（ 106,000）	銀行残高証明書残高		（ 102,000）
加算：		加算：		
〔未渡小切手〕②	（ 4,000）	〔時間外預入〕③	（ 3,000 ）	
		〔未取立小切手〕④	（ 2,500 ）	（ 5,500）
減算：		減算：		
〔誤　記　入〕⑤	（ 10,000）	〔未取付小切手〕①		（ 7,500）
	（ 100,000）			（ 100,000）

※〔　〕に記入する調整項目の名称は、解答に類似していれば正解とする。
　　金額は＋や△の記号の有無にかかわらず、解答と同じであれば正解とする。

問2

（単位：千円）

借方科目	金　　額	貸方科目	金　　額
当 座 預 金	4,000	買 　掛　 金	4,000
売 　掛　 金	10,000	当 座 預 金	10,000
当 座 預 金	20,000	借 　入　 金	20,000

問3

当座預金の金額　　100,000　　千円

解説

（以下、仕訳の単位：千円）

問1、問2

(1)　甲銀行の当座預金に関する修正

　①、③、④は銀行側の調整のため、当社は修正仕訳を行う必要がありません。②、⑤は当社側の調整のため、修正仕訳が必要となります。これによって、当座預金の残高が適正な金額になります。

②　未渡小切手

　仕入先の仕入債務に対する未渡小切手がある場合には、買掛金を増加させます。

⑤　売掛金の誤記入

　次の手順により、修正仕訳を導きます。

ⅰ　実際に行った仕訳を取り消すための貸借逆仕訳

（借）売 　掛 　金 11,000　（貸）当 座 預 金 11,000

ⅱ　本来あるべき仕訳

（借）当 座 預 金 1,000　（貸）売 　掛 　金 1,000

ⅰとⅱを1つにまとめたものが、解答の修正仕訳となります。

（借）売 　掛 　金 10,000　（貸）当 座 預 金 10,000

(2)　乙銀行の当座預金に関する修正

　甲銀行の『当座預金』から乙銀行の『当座借越』が減額されているため、『当座預金』を修正するとともに、当座借越を借入金に振り替える処理を行います。

　（貸借対照表上は『短期借入金』としますが、問題文の指示により借入金を用います）

問3

　後Ｔ／Ｂの当座預金に計上される金額は、銀行勘定調整表（両者区分調整法）の合計金額となります（または、前Ｔ／Ｂの当座預金に問2の修正仕訳を加減した金額）。

1 簿記一巡

2 現金預金

3 金銭債権

4 棚卸資産 I

5 有形固定資産

6 無形固定資産 I

7 営業費

8 金融商品 I

(1)　銀行残高基準法

銀行勘定調整表

×2年3月31日　　　　　（単位：千円）

銀行残高証明書残高				（	102,000 ）
加算：	〔時 間 外 預 入〕	③	（ 3,000 ）		
	〔未 取 立 小 切 手〕	④	（ 2,500 ）		
	〔誤 記 入〕	⑤	（ 10,000 ）	（	15,500 ）
減算：	〔未 取 付 小 切 手〕	①	（ 7,500 ）		
	〔未 渡 小 切 手〕	②	（ 4,000 ）	（	11,500 ）
当座預金残高				（	106,000 ）

※〔　〕に記入する調整項目の名称は、解答に類似していれば正解とする。
　金額は＋や△の記号の有無にかかわらず、解答と同じであれば正解とする。

(2)　企業残高基準法

銀行勘定調整表

×2年3月31日　　　　　（単位：千円）

当座預金残高				（	106,000 ）
加算：	〔未 取 付 小 切 手〕	①	（ 7,500 ）		
	〔未 渡 小 切 手〕	②	（ 4,000 ）	（	11,500 ）
減算：	〔時 間 外 預 入〕	③	（ 3,000 ）		
	〔未 取 立 小 切 手〕	④	（ 2,500 ）		
	〔誤 記 入〕	⑤	（ 10,000 ）	（	15,500 ）
銀行残高証明書残高				（	102,000 ）

※〔　〕に記入する調整項目の名称は、解答に類似していれば正解とする。
　金額は＋や△の記号の有無にかかわらず、解答と同じであれば正解とする。

解説

(1)　銀行残高基準法とは、銀行残高証明書残高を基準として、不一致原因を加減して企業の当座預金の金額に一致させる形式で銀行勘定調整表を作成する方法です。

(2)　企業残高基準法とは、企業の当座預金残高を基準として、不一致原因を加減して銀行残高証明書残高に一致させる形式で銀行勘定調整表を作成する方法です。

問題④ 解答

（単位：円）

借方科目	金　額	貸方科目	金　額
受 取 手 形	7,000	現　　　金	7,000
当 座 預 金	12,000	現　　　金	12,000
現　　　金	20,000	有価証券利息	20,000
現　　　金	600	雑　収　入	600

解説

2．他人振出小切手 15,000 円のうち、先日付小切手 7,000 円は受取手形として処理します。

3．自己振出小切手 12,000 円は、当座預金の増加とします。

実際有高（適正な現金残高）
1．通貨　　　　　　　　　138,600
2．15,000 − 7,000 ＝　　　8,000
4．配当金領収証　　　　　40,000
5．到来済利札　　　　　　20,000
　　　　　　　　　　　　206,600

帳簿の修正

	現	金	
整理前	205,000	先日付	7,000
利札	20,000	自己振出	12,000
雑収入	**600**	整理後	206,600

206,600 ──────────→ 整理後　206,600

問題⑤ 解答

（単位：円）

借方科目	金　額	貸方科目	金　額
現 金 預 金	5,000	有価証券利息	5,000
現 金 預 金	36,000	売　掛　金	36,000
雑　損　失	1,840	現 金 預 金	1,840
買　掛　金	44,000	現 金 預 金	44,000

解説

1．現金預金勘定の試算表残高 242,460 円の内訳（現金と当座預金）を算定しないと、現金過不足額は算定できません。

2．現金の資料のみでは現金帳簿残高は判明しないので、当座預金の資料よりまず当座預金帳簿残高を算定します。

<u>当座預金出納帳</u>

整理前	〔　　？　　〕	Ⅱ(3)買掛金	44,000
		残　高	14,000

〔　？　〕 ＝ 44,000 円＋ 14,000 円＝ 58,000 円

よって、現金帳簿残高 ＝ 242,460 円 − 58,000 円 ＝ 184,460 円

3．現金過不足の算定

（3）領収証の控とは、当社が領収証（現金の受取証）を発行した記録です。よってこの場合の掛代金は売掛金を意味します。

実際有高（適正な現金残高）

①	通貨	94,620
②	他人振出小切手	124,000
③	利札（未処理）	5,000
		223,620

現金 a/c の修正

整理前	184,460			
③	5,000			
領収証控	36,000	**雑損失**	**1,840**	
		整理後	223,620	

 問題6 **解答**

（設問1）

修正後残高試算表（一部）　　　　（単位：円）

現 金 預 金	（ 1,021,100 ）	買 掛 金	（ 365,000 ）
受 取 手 形	（ 502,200 ）	：	
売 掛 金	（ 170,000 ）	：	
有 価 証 券	300,000	：	
：		（受 取 配 当 金）	（ 5,400 ）
支 払 利 息	1,800	（有価証券利息）	（ 1,500 ）
（**雑 損 失**）	（ 1,000 ）	：	
：		：	

（設問2）

現 金	*188,100* 円	当座預金	*333,000* 円
定期預金	*500,000* 円		

解説

（設問1）

1．現金実査

（2）　先日付小切手

（借）受 取 手 形 2,200　（貸）現 金 預 金 2,200

（3）　配当金領収証

（借）現 金 預 金 5,400　（貸）受 取 配 当 金 5,400

（4）　期限到来済の利札

（借）現 金 預 金 1,500　（貸）有価証券利息 1,500

（5）　現金過不足

① 　現金の修正前帳簿残高

　　1,274,200 円 − 289,800 円（当座預金・下記2．参照）− 500,000 円（定期預金）

　　= 484,400 円

1 簿記一巡　2 現金預金　3 金銭債権　4 棚卸資産Ⅰ　5 有形固定資産　6 無形固定資産Ⅰ　7 営業費　8 金融商品Ⅰ

② 過不足額の算定

(借)雑　損　失　1,000　　(貸)現 金 預 金　1,000

実際有高（適正な現金残高）

(1)	通貨	181,200
(3)	配当金領収証	5,400
(4)	社債利札	1,500
		188,100

現金 a/c の修正

整理前	484,400	先日付	2,200
配当金	5,400	株式購入	300,000
社債利札	1,500	雑損失	1,000
		整理後	188,100

2．銀行勘定調整表

銀行残高証明書	342,000	調 整 前 残 高		289,800
(3)	△　9,000	(1)	＋	30,000
		(2)	＋	15,000
		(4)	△	1,800
	333,000	調 整 後 残 高		333,000

(1) 当座振込未達

(借)現 金 預 金 30,000　　(貸)売 　掛 　金 30,000

(2) 未渡小切手

(借)現 金 預 金 15,000　　(貸)買 　掛 　金 15,000

(3) 未取付小切手：仕訳不要

(4) 借入金利息未達

(借)支 払 利 息 1,800　　(貸)現 金 預 金 1,800

3．H社株式購入

(借)有 価 証 券 300,000　　(貸)現 金 預 金 300,000

4．定期預金

仕訳不要

（設問2）

現　　金　188,100 円（上記の適正な現金残高
　　　　　　参照）

当座預金　333,000 円（上記の銀行勘定調整表
　　　　　　参照）

定期預金　＜決算整理事項等＞4．参照

(注)　定期預金については、決算日（04 年 3
月 31 日）から 1 年以内に満期日（04 年
9 月 30 日）が到来するため現金預金（流
動資産）に含まれます。仮に決算日後 1
年を越えて満期日が到来する場合には長
期性預金（固定資産・投資その他の資産）
となるため、現金預金には含まれないこ
とになります。

なお、現金（通貨代用証券を含む。）、
当座預金、普通預金等は流動資産である
ため現金預金に含まれます。

問題 7　解答

貸 借 対 照 表　（単位：千円）

資産の部		負債の部	
科　目	金　額	科　　目	金　額
（現金預金）	（　540　）	（短期借入金）	（　420　）

解説

・現金預金

A銀行当座預金
390 千円 + C銀行当座預金 150 千円
= 540 千円

・短期借入金

B銀行当座借越 420 千円は、貸借対照表上『短
期借入金』として表示します。

問題 8　解答

貸 借 対 照 表　（単位：千円）

資産の部		負債の部	
科　目	金　額	科　　目	金　額
現金預金	（　4,300　）	買　掛　金	（　1,080　）
（貯蔵品）	（　70　）	長期借入金	（　1,200　）
長期性預金	（　1,000　）		

〈貸借対照表等に関する注記〉

長期性預金1,000千円を長期借入金1,200千円
の担保に供している。

1	簿記一巡
2	現金預金
3	金銭債権
4	棚卸資産Ⅰ
5	有形固定資産
6	無形固定資産Ⅰ
7	営業費
8	金融商品Ⅰ

解説

・未渡小切手

　未渡小切手とは、小切手を振り出したが、相手方にはまだ交付していない小切手です。

　このため、決算整理仕訳で現金預金と買掛金の金額を調整します。

(借)現 金 預 金	280	(貸)買 掛 金	280

・未使用の収入印紙

　未使用分は貸借対照表上、現金預金には含めず『貯蔵品』として表示します。

・定期預金

　B銀行定期預金は、決算日の翌日から**1年以内**に満期日が到来するので貸借対照表上、『**現金預金**』に含めて表示します。

　C銀行定期預金は、決算日の翌日から**1年を超えて**満期となるので貸借対照表上、『**長期性預金**』として表示します。また資料3により、長期借入金の担保に供している定期預金ですので、これに関する注記を忘れないようにしましょう。

　注記のポイントは、①資産が担保に供されている**旨**、②①の資産の内容とその**金額**、③担保にかかる**債務の金額**を示すことです。

・現金預金

　通貨 1,800 千円＋他人振出小切手 320 千円＋配当金領収証 100 千円＋未渡小切手 280 千円＋当座預金 1,500 千円＋B銀行定期預金 300 千円＝ 4,300 千円

問題⑨　解答

決算整理後残高試算表　（単位：千円）

科　目	金　額	科　目	金　額
現 金 預 金	114,450	買 　掛 　金	188,500
売 　掛 　金	200,100		
営 　業 　費	310,000		

解説

（以下、仕訳の単位：千円）

0　前提条件

　『現金預金』は、現金および預金の合計額を記載している表示科目（勘定科目）です。つまり、「現金有高＋当座預金＋その他の預金」の合計が記載されています。

1　当座預金勘定の調整

　当社側の調整項目につき、仕訳を行います（（1）は銀行側の調整項目）。

（2）　引落未達

(借)営 業 費	120	(貸)現 金 預 金	120

（3）　未渡小切手（買掛金の決済）

(借)現 金 預 金	3,500	(貸)買 掛 金	3,500

（4）　振込未記帳

(借)現 金 預 金	1,950	(貸)売 掛 金	1,950

〈参考〉

銀 行 勘 定 調 整 表　　（単位：千円）

当座預金残高	32,670 [01]	銀行残高証明書残高	38,200 [01]
加算：		減算：	
未渡小切手 (3)	＋3,500	未取付小切手 (1)	△200
振込未記帳 (4)	＋1,950		
減算：			
引落未達 (2)	△120		
	38,000	← 一致 →	38,000

01）問題文より

2　小口現金の計算

　小口現金は月初補充のため、月初残高と月末有高との差額が、当月に小口現金で支払った営業費となります。本問では3月の営業費の計上が未処理であり、前T/Bの小口現金と期末有高との差額を営業費として処理します。

（1）　前T/Bの小口現金残高の算定

決算整理前の現金預金残高[*02]	110,000 千円
当座預金帳簿残高（決算整理前）	△ 32,670 千円
当座預金以外の預金の帳簿残高	△ 74,330 千円
前T/Bの小口現金残高	3,000 千円

02）現金預金は、小口現金（現金）、当座預金、その他の預金の合計額です。

(2) 当月に支払った営業費

(借)営 業 費 880 [03] (貸)現 金 預 金 880

03) 3,000千円（前T／B）－ 2,120千円（実際有
高合計）＝ 880千円

問題 10　解答

問1

| 現金の実際有高の金額 | 2,120 | 千円 |

問2

| 決算整理後の当座預金残高 | 1,180 | 千円 |
| 決算整理前の当座預金残高 | 650 | 千円 |

問3

決算整理後残高試算表 （単位：千円）

科　目	金　額	科　目	金　額
現 金 預 金	3,300	支 払 手 形	9,730
受 取 手 形	10,100	買 掛 金	11,100
売 掛 金	13,570	未 払 金	120
貯 蔵 品	500	受 取 配 当 金	100
租 税 公 課	1,580	雑 収 入	200
通 信 費	2,220		
雑 損 失	330		

※本問では、現金および預金に関する勘定科目は『現金
預金』を使用していますが、解説の便宜上、現金に関
する仕訳については『現金』、当座預金に関する仕訳に
ついては『当座預金』を使用します。

解説

（以下、仕訳の単位：千円）

1　金庫の実査による修正

(1) 現金実際有高の算定

金庫に保管されていたもののうち、簿記上の
現金に該当するものは「紙幣・硬貨」「他人振出
小切手」「配当金領収証」のみとなり、これらの
合計が実際有高となります。

現金実際有高：300千円＋1,720千円＋100千円
＝ 2,120千円

なお、配当金領収証は期中未処理のため、期
末において帳簿残高の修正を行います。

(借)現 金 100 (貸)受 取 配 当 金 100

(2) 貯蔵品への振替え

金庫に保管されていた収入印紙、郵便切手に
ついては、『貯蔵品』に振り替えます。

(借)貯 蔵 品 330 (貸)租 税 公 課 330

(借)貯 蔵 品 170 (貸)通 信 費 170

2　当座預金残高の算定

当社側の調整項目について、仕訳を行います
（(3)と(5)は銀行側の調整項目）。

(1) 未渡小切手（買掛金の決済）

(借)当 座 預 金 280 (貸)買 掛 金 280

(2) 未渡小切手（通信費の支払い）

(借)当 座 預 金 120 (貸)未 払 金 120

(4) 振込未達

(借)当 座 預 金 130 (貸)売 掛 金 130

なお、本問のように決算整理後の残高と決算
整理前の残高の両方が問われている場合は、（両
者区分調整法による）銀行勘定調整表を作成す
るとスムーズに解答できます。

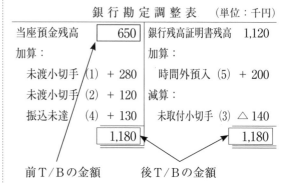

銀行勘定調整表 （単位：千円）

当座預金残高	650	銀行残高証明書残高	1,120
加算：		加算：	
未渡小切手 (1)	+ 280	時間外預入 (5)	+ 200
未渡小切手 (2)	+ 120	減算：	
振込未達 (4)	+ 130	未取付小切手 (3)	△ 140
	1,180		1,180

前T／Bの金額　　　後T／Bの金額

3　現金過不足の算定

問題文より「現金預金＝現金＋当座預金」
です。前T／Bの現金預金が2,800千円、前
T／Bの当座預金は2より650千円なので、
前T／Bの現金は2,150千円 [01] となります。
また、現金の実際有高は1より2,120千円と
求められています。

01) 2,800千円－650千円＝ 2,150千円

	帳簿残高	実際有高
前 T/B 残高	2,150 千円	－
配当金領収証	＋ 100 千円 [02]	－
合　　　計	2,250 千円	2,120 千円

02) 1 (1) の仕訳より

よって、帳簿残高より実際有高の方が130千円少ないので、雑損失を計上します。

(借)雑 損 失 130 　(貸)現　　　金 130

問題 11 解答

決算整理後残高試算表 （単位：千円）

科　目	金　額	科　目	金　額
現　　　金	1,246	買　掛　金	30,668
当 座 預 金	10,650	借　入　金	152,090
定 期 預 金	30,000	受 取 利 息	1,950
売　掛　金	251,688		
未 収 収 益	150		
営　業　費	740,620		

解説

（以下、仕訳の単位：千円）

1 当座預金の修正（A銀行）

(1) 未取付小切手 ┐ 銀行側の調整のため、
(2) 時間外預入 　├ 甲社は修正仕訳を行う必要
　　　　　　　　 ┘ がありません。

(3) 売掛代金回収の誤記入

次の手順により、修正仕訳を導きます。

ⅰ 実際に行った仕訳を取り消すための貸借逆仕訳

(借)当 座 預 金 440 　(貸)売 掛 金 440

ⅱ 本来あるべき仕訳

(借)当 座 預 金 440 　(貸)売 掛 金 440

ⅰとⅱを1つにまとめたものが、修正仕訳となります。

(借)当 座 預 金 880 　(貸)売 掛 金 880

(4) 振込未記帳

(借)当 座 預 金 1,600 　(貸)売 掛 金 1,600

(5) 引落未記帳

(借)営 業 費 140 　(貸)当 座 預 金 140

〈参考〉

銀 行 勘 定 調 整 表 　（単位：千円）

当座預金残高	8,310	銀行残高証明書残高	10,550
加算：		加算：	
売掛代金の誤記入	＋ 880	時間外預入	＋ 380
振込未記帳	＋ 1,600		
減算：		減算：	
引落未記帳	△ 140	未取付小切手	△ 280
	10,650		10,650

2 当座預金の修正（B銀行）

A銀行の『当座預金』からB銀行の『当座借越』が減額されているため、『当座預金』を修正するとともに、当座借越を借入金に振り替える処理を行います。

(借)当 座 預 金 6,590 　(貸)借 入 金 6,590

なお、資料中の「極度額」とは借越上限額という意味です。

3 未収収益の計上

定期預金については、預入日から決算日までの利息を見越計上します。

(借)未 収 収 益 150 [01] 　(貸)受 取 利 息 150

01) $30,000 千円 \times 0.015 \times \dfrac{4 カ月}{12 カ月} = 150 千円$

1 簿記一巡

2 現金預金

3 金銭債権

4 棚卸資産 I

5 有形固定資産

6 無形固定資産 I

7 営業費

8 金融商品 I

Chapter 3
金銭債権

（単位：千円）

	借方科目	金　額	貸方科目	金　額
(1)	支 払 手 形	200	売　　　上	500
	受 取 手 形	300		
(2)	不 渡 手 形	1,000	現 金 預 金	1,000
	保 証 債 務	10	保証債務取崩益	10
(3)	現 金 預 金	1,000	不 渡 手 形	1,000
(4)	受 取 手 形	900	売　　　上	900

解 説

(1) 自己振出約束手形を受け取った場合は、『支払手形』の減少で処理します。

(2) 手形が不渡りとなった場合において、その手形の割引時（または裏書時）に保証債務を計上していたときは、その保証債務を取り崩します。

(3) 不渡手形の償還請求を行って支払いを受けたときは、『不渡手形』の減少で処理します。

(4) 本問は自己受為替手形についての問題です。最終的に手形を受け取って現金化をするのは当社なので、『受取手形』で処理します。

Point

本問では「○○振出し」など具体的な振出人を記述していますが、具体的な振出人が記述されていない場合は「他人が振り出したもの」として問題を解いてください。

決算整理後残高試算表　（単位：千円）

科　目	金　額	科　目	金　額
受 取 手 形	18,000	支 払 手 形	14,000
売 掛 金	4,300	買 掛 金	3,500
手形売却損	200	保 証 債 務	120
保証債務費用	135	保証債務取崩益	15

解 説

（以下、仕訳の単位：千円）

1　裏書手形の修正仕訳

次の手順により、修正仕訳を導きます。

① 実際に行った仕訳を取り消すための貸借逆仕訳

（借）支 払 手 形　3,000　（貸）仕　　　入　3,000

② 本来あるべき仕訳

（借）仕　　　入　3,000　（貸）受 取 手 形　3,000

③ ①と②を1つにまとめたものが修正仕訳となります

（借）支 払 手 形　3,000　（貸）受 取 手 形　3,000

保証債務について未処理であるため、次の仕訳を行います。

（借）保証債務費用　30 [01]　（貸）保 証 債 務　30

01）3,000千円（手形額面金額）× 0.01＝30千円

2　保証債務の計上（割引手形）

（借）保証債務費用　40 [02]　（貸）保 証 債 務　40

割引に付した受取手形についても、保証債務を計上します。

02）4,000千円（手形額面金額）× 0.01＝40千円

3　保証債務の取崩し

（借）保 証 債 務　15　（貸）保証債務取崩益　15 [03]

03）1,500千円（手形額面金額）× 0.01＝15千円

1 簿記一巡

2 現金預金

3 金銭債権

4 棚卸資産Ⅰ

5 有形固定資産

6 無形固定資産Ⅰ

7 営業費

8 金融商品Ⅰ

Point

保証債務の計上のさいの費用勘定について、一般的には『保証債務費用』を用いますが、問題によっては『手形売却損』に含めることも考えられます。次のような場合は、特に注意して問題を解くように心がけてください。

・問題文に「保証債務に関する費用は手形売却損に含めて処理する」旨の指示がある。

・後T/BやP/Lなどの解答欄に保証債務費用がなく、『手形売却損』のみが与えられている。

問題 3 解答

決算整理前残高試算表		（単位：円）
受取手形 （ *208,000*）	買 掛 金 （ *669,000*）	
売 掛 金 （ *725,000*）	貸倒引当金 （ *1,200*）	
繰越商品 100,000	保証債務 （ *5,000*）	
仕 入 1,000,000	売 上 1,500,000	
手形売却損 （ *1,250*）	保証債務取崩益 （ *6,400*）	
保証債務費用 （ *7,400*）	貸倒引当金戻入 （ *3,800*）	

解説

1．仕訳

(1)

（借）受 取 手 形 700,000	（貸）売 上 1,500,000
売 掛 金 800,000	

(2)

（借）仕 入 1,000,000	（貸）買 掛 金 1,000,000

(3)

（借）現 金 預 金 937,000	（貸）受 取 手 形 472,000
	売 掛 金 465,000
（借）買 掛 金 561,000	（貸）現 金 預 金 561,000

(4)

（借）現 金 預 金 179,200	（貸）受 取 手 形 180,000
手形売却損 800	
（借）保証債務費用 3,600	（貸）保 証 債 務 3,600

※ 180,000 円× 2 ％ = 3,600 円

(5)

（借）現 金 預 金 119,550	（貸）受 取 手 形 120,000
手形売却損 450	
（借）保証債務費用 2,400	（貸）保 証 債 務 2,400
（借）貸倒引当金 2,400	（貸）貸倒引当金戻入 2,400

※ 問題指示により、受取手形に対応する貸倒引当金を戻し入れます。

120,000 円× 2 ％ = 2,400 円

(6)

（借）買 掛 金 70,000	（貸）受 取 手 形 70,000
（借）保証債務費用 1,400	（貸）保 証 債 務 1,400
（借）貸倒引当金 1,400	（貸）貸倒引当金戻入 1,400

※ 問題指示により、受取手形に対応する貸倒引当金を戻し入れます。

70,000 円× 2 ％ = 1,400 円

(7)

（借）貸倒引当金 10,000	（貸）売 掛 金 10,000

(8)

（借）保 証 債 務 6,400	（貸）保証債務取崩益 6,400

※ 期首 4,000 円 +(5) 2,400 円 = 6,400 円

(4)と(6)で計上された保証債務は翌期に取り崩されます。

2．集　計

受取手形			
期首	350,000	(3)	472,000
(1)	700,000	(4)	180,000
		(5)	120,000
		(6)	70,000

売掛金			
期首	400,000	(3)	465,000
(1)	800,000	(7)	10,000

買掛金			
(3)	561,000	期首	300,000
(6)	70,000	(2)	1,000,000

保証債務費用			
(4)	3,600		
(5)	2,400		
(6)	1,400		

保証債務			
(8)	6,400	期首	4,000
		(4)	3,600
		(5)	2,400
		(6)	1,400

貸倒引当金			
(5)	2,400	期首	15,000
(6)	1,400		
(7)	10,000		

手形売却損		
(4)	800	
(5)	450	

貸倒引当金戻入		
	(5)	2,400
	(6)	1,400

問題 4　解答

3月末決算整理前残高試算表 （単位：千円）

科　目	金　額	科　目	金　額
現 金 預 金	309,425	支 払 手 形	351,600
受 取 手 形	258,500	買 　 掛 　 金	454,000
売 　 掛 　 金	96,820	営業外支払手形	1,200
器 具 備 品	3,600	減価償却累計額	800
仕 　 　 入	741,440	売 　 　 上	1,071,800
手 形 売 却 損	20		

解説

（以下、仕訳の単位：千円）

1　商品売上および売上債権に関する事項

① 現金売上

(借)現 金 預 金 32,500　(貸)売　　　上 32,500

② 掛売上

(借)売 　 掛 　 金 65,500　(貸)売　　　上 65,500

③ 売掛金の現金預金による回収

(借)現 金 預 金 3,240　(貸)売 　 掛 　 金 3,240

(借)現 金 預 金 28,140　(貸)売 　 掛 　 金 28,140

④ 売掛金の手形による回収

(借)受 取 手 形 34,500　(貸)売 　 掛 　 金 34,500

⑤ 受取手形の現金預金による回収

(借)現 金 預 金 25,000　(貸)受 取 手 形 25,000

2　商品仕入および仕入債務に関する事項

① 現金仕入

(借)仕　　　入 27,600　(貸)現 金 預 金 27,600

② 掛仕入

(借)仕　　　入 57,400　(貸)買 　 掛 　 金 57,400

③ 買掛金の現金預金による支払い

(借)買 　 掛 　 金 24,000　(貸)現 金 預 金 24,000

④ 買掛金の手形による支払い

(借)買 　 掛 　 金 36,000　(貸)支 払 手 形 36,000

⑤ 支払手形の現金預金による決済

(借)支 払 手 形 36,500　(貸)現 金 預 金 36,500

3　受取手形の割引

(借)現 金 預 金　　980　(貸)受 取 手 形　1,000
　　手 形 売 却 損　　20 [01]

01) 1,000 千円 × 0.02＝20 千円

4　器具備品の手形による購入

(借)器 具 備 品 1,200　(貸)営業外支払手形　1,200

問題 ⑤ 解答

(1) A社の販売時仕訳

(単位：千円)

科 目	金 額	科 目	金 額
中古車両	1,000	売　　上	6,000
受取手形	3,000		
売 掛 金	2,000		

(2) B社の購入時仕訳

(単位：千円)

科 目	金 額	科 目	金 額
減価償却累計額	1,800	車両運搬具	3,200
車両運搬具	6,000	営業外支払手形	3,000
車両売却損	400	未 払 金	2,000

解説

（以下、仕訳の単位：千円）

　本問では、固定資産の買換えに関する仕訳が問われています。有形固定資産を学習していない段階では難しい論点ですが、答案用紙に与えられているヒントをもとに解答しましょう！

1　A社の販売時の仕訳

　A社は「自動車販売店」とあるため、A社にとって**車両は通常の商品**となります。そのため、車両の売買は営業取引となるので、『受取手形』、『売掛金』、『売上』で処理します。なお、下取りを行った車両については、答案用紙に「中古車両」と与えられています。

2　B社の購入時の仕訳

　B社は「CD販売店」であるため、B社にとって車両の取引は営業外取引となります。なお、固定資産の買換えは「売却取引＋購入取引」と考えて、分けて仕訳をすると正解を導きやすいです。

---

(1) 旧車両売却時

（借）減価償却累計額	1,800	（貸）車両運搬具	3,200
現金預金	1,000 ←		
車両売却損	400		

(2) 新車両購入時

相殺

（借）車両運搬具	6,000	（貸）営業外支払手形	3,000
		未 払 金	2,000
		現金預金	1,000 ←

⇩

(3) 車両の買換え仕訳（(1)＋(2)）

（借）減価償却累計額	1,800	（貸）車両運搬具	3,200
車両運搬具	6,000	営業外支払手形	3,000
車両売却損	400	未 払 金	2,000

問題 ⑥ 解答

(単位：円)

	借方科目	金 額	貸方科目	金 額
(1)	電子記録債権	28,000	売 掛 金	28,000
(2)	買 掛 金	16,000	電子記録債務	16,000
(3)	買 掛 金	6,000	電子記録債権	6,000
(4)	現 金 預 金	4,000	電子記録債権	4,000
(5)	電子記録債務	2,000	現 金 預 金	2,000
(6)	現 金 預 金	11,200	電子記録債権	12,000
	電子記録債権売却損	800		

解説

　「電子記録債権」とは、電子債権記録機関への電子記録をその発生・譲渡等の要件とする、既存の売掛債権や手形債権とは異なる新たな「金銭債権」です。

(1)(2)　債権者と債務者の双方が電子債権記録機関に「発生記録」の請求をし、これにより電子債権記録機関が記録原簿に「発生記録」を行うことで電子記録債権は発生します。

　　　売掛金について発生記録をした場合には、売掛金から電子記録債権に振り替え、買掛金について発生記録をした場合には買掛金から電子記録債務に振り替えます。

1 簿記一巡
2 現金預金
3 金銭債権
4 棚卸資産Ⅰ
5 有形固定資産
6 無形固定資産Ⅰ
7 営業費
8 金融商品Ⅰ

(3) 譲渡人と譲受人の双方が電子債権記録機関に「譲渡記録」の請求をし、これにより電子債権記録機関が記録原簿に「譲渡記録」を行うことで電子記録債権を譲渡できます。

(4)(5) 金融機関を利用して債務者の預金口座から債権者の預金口座に払込みによる支払が行われた場合、電子記録債権・債務は消滅します。

(6) 債権金額と譲渡金額が異なる場合には差額を電子記録債権売却損（益）として処理します。

問題 7 解答

問 1	36,751 千円
問 2	24,489 千円
問 3	78,729 千円

解説

問1　複利計算の問題です。1年後の元利合計額が、その次の年の元金となります。

$30,000$ 千円 $\times (1+0.07)^3 = 36,751$ 千円（四捨五入）

現在	1年後	2年後	3年後
30,000千円 →	32,100千円 →	34,347千円 →	36,751.29千円
	×(1+0.07)	×(1+0.07)	×(1+0.07)

問2　現価係数とは、割引現在価値を求めるにあたり、利子率にもとづいてあらかじめ計算された係数をいい、本問では3年後の現価係数を用います。

$30,000$ 千円 $\times 0.8163 = 24,489$ 千円

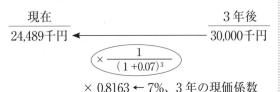

× 0.8163 ← 7%、3年の現価係数

問3　年金現価係数とは、割引現在価値（の総和）を求めるにあたり、ある期間にわたって一定金額を受け取り続ける場合に現価係数を累計した係数をいい、本問では3年後の年金現価係数を用います。

$30,000$ 千円 $\times 2.6243 = 78,729$ 千円

問題 8 解答

（単位：千円）

	借方科目	金額	貸方科目	金額
(1)	貸倒引当金	300	売　掛　金	500
	貸倒損失	200		
(2)	破産更生債権等	35,000	売　掛　金	32,000
			貸　付　金	3,000
(3)	貸倒引当金繰入	840	貸倒引当金	840
(4)	貸倒引当金繰入	6,000	貸倒引当金	6,000
(5)	破産更生債権等	35,000	貸　付　金	35,000
	貸倒引当金繰入	7,000	貸倒引当金	7,000

解説

(1) 貸倒引当金は前期以前に発生した債権に対してのみ、取り崩すことができます。よって、当期に発生した債権が貸し倒れた場合は、その全額を『貸倒損失』として処理します。

(2) 貸倒懸念債権については、その債権内容に対応した勘定科目（受取手形、売掛金、貸付金など）に含めて処理するため、科目の振替えについての仕訳は行いません。破産更生債権等の区分に該当する債権は『破産更生債権等』に振り替えます。

(3) 一般債権（貸倒実績率法）
貸倒引当金設定額：
120,000 千円（売上債権）× 0.007 = 840 千円

(4) 貸倒懸念債権（財務内容評価法）
貸倒引当金設定額：
$\underset{\text{売掛金}}{(20,000 千円} - \underset{\text{担保設定額}}{8,000 千円)} \times 0.5 = 6,000$ 千円

(5) 破産更生債権等（財務内容評価法）
問題文から、貸付金を『破産更生債権等』に振り替えます。

また、本問における担保処分見込額とは、期末における土地の時価となります。

貸倒引当金設定額：

$$\underset{(貸付金)}{35,000 \text{ 千円}} - \underset{(土地の期末時価)}{28,000 \text{ 千円}} = 7,000 \text{ 千円}$$

問題 9 解答

(1) 貸倒実績率： **5** %

(2)

決算整理後残高試算表　（単位：千円）

科　目	金　額	科　目	金　額
現 金 預 金	120,200	貸倒引当金	10,740
売　　掛　　金	214,800		
貸倒引当金繰入	2,040		

(3) 売掛金の貸借対照表価額： **204,060** 千円

解説

（以下、仕訳の単位：千円）

1 売掛金回収の記入漏れ修正

(借) 現 金 預 金 5,200 　 (貸) 売 掛 金 5,200

2 貸倒引当金の設定

(1) 貸倒実績率の算定

与えられた表の金額をもとに、各期末残高に対する翌期実際貸倒額の割合を算定し、単純平均を行います。

当期の貸倒実績率 ＝

$$\left(\frac{8,695 \text{ 千円}}{185,000 \text{ 千円}} + \frac{9,078 \text{ 千円}}{178,000 \text{ 千円}} + \frac{10,452 \text{ 千円}}{201,000 \text{ 千円}} \right)$$

$$\times 100 \div 3 \text{ 年} = 5 \%$$

(2) 貸倒引当金の設定

(借) 貸倒引当金繰入 2,040 　 (貸) 貸倒引当金 2,040

期末貸倒引当金：214,800 千円 [01] × 0.05＝　10,740 千円
前 T/B 残 高：　　　　　　　　　△ 8,700 千円
貸倒引当金繰入：　　　　　　　　　2,040 千円

01) 220,000 千円 − 5,200 千円 = 214,800 千円

---

3 売掛金の貸借対照表価額

$$\underset{(後T/B売掛金)}{214,800 \text{ 千円}} - \underset{(貸倒引当金)}{10,740 \text{ 千円}} = 204,060 \text{ 千円}$$

問題 10 解答

決算整理後残高試算表　（単位：千円）

科　　目	金　額	科　　目	金　額
受 取 手 形	191,500	預り保証金	3,600
売　 掛　 金	118,900	貸倒引当金	25,250
破産更生債権等	15,600		
貸倒引当金繰入	20,795		

解説

（以下、仕訳の単位：千円）

財政状態	債権の区分	後 T/B・B/S 科目
普通(良好) ↕ 悪 い	一 般 債 権	売掛金や受取手形など、各金銭債権に含める
	貸 倒 懸 念 債 権	
	破 産 更 生 債 権 等	『破産更生債権等』

1 破産更生債権等への振替え

(借) 破産更生債権等 15,600 　 (貸) 受 取 手 形 10,500
　　　　　　　　　　　　　　　　　　売 掛 金 5,100

【資料2】4 より、B 社に対する債権は、すべて破産更生債権等に振り替えます。

2 貸倒引当金の設定

(1) 各債権区分の残高

一般：(202,000 千円 ＋ 124,000 千円)
　　　　　　　　前T/B
　　− (1,700 千円 ＋ 1,200 千円)
　　　　　　懸念(A社)
　　− (10,500 千円 ＋ 5,100 千円)
　　　　　　破産(B社)
　　＝307,500 千円

懸念：1,700 千円 ＋ 1,200 千円 ＝2,900 千円 [01]

破産：15,600 千円（上記 1 より）

01) A 社は「経営破綻の状態に至っていないが …」より、A 社に対する債権は貸倒懸念債権に区分されると判断します。

1 簿記一巡
2 現金預金
3 金銭債権
4 棚卸資産Ⅰ
5 有形固定資産
6 無形固定資産Ⅰ
7 営業費
8 金融商品Ⅰ

(2) 各債権区分の貸倒引当金繰入額

一般：307,500 千円 × 0.04 － 4,455 千円[02] ＝　7,845 千円

懸念：(2,900 千円 － 1,000 千円) × 0.5　　＝　　950 千円

破産：15,600 千円 － 3,600 千円　　　　＝ 12,000 千円

貸倒引当金繰入　20,795 千円

02）前 T/B の貸倒引当金は一般債権に対するものなので、一般債権の設定額から控除します。

（借）貸倒引当金繰入 20,795　（貸）貸倒引当金 20,795

問題 11　解答

①	*55,782*	②	*27,211*
③	**受取利息**[01]	④	*21,596*

01）『貸倒引当金戻入』、『貸倒引当金戻入益』でも可。

解説

（以下、仕訳の単位：千円）

1　代案1

(1)　×4年3月31日

（借）貸倒引当金繰入 55,782　（貸）貸倒引当金 55,782

まず、長期債権元利の割引現在価値の総和を求め、貸倒引当金繰入の金額を算定します。

×4年3月31日	×5年3月31日	×6年3月31日
	20,000 千円	1,020,000 千円

19,047.6… ← ÷ 1.05

925,170.0… ← ÷ 1.05 ÷ 1.05

944,217.6… ≒ 944,218 千円 ⇔ 1,000,000 千円
（債権金額との差額が貸倒引当金設定額）

∴ ×4年3月31日の貸倒引当金繰入額：

1,000,000 千円 － 944,218 千円 ＝ 55,782 千円

なお、割引現在価値の総和を求める場合の数式は、次のとおりとなります。

割引現在価値の総和

$20,000 千円 ÷ (1 + 0.05) + 1,020,000 千円 ÷ (1 + 0.05)^2 ≒ 944,218 千円$

問題文の指示に従い、最終値を四捨五入します。

(2)　×5年3月31日

（借）貸倒引当金 27,211　（貸）受 取 利 息 27,211

(1)と同様に割引現在価値の総和を求めます。

×5年3月31日	×6年3月31日
	1,020,000 千円
	÷ 1.05

971,428.5… ←

971,428.5… ≒ 971,429 千円 ⇔ 944,218 千円
（前期末との差額が貸倒引当金の取崩額）

∴ ×5年3月31日の貸倒引当金取崩額：

971,429 千円 － 944,218 千円 ＝27,211 千円

なお、この貸倒引当金の取崩額は『受取利息』として計上します。

また、通常の利息も受け取っているため、次の仕訳も行います（ただし、本問では問題文に与えられています）。

（借）現 金 預 金 20,000　（貸）受 取 利 息 20,000

2　代案2

(1)　×4年3月31日

問題文に仕訳が与えられているので、特に計算は行いません。

(2)　×5年3月31日

（借）貸倒引当金 21,596　（貸）受 取 利 息 21,596

代案1と同様に、割引現在価値の総和を求めます。

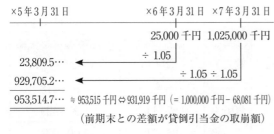

953,514.7… ≒ 953,515 千円 ⇔ 931,919 千円（= 1,000,000 千円 − 68,081 千円）
（前期末との差額が貸倒引当金の取崩額）

∴ ×5年3月31日の貸倒引当金取崩額：

953,515 千円 − 931,919 千円 = 21,596 千円

〈別の計算方法〉

　1(2)や2(2)では、当初の約定利子率（実効利子率）を用いて受取利息の金額を求めることもできます（計算はこちらの方が速いです）。

1(2)

　944,218 千円[01] × 0.05 ≒ 47,211 千円
　　　　　　　　　　　　（受取利息の合計額）

　47,211 千円 − 20,000 千円[02] = 27,211 千円
　　　　　　　　　　　　（貸倒引当金の取崩額）

　01）19,048 千円 + 925,170 千円 = 944,218 千円
　02）現金預金による受取利息の額。

（借）貸倒引当金 27,211　（貸）受 取 利 息 47,211
（借）現 金 預 金 20,000

2(2)

　931,919 千円[03] × 0.05 ≒ 46,596 千円
　　　　　　　　　　　　　（受取利息の合計額）

　46,596 千円 − 25,000 千円[04] = 21,596 千円
　　　　　　　　　　　　　（貸倒引当金の取崩額）

　03）1,000,000 千円 − 68,081 千円 = 931,919 千円
　04）現金預金による受取利息の額。

（借）貸倒引当金 21,596　（貸）受 取 利 息 46,596
（借）現 金 預 金 25,000

1 簿記一巡
2 現金預金
3 金銭債権
4 棚卸資産Ⅰ
5 有形固定資産
6 無形固定資産Ⅰ
7 営業費
8 金融商品Ⅰ

〈参考〉

利息法（有価証券の項目などで学習）のタイム・テーブルを用いて解くこともできます。

代案1

（単位：千円）

返 済 日	①調整前債権価額	②受取利息総額（＝①×約定利子率5％）	③現金利息分	④債権償却分（＝②－③）	⑤調整後債権価額（＝①＋④）
×4年3月31日	—	—	—	—	944,218
×5年3月31日	944,218	47,211	20,000	27,211	971,429
×6年3月31日	971,429	48,571	20,000	28,571	1,000,000

代案2

（単位：千円）

返 済 日	①調整前債権価額	②受取利息総額（＝①×約定利子率5％）	③現金利息分	④債権償却分（＝②－③）	⑤調整後債権価額（＝①＋④）
×4年3月31日	—	—	—	—	931,919
×5年3月31日	931,919	46,596	25,000	21,596	953,515
×6年3月31日	953,515	47,676	25,000	22,676	976,191
×7年3月31日	976,191	48,809 ※	25,000	23,809	1,000,000

※⑤を1,000,000千円にするために、端数を調整しています。

問題 12 解答

①	*176,000* 千円	②	*37,500* 千円
③	*49,500* 千円	④	*550* 千円

解説

(以下、仕訳の単位:千円)

1 前期末貸倒引当金の内訳

貸付金期首残高を χ と置きます。

受取手形:35,500 千円 × 0.02 = 710 千円

売 掛 金:41,200 千円 × 0.03 = 1,236 千円

貸 付 金:　　χ　× 0.03 = 24 千円(差額)

合　　計:　　　　　　= 1,970 千円

$\chi \times 0.03 = 24$ 千円

$\Rightarrow \chi = 800$ 千円

2 勘定分析

売掛金の受取手形による回収額(①):
不明のため y と置きます。

売 掛 金

期　首	41,200	当座預金	180,000
		受取手形	y
売　上	370,000	支払手形	4,000
		貸倒れ	1,700
		後 T/B:225,500 − y	

受取手形

期　首	35,500	当座預金	243,000
		割　引	15,000
売掛金	y	裏　書	10,000
売　上	94,000		
		後 T/B:y − 138,500	

貸 付 金

		回　収	230
		貸倒れ	20
期　首	800		
		後 T/B:550	

貸倒引当金

戻　入	500	期　首	1,970
売掛金	950		
貸付金	20	繰　入	2,252
後 T/B:2,752			

3 y の算定

$$\underset{\text{売掛金}}{(225{,}500 \text{千円} - y)} \times 0.04 + \underset{\text{受取手形}}{(y - 138{,}500 \text{千円})}$$
$$\times 0.02 + \underset{\text{貸付金}}{550 \text{千円}} \times 0.04 = \underset{\text{貸倒引当金}}{2{,}752 \text{千円}}$$
$$\Rightarrow (9{,}020 \text{千円} - 0.04y) + (0.02y - 2{,}770 \text{千円})$$
$$+ 22 \text{千円} = 2{,}752 \text{千円}$$
$$\Rightarrow -0.02y = -3{,}520 \text{千円}$$

$\Rightarrow y = 176{,}000$ 千円

4 後 T/B 項目の算定

受取手形:176,000 千円 − 138,500 千円
= 37,500 千円

売掛金:225,500 千円 − 176,000 千円
= 49,500 千円

貸付金：550 千円

貸倒引当金：2,752 千円

〈参考〉仕訳

　実際に問題を解くときは、上記の勘定分析を中心に数値を算定しますが、参考までに当期の仕訳を載せておきます。

(1)　売掛金

①売　　上

(借)売　掛　金 370,000　(貸)売　　　上 370,000

②回　　収

(借)現 金 預 金 180,000　(貸)売　掛　金 180,000

③受手回収

(借)受 取 手 形 176,000　(貸)売　掛　金 176,000

④約手回収

(借)支 払 手 形 4,000　(貸)売　掛　金 4,000

⑤貸 倒 れ

(借)貸倒引当金　950　(貸)売　掛　金 1,700
　　貸 倒 損 失　750

　　前期発生分：1,700 千円 − 750 千円 = 950 千円

(2)　受取手形

①売　　上

(借)受 取 手 形 94,000　(貸)売　　　上 94,000

②回　　収

(借)現 金 預 金 243,000　(貸)受 取 手 形 243,000

③割　　引

(借)現 金 預 金 14,250　(貸)受 取 手 形 15,000
　　手形売却損　750

④裏　　書

(借)買　掛　金 10,000　(貸)受 取 手 形 10,000

⑤貸引取崩

(借)貸倒引当金　500　(貸)貸倒引当金戻入益　500

　　戻入益：

　　$(15,000 千円 + 10,000 千円) × 0.02 = 500 千円$
　　　　　割引　　　　　裏書

⑥保証債務

(借)保証債務費用　500　(貸)保 証 債 務　500

　　保証債務費用：

　　$(15,000 千円 + 10,000 千円) × 0.02 = 500 千円$
　　　　　割引　　　　　裏書

⑦保証債務取崩

(借)保 証 債 務　500　(貸)保証債務取崩益　500

(3)　貸付金

①回収

(借)現 金 預 金　250　(貸)貸　付　金　230
　　　　　　　　　　　　　受 取 利 息　20

　　貸付金減少額：250 千円 − 20 千円 = 230 千円
　　　　　　　　　　入金　　　　利息

②貸倒（誤処理）

(借)貸 倒 損 失　20　(貸)貸　付　金　20

③貸倒（修正）

(借)貸倒引当金　20　(貸)貸 倒 損 失　20

④貸引繰入

(借)貸倒引当金繰入 2,252　(貸)貸倒引当金 2,252

　　後 T/B より

問題13　　　解答

（単位：千円）

科　目	金　額	科　　目	金　額
現 金 預 金	9,500	受 取 手 形	10,000
手形売却損	600	保 証 債 務	100

〈貸借対照表等に関する注記〉
1．受取手形の割引高が10,000千円ある。

解説

　受取手形を取得したときは、原則として額面金額で計上します。保証債務は、時価で評価されます。本問の場合、保証債務費用は、手形売却損に含めています。したがって、手形売却損の内訳は、割引料500千円と保証債務費用100千円です。実践的には、手形売却損は貸借差額で求めましょう。

　なお、上記手形が決済された場合の処理は、

(借)保 証 債 務　100　(貸)保証債務取崩益　100

となります。

問題 14　解答

貸借対照表　　（単位：千円）	
Ⅰ　流　動　資　産	
受　取　手　形	（　　35,000　）
∶	
Ⅱ　固　定　資　産	
不　渡　手　形	（　　22,000　）

解説

　受取手形が不渡りとなった場合には、通常の受取手形と区別するために、『不渡手形』で処理します。また、手形の不渡りにともなう諸費用は不渡手形に含めて計上します。

不渡手形に関する仕訳処理

（借）不 渡 手 形 22,000　　（貸）受 取 手 形 20,000
　　　　　　　　　　　　　　　　仮 払 金 2,000

問題 15　解答

貸 借 対 照 表
×5年3月31日　　　　　　　　　　　　（単位：円）

資　産　の　部			負　債　の　部		
Ⅰ　流　動　資　産			Ⅰ　流　動　負　債		
現　金　預　金		（　59,500　）	支　払　手　形		（　20,000　）
受　取　手　形	（　42,000　）		（電 子 記 録 債 務）		（　3,500　）
（電 子 記 録 債 権）	（　1,500　）		買　　掛　　金		（　48,500　）
売　　掛　　金	（　56,500　）				
貸 倒 引 当 金	（　2,000　）	（　98,000　）			

解説

1　期中取引仕訳

　「電子記録債権」とは、電子債権記録機関への電子記録をその発生・譲渡等の要件とする、既存の売掛債権や手形債権とは異なる新たな「金銭債権」です。

(1)(2)　債権者と債務者の双方が電子債権記録機関に「発生記録」の請求をし、これにより電子債権記録機関が記録原簿に「発生記録」を行うことで電子記録債権は発生します。

　売掛金について発生記録をした場合には、売掛金から電子記録債権に振り替え、買掛金について発生記録をした場合には買掛金から電子記録債務に振り替えます。

1 簿記一巡
2 現金預金
3 金銭債権
4 棚卸資産Ⅰ
5 有形固定資産
6 無形固定資産Ⅰ
7 営業費
8 金融商品Ⅰ

（借）電子記録債権 7,000　（貸）売 掛 金 7,000
　　　買 掛 金 4,000　　　　電子記録債務 4,000

(3)　譲渡人と譲受人の双方が電子債権記録機関に「譲渡記録」の請求をし、これにより電子債権記録機関が記録原簿に「譲渡記録」を行うことで電子記録債権を譲渡できます。

（借）買 掛 金 1,500　（貸）電子記録債権 1,500

(4)(5)　金融機関を利用して債務者の預金口座から債権者の預金口座に払込みによる支払が行われた場合、電子記録債権・債務は消滅します。

（借）現 金 預 金 1,000　（貸）電子記録債権 1,000
　　　電子記録債務 500　　　　現 金 預 金 500

(6)　債権金額と譲渡金額が異なる場合には差額を電子記録債権売却損（益）として処理します。

（借）現 金 預 金 2,800　（貸）電子記録債権 3,000
　　　電子記録債権売却損 200

2　貸借対照表の作成

現金預金：56,200 円 + 1,000 円 − 500 円
　　　　　+ 2,800 円 = 59,500 円

売掛金：63,500 円 − 7,000 円 = 56,500 円

買掛金：54,000 円 − 4,000 円 − 1,500 円
　　　　　= 48,500 円

電子記録債権：7,000 円 − 1,500 円 − 1,000 円
　　　　　　　− 3,000 円 = 1,500 円

電子記録債務：4,000 円 − 500 円 = 3,500 円

貸倒引当金：(42,000円 + 1,500円 + 56,500円)
　　　　　　　× 2% = 2,000 円

問題 16　解答

(1)　独立科目表示方式

貸 借 対 照 表 （単位：千円）

資　産　の　部		負　債　の　部	
科　　目	金　額	科　　目	金　額
I　流動資産		I　流動負債	
（受 取 手 形）	(6,000)	（買 掛 金）	(5,000)
（関係会社受取手形）	(1,000)	（関係会社買掛金）	(5,000)
（短 期 貸 付 金）	(4,500)		
（関係会社短期貸付金）	(2,000)		

〈貸借対照表等に関する注記〉
1．取締役に対する金銭債権が400千円ある。

(2)　科目別注記方式

貸 借 対 照 表 （単位：千円）

資　産　の　部		負　債　の　部	
科　　目	金　額	科　　目	金　額
I　流動資産		I　流動負債	
（受 取 手 形）	(7,000)	（買 掛 金）	(10,000)
（短 期 貸 付 金）	(6,500)		

〈貸借対照表等に関する注記〉
1．取締役に対する金銭債権が400千円ある。
2．関係会社に対する受取手形は1,000千円、短期貸付金は2,000千円である。
3．関係会社に対する買掛金は5,000千円である。

解説

　関係会社に対する金銭債権債務は、独立科目表示方式の場合、貸借対照表上で区分して表示します。科目別注記方式の場合は、総額で表示し、注記において関係会社との取引関係を明らかにします。また、会社計算規則第103条7号において**取締役、監査役及び執行役との間の取引による取締役、監査役及び執行役に対する金銭債権**があるときは、その**総額を貸借対照表に注記すること**とされています。

1	簿記一巡
2	現金預金
3	金銭債権
4	棚卸資産Ⅰ
5	有形固定資産
6	無形固定資産Ⅰ
7	営業費
8	金融商品Ⅰ

問題 17　解答

(1) 独立科目表示方式

貸借対照表 (単位:千円)

資　産　の　部			負　債　の　部		
科　目	金　額		科　目	金　額	
Ⅰ　流動資産			Ⅰ　流動負債		
受 取 手 形	(70,000)		支 払 手 形	(60,000)	
(関係会社受取手形)	(10,000)		(関係会社支払手形)	(20,000)	
売 　掛　 金	(46,000)		買 　掛　 金	(30,000)	
(関係会社売掛金)	(14,000)		(関係会社買掛金)	(10,000)	
短 期 貸 付 金	(10,000)		短 期 借 入 金	(15,000)	
(関係会社短期貸付金)	(10,000)		前 　受　 金	(1,000)	

(2) 科目別注記方式

貸借対照表 (単位:千円)

資　産　の　部			負　債　の　部		
科　目	金　額		科　目	金　額	
Ⅰ　流動資産			Ⅰ　流動負債		
受 取 手 形	(80,000)		支 払 手 形	(80,000)	
売 　掛　 金	(60,000)		買 　掛　 金	(40,000)	
短 期 貸 付 金	(20,000)		短 期 借 入 金	(15,000)	
			前 　受　 金	(1,000)	

〈貸借対照表等に関する注記〉
1. 関係会社に対する受取手形は10,000千円、売掛金は14,000千円、短期貸付金は10,000千円である。
2. 関係会社に対する支払手形は20,000千円、買掛金は10,000千円である。

(3) 一括注記方式

〈貸借対照表等に関する注記〉
1. 関係会社に対する短期金銭債権は34,000千円である。
2. 関係会社に対する短期金銭債務は30,000千円である。

解説

　親会社・子会社とも「関係会社」に該当するので、注記による場合、関係会社の区別を明らかにして注記します。さらに、一括注記方式によった場合には、金銭債権ごと・金銭債務ごと

に、長期または短期に分類したうえで、まとめて注記します。
　関係会社に対する金銭債権・債務の表示には、3つの表示方法がありますが、まず独立科目表示方式をマスターしましょう。
　問題の指示の出し方には、答案用紙の貸借対照表に関係会社受取手形などがあった場合、「独立科目表示方式」というように、答案用紙から注記の指示を読み取る出題も考えられます。

問題 18　解答

損 益 計 算 書 (単位:千円)

⁝	
Ⅲ　販売費及び一般管理費	
(貸倒引当金繰入額)	(600)
⁝	
Ⅴ　営業外費用	
(貸倒引当金繰入額)	(80)

解説

(1) 営業債権

(借) 貸倒引当金繰入	600 [01]	(貸) 貸倒引当金	600

01) (40,000千円 + 20,000千円) × 0.02 − 600千円
　　　　受取手形　　　 売掛金　　　　　　 T/B貸倒引当金
　= 600千円

(2) 営業外債権

(借) 貸倒引当金繰入	80 [02]	(貸) 貸倒引当金	80

02) 6,000千円 × 0.03 − 100千円 = 80千円

　営業債権と営業外債権では、表示科目は貸倒引当金繰入と同じですが、損益計算書上、表示箇所が異なります。営業債権の貸倒引当金繰入は、**販売費及び一般管理費**に、営業外債権は**営業外費用**に表示されます。したがって、別々に分けて決算整理をする必要があります。

損　益　計　算　書　（単位：千円）

⋮	
Ⅲ　販売費及び一般管理費	
（貸倒引当金繰入額）	（　1,900　）
（貸　倒　損　失）	（　1,300　）
⋮	
Ⅴ　営業外費用	
（貸倒引当金繰入額）	（　120　）
⋮	

解説

1　貸倒損失に対する処理

当期に発生した売掛金の貸倒れは貸倒損失として販売費及び一般管理費に表示されます。一方、前期以前に発生した売掛金の貸倒れは、まず貸倒引当金を取り崩します。それでも不足する場合、設定時には合理的に見積られ、当期中における状況の変化によるものであれば、会計上の見積りの変更に該当し、引当不足額は当期の**貸倒損失**として販売費及び一般管理費に表示されます。

（借）貸倒引当金　1,200　　（貸）貸倒損失　1,200

2　貸倒引当金繰入額の算定

(1)営業債権

（借）貸倒引当金繰入　1,900 [01]　（貸）貸倒引当金　1,900

01）　(40,000千円＋55,000千円) × 0.02 ＝ 1,900千円
　　　　　　受取手形　　　売掛金

(2)営業外債権

（借）貸倒引当金繰入　120 [02]　（貸）貸倒引当金　120

02）　6,000千円 × 0.02 ＝ 120千円
　　　　　貸付金

損　益　計　算　書　（単位：千円）

⋮	
Ⅲ　販売費及び一般管理費	
（貸倒引当金繰入額）	（　4,400　）
（貸　倒　損　失）	（　4,100　）
⋮	
Ⅳ　営業外収益	
（雑　　収　　入）	（　5,000　）
Ⅴ　営業外費用	
（貸倒引当金繰入額）	（　1,800　）
⋮	

解説

1　貸倒損失に対する処理

前期に発生した売掛金については、貸倒引当金が設定されているので、まずそれを取り崩します。

（借）貸倒引当金　1,900　　（貸）貸倒損失　1,900 [01]

01）　6,000千円 － 4,100千円 ＝ 1,900千円

2　貸倒引当金繰入額の算定

(1)貸倒引当金の処理（営業債権）

（借）貸倒引当金繰入　4,400 [02]　（貸）貸倒引当金　4,400

02）　(140,000千円＋110,000千円) × 0.03
　　　 － (5,000千円 － 1,900千円) ＝ 4,400千円

(2)貸倒引当金の処理（営業外債権）

（借）貸倒引当金繰入　1,800 [03]　（貸）貸倒引当金　1,800

03）　60,000千円 × 0.03 ＝ 1,800千円

問1 (単位：千円)

貸借対照表

⋮	
Ⅱ　固　定　資　産	
⋮	
3　投資その他の資産	
⋮	
長　期　貸　付　金	(　*140,000*)
貸　倒　引　当　金	(△　*7,810*)

損益計算書

⋮	
Ⅳ　営業外収益	
⋮	
受　取　利　息	7,000
Ⅴ　営業外費用	
貸倒引当金繰入額	(　*7,810*)
⋮	

問2 (単位：千円)

借方科目	金　額	貸方科目	金　額
貸倒引当金	*3,810*	**受取利息**	*3,810*

解説

問1

　本問は、キャッシュ・フロー見積法により算出しなければならないので、まず貸付金の当期末（×9年3月31日）での割引現在価値を求めます。以下のタイムテーブルを参照してください。

タイムテーブル

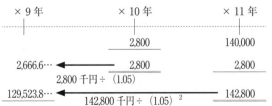

```
×9年            ×10年           ×11年
 |               |               |
                2,800          140,000
2,666.6…← ──    2,800           2,800
      2,800千円÷（1.05）
129,523.8…← ──                  142,800
      142,800千円÷（1.05）²
132,190.4…
  → 132,190千円
```

貸倒引当金繰入の算定

　140,000千円 − 132,190千円 = 7,810千円

(借) 貸倒引当金繰入　7,810　　(貸) 貸倒引当金　7,810

　さらに、貸付金は×11年返済なので、長期の金銭債権に分類されます。したがって、貸借対照表上、**固定資産の部**に表示されます。

　また、損益計算書上では、貸付金にかかる貸倒引当金繰入は営業外費用に表示されます。

問2

　×10年3月31日の債権の割引現在価値は142,800千円÷1.05 = 136,000千円です。したがって、貸倒引当金は4,000千円となります。そのため、×9年3月31日の貸倒引当金7,810千円から3,810千円減額します。

　なお、特に指示がない場合には『受取利息』で処理します。

1 簿記一巡
2 現金預金
3 金銭債権
4 棚卸資産Ⅰ
5 有形固定資産
6 無形固定資産Ⅰ
7 営業費
8 金融商品Ⅰ

貸借対照表 （単位：千円）

資　産　の　部		負　債　の　部	
科　　目	金　　額	科　　目	金　　額
Ⅰ　流動資産		Ⅰ　流動負債	
受　取　手　形	(242,600)	：	
売　　掛　　金	(193,400)	Ⅱ　固定負債	
短　期　貸　付　金	(30,000)	：	
貸　倒　引　当　金	(△ 16,720)	預り保証金	(1,500)
Ⅱ　固定資産			
：			
3　投資その他の資産			
破産更生債権等	(10,000)		
貸　倒　引　当　金	(△ 8,500)		

損　益　計　算　書 （単位：千円）

：	
Ⅲ　販売費及び一般管理費	
（貸倒引当金繰入額）	(8,720)
：	
Ⅴ　営　業　外　費　用	
（貸倒引当金繰入額）	(8,000)
：	
Ⅶ　特　別　損　失	
（貸倒引当金繰入額）	(8,500)
：	

〈重要な会計方針に係る事項に関する注記〉

1．引当金の計上基準

　　貸倒引当金は売上債権、貸付金の貸倒損失に備えるため、債権の区分に応じ、以下のように設定している。

(1)　一般債権は、**貸倒実績率法により、過去の貸倒実績率にもとづき、期末残高の2％の貸倒引当金を計上している。**

(2)　貸倒懸念債権は、**財務内容評価法により、担保の処分見込額を控除した残額について、40％の貸倒引当金を計上している。**

(3)　破産更生債権等は、**財務内容評価法により、担保の処分見込額を控除した残額の全額を計上している。**

解説

1　破産更生債権等への振替

　A社に対する受取手形、売掛金は破産更生債権等へと振り替えます。

(借) 破産更生債権等 10,000　　(貸) 受 取 手 形 7,400
　　　　　　　　　　　　　　　　(貸) 売　掛　金 2,600

2　貸倒引当金の処理

(1)　破産更生債権等

(借) 貸倒引当金繰入 8,500 [01]　(貸) 貸倒引当金 8,500

　01)　10,000 千円－1,500 千円＝8,500 千円

(2)　貸倒懸念債権（財務内容評価法）

(借) 貸倒引当金繰入 8,000 [02]　(貸) 貸倒引当金 8,000

　02)　(30,000 千円－10,000 千円) × 0.4 = 8,000 千円

(3)　一般債権

(借) 貸倒引当金繰入 8,720 [03]　(貸) 貸倒引当金 8,720

　03)　(250,000 千円－7,400 千円＋196,000 千円
　　　　－2,600 千円) × 0.02 = 8,720 千円

　なお、B社が裏書きしたC社振出の手形については、一般債権として処理します。

1 簿記一巡

2 現金預金

3 金銭債権

4 棚卸資産 I

5 有形固定資産

6 無形固定資産 I

7 営業費

8 金融商品 I

Chapter 4
棚卸資産 I

問題 1　解答

	売上原価	期末商品棚卸高
(1) 先入先出法	65,280 円	9,120 円
(2) 移動平均法	66,000 円	8,400 円
(3) 総平均法	66,960 円	7,440 円

解説

　先入先出法については、期末商品を先に求めることにより、差額で売上原価を計算できるので、売上原価の単価の内訳まで求める必要はありません。しかし、商品の流れをイメージしやすくするためにも、ボックス図に目を通すようにしてください。

(1) 先入先出法

期　首	売上原価
@ 1,200 円 × 10 個 = 12,000 円	4/21　@ 1,200 円 × 10 個 = 12,000 円
	〃　　@ 1,440 円 × 10 個 = 14,400 円
当期仕入	7/9　 @ 1,440 円 × 5 個 = 7,200 円

当期仕入
2/10　@ 1,440 円 × 15 個 = 21,600 円
6/5　 @ 1,584 円 × 20 個 = 31,680 円
9/27　@ 1,824 円 × 5 個 = 9,120 円
合計　　62,400 円

売上原価
4/21　@ 1,200 円 × 10 個 = 12,000 円
〃　　@ 1,440 円 × 10 個 = 14,400 円
7/9　 @ 1,440 円 × 5 個 = 7,200 円 　65,280 円
〃　　@ 1,584 円 × 15 個 = 23,760 円
11/1　@ 1,584 円 × 5 個 = 7,920 円

期　末
@ 1,824 円 × 5 個 = 9,120 円

(2) 移動平均法

期　首
@ 1,200 円 × 10 個 = 12,000 円

当期仕入
2/10　@ 1,440 円 × 15 個 = 21,600 円
6/5　 @ 1,584 円 × 20 個 = 31,680 円
9/27　@ 1,824 円 × 5 個 = 9,120 円
合計　　62,400 円

売上原価
4/21　@ 1,344 円 [01)] × 20 個 = 26,880 円
7/9　 @ 1,536 円 [02)] × 20 個 = 30,720 円 　66,000 円
11/1　@ 1,680 円 [03)] × 5 個 = 8,400 円

期　末
@ 1,680 円　× 5 個 = 8,400 円

01)　4/21 の払出単価：$\dfrac{@\,1,200\,円 × 10\,個 + @\,1,440\,円 × 15\,個}{10\,個 + 15\,個} = @\,1,344\,円$

02)　7/9 の払出単価：$\dfrac{@\,1,344\,円 × 5\,個 + @\,1,584\,円 × 20\,個}{5\,個 + 20\,個} = @\,1,536\,円$

03)　11/1 の払出単価：$\dfrac{@\,1,536\,円 × 5\,個 + @\,1,824\,円 × 5\,個}{5\,個 + 5\,個} = @\,1,680\,円$

(3) 総平均法

期　　首	
@ 1,200 円 × 10 個 = 12,000 円	
当期仕入	
2 /10　@ 1,440 円 × 15 個 = 21,600 円	
6 / 5　@ 1,584 円 × 20 個 = 31,680 円	
9 /27　@ 1,824 円 × 5 個 = 　9,120 円	
合計　　62,400 円	

売上原価
@ 1,488 円*04) × (20 個 + 20 個 + 5 個) = 66,960 円

期　　末
@ 1,488 円 × 5 個 = 7,440 円

*04) 当期の払出単価： $\dfrac{@\,1{,}200\,円 × 10\,個 + @\,1{,}440\,円 × 15\,個 + @\,1{,}584\,円 × 20\,個 + @\,1{,}824\,円 × 5\,個}{10\,個 + 15\,個 + 20\,個 + 5\,個}$

　　　　　　　　　 = @ 1,488 円

問題 2　　解答

	借方科目	金額	貸方科目	金額
(1)	棚卸減耗損	18,750 円		
(2)	商品評価損	9,500 円		

（単位：円）

	借方科目	金額	貸方科目	金額
	繰 越 商 品	375,000	仕　　　　入	375,000
	棚 卸 減 耗 損	18,750	繰 越 商 品	28,250
(3)	商 品 評 価 損	9,500		
	仕　　　　入01)	28,250	棚 卸 減 耗 損	18,750
			商 品 評 価 損	9,500

※棚卸減耗損および商品評価損の計上、それら
の売上原価への算入は

(借) 棚卸減耗損　 18,750　(貸) 繰越商品　 18,750
(借) 商品評価損　　9,500　(貸) 繰越商品　　9,500
のように分けて仕訳をしても正解となります。

01) 問題文の指示により、仕入に振り替える処理を行っ
　　ています。

解説

棚卸減耗損と商品評価損の計算は、ボックス図
を用います。

@ 750 円

@ 730 円

	商品評価損 9,500 円	棚卸減耗損 18,750 円

　　　　　　　　475 個　　　　500 個

正味売却価額：@ 760 円 － @ 30 円 = @ 730 円

棚卸減耗損：@ 750 円 × (500 個 － 475 個)
　　　　　　 = 18,750 円

商品評価損：(@ 750 円 － @ 730 円) × 475 個
　　　　　　 = 9,500 円

1 簿記一巡

2 現金預金

3 金銭債権

4 棚卸資産Ⅰ

5 有形固定資産

6 無形固定資産Ⅰ

7 営業費

8 金融商品Ⅰ

問題 3　解答

損益計算書　　　　（単位：円）

Ⅰ　売　上　高		(*3,600,000*)
Ⅱ　売上原価		
1　期首商品棚卸高	(*750,000*)	
2　当期商品仕入高	(*2,750,000*)	
合　　計	(*3,500,000*)	
3　期末商品棚卸高	(*880,000*)	
差　　引	(*2,620,000*)	
4　（棚卸減耗損）	(*22,000*)	
5　（商品評価損）	(*24,000*)	(*2,666,000*)
売上総利益		(*934,000*)

解説

(1)　ボックス図

A商品

@ 800 円

@ 750 円

|商品評価損 24,000 円|棚卸減耗損 16,000 円|
|480 個|500 個|

B商品

@ 1,200 円

|棚卸減耗損 6,000 円|
|395 個|400 個|

(2)　A商品

正味売却価額：@ 780 円 － @ 30 円 ＝ @ 750 円

棚卸減耗損：@ 800 円 × （500 個 － 480 個）
　　　　　　 ＝ 16,000 円

商品評価損：（@ 800 円 － @ 750 円）× 480 個
　　　　　　 ＝ 24,000 円

(3)　B商品

正味売却価額：

　@ 1,300 円 － @ 30 円

　＝@ 1,270 円 ＞ 取得原価@ 1,200 円

　　よって、商品評価損は計上しません。

棚卸減耗損：

　@ 1,200 円 × （400 個 － 395 個）＝ 6,000 円

(4)　合計

棚卸減耗損：16,000 円 ＋ 6,000 円 ＝ 22,000 円

商品評価損：24,000 円

問題 4　解答

貸借対照表　　　　（単位：円）

売　掛　金	(*327,000*)	
商　　　品	(*129,500*)	

損益計算書　　　　（単位：円）

Ⅰ　売　上　高		(*2,077,000*)
Ⅱ　売上原価		
1　期首商品棚卸高	(*322,000*)	
2　当期商品仕入高	(*1,450,000*)	
合　　計	(*1,772,000*)	
3　期末商品棚卸高	(*326,000*)	
差　　引	(*1,446,000*)	
4　棚卸減耗損	(*9,780*)	(*1,455,780*)
売上総利益		(*621,220*)
Ⅲ　営業外費用		
棚卸減耗損	(*14,670*)	
Ⅳ　特別損失		
商品評価損	(*172,050*)	

解説

（以下、仕訳の単位：円）

(1) 未処理事項（返品）の処理

(借)売　　　上 23,000　（貸)売 掛 金 23,000

また、帳簿棚卸数量の修正も行います。

期末帳簿棚卸数量：380 個 + 20 個（返品分）

= 400 個

(2)決算整理事項（商品）

①ボックス図を描いて、期末商品の状況を整理します。なお、正味売却価額は 350 円（＝450 円 − 100 円）となります。

@ 815 円

@ 350 円

商品評価損 172,050 円	棚卸減耗損 24,450 円
B/S 価額 129,500 円	
370 個	400 個

期末商品棚卸高：@ 815 円 × 400 個

= 326,000 円

棚卸減耗損：@ 815 円 ×（400 個 − 370 個）

= 24,450 円

24,450 円 < _40%_ → 9,780 円は売上原価

_60%_ → 14,670 円は営業外費用

商品評価損：（@ 815 円 − @ 350 円）× 370 個

= 172,050 円

なお、問題文の指示により、特別損失に計上されます。

②以上により必要な決算整理仕訳は以下のようになります。

（借）仕 入 322,000	（貸）繰 越 商 品 322,000
（借）繰 越 商 品 326,000	（貸）仕 入 326,000
（借）棚 卸 減 耗 損 24,450 商品評価損 172,050	（貸）繰 越 商 品 196,500
（借）仕 入 9,780	（貸）棚 卸 減 耗 損 9,780

問題⑤ 解答

損 益 計 算 書 （単位：円）

Ⅰ 売 上 高		（ 2,450,000）
Ⅱ 売 上 原 価		
1 期首商品棚卸高	（ 355,000）	
2 当期商品仕入高	（ 1,900,000）	
合 計	（ 2,255,000）	
3 期末商品棚卸高	（ 365,200）	
差 引	（ 1,889,800）	
4 （棚卸減耗損）	（ 10,500）	
5 （商品評価損）	（ 33,950）	（ 1,934,250）
売上総利益		（ 515,750）

解説

（以下、仕訳の単位：円）

ボックス図

実地棚卸高に関する資料を整理しボックス図を作成、各項目を計算します。正味売却価額の下落による評価損と品質低下による評価損は、商品評価損として処理します。

A商品

@ 420 円

@ 390 円

@ 210 円

| 商品評価損 18,450 円 | 商品評価損 4,200 円 | 棚卸減耗損 10,500 円 |
| 良品 615 個 | 実地 635 個 | 帳簿 660 個 |

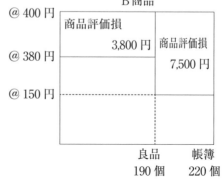

B商品

@ 400 円

@ 380 円

@ 150 円

| 商品評価損 3,800 円 | 商品評価損 7,500 円 |
| 良品 190 個 | 帳簿 220 個 |

① A商品

良品数量：635 個 − 20 個 = 615 個

棚卸減耗損：@ 420 円 × (660 個 − 635 個)
= 10,500 円

商品評価損：(@ 420 円 − @ 390 円) × 615 個
= 18,450 円

(@ 420 円 − @ 210 円) × 20 個
= 4,200 円

② B商品

良品数量：220 個 − 30 個 = 190 個

商品評価損：(@ 400 円 − @ 380 円) × 190 個
= 3,800 円

(@ 400 円 − @ 150 円) × 30 個
= 7,500 円

③ 合計

期末商品帳簿棚卸高：

@ 420 円 × 660 個 + @ 400 円 × 220 個
= 365,200 円

棚卸減耗損：10,500 円

商品評価損：18,450 円 + 4,200 円 + 3,800 円
+ 7,500 円 = 33,950 円

売上原価算定の過程を仕訳で表すと、以下のようになります。

(借) 仕 入 355,000	(貸) 繰 越 商 品 355,000
(借) 繰 越 商 品 365,200	(貸) 仕 入 365,200
(借) 棚卸減耗損 10,500 商品評価損 33,950	(貸) 繰 越 商 品 44,450
(借) 仕 入 44,450	(貸) 棚卸減耗損 10,500 商品評価損 33,950

問題 6 解答

1. 洗替法

損 益 計 算 書　　　　（単位：円）

I 売 上 高		(3,100,000)
II 売 上 原 価		
1. 期首商品棚卸高	(304,000)	
2. 当期商品仕入高	(3,000,000)	
合 計	(3,304,000)	
3. 期末商品棚卸高	(385,000)	
差 引	(2,919,000)	
4. 商品棚卸減耗損	(30,800)	
5. 商品評価損	(5,360)	(2,955,160)
売 上 総 利 益		(144,840)

2. 切放法

損 益 計 算 書　　　　（単位：円）

I 売 上 高		(3,100,000)
II 売 上 原 価		
1. 期首商品棚卸高	(296,020)	
2. 当期商品仕入高	(3,000,000)	
合 計	(3,296,020)	
3. 期末商品棚卸高	(385,000)	
差 引	(2,911,020)	
4. 商品棚卸減耗損	(30,800)	
5. 商品評価損	(13,340)	(2,955,160)
売 上 総 利 益		(144,840)

1 簿記一巡
2 現金預金
3 金銭債権
4 棚卸資産 I
5 有形固定資産
6 無形固定資産 I
7 営業費
8 金融商品 I

解説

1. 前期末の処理（減耗損及び評価損の売上原価算入の仕訳は省略しています。）

（借）仕 入 ×××	（貸）繰 越 商 品 ×××
（借）繰 越 商 品 320,000	（貸）仕 入 320,000

期末商品棚卸高：@ 800 円× 400 個
= 320,000 円

（借）商品棚卸減耗損 16,000	（貸）繰 越 商 品 16,000
（借）商 品 評 価 損 7,980	（貸）繰 越 商 品 7,980
	－商品低下切下額－

商品棚卸減耗損：320,000 円 － 304,000 円
（＝@ 800 円× 380 個）
= 16,000 円

商品評価損：304,000 円 － 296,020 円
（＝@ 779 円※× 380 個）
= 7,980 円

※ @ 820 円 － @ 820 円× 5 ％ ＝ @ 779 円

2. 当期首の処理

(1) 洗替法の場合

（借）繰 越 商 品 7,980	（貸）商 品 評 価 損 7,980
－商品低下切下額－	

期首商品棚卸高：296,020 円 ＋ 7,980 円
= 304,000 円

(2) 切放法の場合：仕訳不要
期首商品棚卸高：296,020 円

3. 当期末の処理

(1) 洗替法の場合

（借）仕 入 304,000	（貸）繰 越 商 品 304,000
（借）繰 越 商 品 385,000	（貸）仕 入 385,000

期末商品棚卸高：@ 770 円× 500 個
= 385,000 円

（借）商品棚卸減耗損 30,800	（貸）繰 越 商 品 30,800
（借）商 品 評 価 損 13,340	（貸）繰 越 商 品 13,340
	－商品低下切下額－

商品棚卸減耗損：385,000 円 － 354,200 円
（＝@ 770 円× 460 個）
= 30,800 円

商品評価損：354,200 円 － 340,860 円
（＝@ 741 円※× 460 個）
= 13,340 円

※ @ 780 円 － @ 780 円× 5 ％ ＝ @ 741 円

（借）商 品 評 価 損 7,980	（貸）仕 入 7,980
（借）仕 入 44,140	（貸）商品棚卸減耗損 30,800
	商 品 評 価 損 13,340

(注) 収益性の低下による簿価切下額（前期に計上した簿価切下額を戻し入れる場合には、当該戻入額相殺後の額）は売上原価とします。

∴ P／L上の商品評価損：13,340 円 － 7,980 円（戻入益）= 5,360 円

(2) 切放法の場合（売上原価の金額は洗替法の場合と等しくなります。）

（借）仕 入 296,020	（貸）繰 越 商 品 296,020
（借）繰 越 商 品 385,000	（貸）仕 入 385,000

（借）商品棚卸減耗損 30,800	（貸）繰 越 商 品 44,140
商 品 評 価 損 13,340	

（借）仕 入 44,140	（貸）商品棚卸減耗損 30,800
	商 品 評 価 損 13,340

問題 7 解答

(1)	**75** %	(2)	**25** %	(3)	**33** %

解説

①売上原価ボックス図・売価

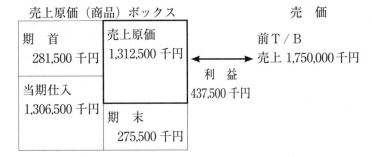

売上原価(商品)ボックス

期　首 281,500 千円	売上原価 1,312,500 千円
当期仕入 1,306,500 千円	期　末 275,500 千円

売　価

前 T / B
売上 1,750,000 千円

利　益
437,500 千円

②各率の算定

(1) 原価率:

$$\frac{1,312,500 千円(売上原価)}{1,750,000 千円(売価)} \times 100 = 75\%$$

(2) 利益率:

$$\frac{437,500 千円(利益)}{1,750,000 千円(売価)} \times 100 = 25\%$$

　　または

　　100% − 原価率 75% = 利益率 25%

(3) 利益加算率:

$$\frac{437,500 千円(利益)}{1,312,500 千円(売上原価)} \times 100$$

= 33.3… ≒ 33%

1 簿記一巡

2 現金預金

3 金銭債権

4 棚卸資産 I

5 有形固定資産

6 無形固定資産 I

7 営業費

8 金融商品 I

(1)	80 %	(2)	20 %	(3)	25 %

(4)

損 益 計 算 書（単位：千円）

科　　目	金　　額	
Ⅰ　売　上　高		（2,055,000）
Ⅱ　売　上　原　価		
1　期首商品棚卸高	（ 135,000）	
2　当期商品仕入高	（1,840,000）	
合　　計	（1,975,000）	
3　期末商品棚卸高	（ 175,000）	（1,800,000）
売 上 総 利 益		（ 255,000）

解説

①売上原価ボックス図・売価

②各率の算定

（1）原価率：

$$\frac{1,800,000 千円（売上原価）}{2,250,000 千円（売価）} \times 100 = 80\%$$

（2）利益率：

$$\frac{450,000 千円（利益）}{2,250,000 千円（売価）} \times 100 = 20\%$$

　　または

　　100% − 原価率80% ＝ 利益率20%

（3）利益加算率：

$$\frac{450,000 千円（利益）}{1,800,000 千円（売上原価）} \times 100 = 25\%$$

③損益計算書

　損益計算書の売上高は値引き・戻りを控除した額で表示します。よって、前Ｔ／Ｂ『**売上**』2,055,000千円をそのまま記入します。原価率算定時の売価2,250,000千円とは異なりますので、注意しましょう。

問題⑨

(1)

(単位：千円)

借方科目	金　額	貸方科目	金　額
仕　　　入	12,500	仕　入　割　引	12,500
仕　　　入	110,000	繰　越　商　品	110,000
繰　越　商　品	98,000	仕　　　　　入	98,000

(2)

①	1,520,000	千円	②	1,234,500	千円

解説

(1)　仕入割引は営業外損益項目として、仕入とは明確に区別します。本問では、期中取引で誤って『仕入』から控除しているので、正しい仕訳に修正します。

(2)　①売上高：1,520,000 千円

　　　　　　（売上値引控除後の金額）

　　　②売上原価ボックス図

　　　　　売上原価(商品)ボックス

期　首　110,000 千円	売上原価
前T／B仕入 　　　1,210,000 千円 割　引 　　　12,500 千円	1,234,500 千円 期　末　98,000 千円

問題⑩

(1)

(単位：千円)

借方科目	金　額	貸方科目	金　額
売　　　　　上	34,000	売　上　値　引	34,000
売　　　　　上	40,000	売　上　戻　り	40,000
仕　入　値　引	24,000	仕　　　　　入	24,000
仕　入　戻　し	38,000	仕　　　　　入	38,000
仕　　　　　入	165,000	繰　越　商　品	165,000
繰　越　商　品	107,800	仕　　　　　入	107,800

(2)

原価率	72	％	利益加算率	39	％

(3)

損 益 計 算 書　　（単位：千円）

科　　　　　目	金　　　額	
Ⅰ　売　　上　　高		(1,626,000)
Ⅱ　売　上　原　価		
1　期首商品棚卸高	(165,000)	
2　当期商品仕入高	(1,138,000)	
合　　　計	(1,303,000)	
3　期末商品棚卸高	(107,800)	(1,195,200)
売　上　総　利　益		(430,800)
Ⅲ　営　業　外　収　益		
〔仕　入　割　引〕		(31,500)
経　常　利　益		(462,300)

解説

(1)　前T／Bの科目から九分法で処理していることがわかります。

　　値引き・返品・割戻しについては期末において『仕入』または『売上』から控除します。

　　なお、仕入割引については財務上の損益となるため、『仕入』から控除しない点に注意してください。

1 簿記一巡
2 現金預金
3 金銭債権
4 棚卸資産Ⅰ
5 有形固定資産
6 無形固定資産Ⅰ
7 営業費
8 金融商品Ⅰ

(2)

　①売上原価ボックス図・売価

売上原価(商品)ボックス　　　　　　　　　　　　　　　　売　価

期　首　165,000千円	売上原価
前T／B仕入	
1,200,000千円	
値　引　△24,000千円	1,195,200千円
戻　し　△38,000千円	期　末　107,800千円

利益464,800千円

前T／B売上	1,700,000千円
戻　り	△40,000千円
	1,660,000千円

　②各率の算定

　　1．原価率：

$$\frac{1,195,200千円（売上原価）}{1,660,000千円（売価）} \times 100 = 72\%$$

　　2．利益加算率：

$$\frac{464,800千円（利益）}{1,195,200千円（売上原価）} \times 100$$

$$= 38.8\cdots \fallingdotseq 39\%$$

1	簿記一巡
2	現金預金
3	金銭債権
4	**棚卸資産Ⅰ**
5	有形固定資産
6	無形固定資産Ⅰ
7	営業費
8	金融商品Ⅰ

問題 11　解答

決算整理後残高試算表 （単位：千円）

借方科目	金額	貸方科目	金額
売掛金	(110,000)	買掛金	(112,500)
繰越商品	(230,000)	売上	(1,477,500)
仕入	(1,200,000)	仕入割引	(24,000)

解説

売上の修正

（借）売　上 127,500　（貸）売掛金 127,500

$\underset{\text{値引き}}{22,500\,\text{千円}} + \underset{\text{返品}}{105,000\,\text{千円}} = 127,500\,\text{千円}$

仕入の修正

（借）買掛金 107,500　（貸）仕入 107,500

$\underset{\text{値引き}}{26,000\,\text{千円}} + \underset{\text{割戻し}}{36,500\,\text{千円}} + \underset{\text{返品}}{45,000\,\text{千円}}$
$= 107,500\,\text{千円}$

仕入割引の修正

①適正な仕訳

（借）買掛金 24,000　（貸）仕入割引 24,000

②会社の仕訳（誤った仕訳）の逆仕訳

（借）仕入 24,000　（貸）買掛金 24,000

③修正仕訳（①＋②）

（借）仕入 24,000　（貸）仕入割引 24,000

売上原価の算定

（借）仕入 150,000　（貸）繰越商品 150,000
（借）繰越商品 230,000　（貸）仕入 230,000

売上の算定

①　100％ － 利益率 20％ ＝ 原価率 80％

②売上原価ボックス図・売価

売上原価（商品）ボックス

期首	150,000千円		
前T／B仕入	1,363,500千円	売上原価（後T／B仕入）	1,200,000千円
値引	△26,000千円		
割戻	△36,500千円		
返品	△45,000千円		
割引	24,000千円		
	1,280,000千円	期末	230,000千円

÷80％ →

売価

前T／B売上		
（差額）	1,605,000千円	1,500,000千円（売価）
返品	△105,000千円	
値引	△22,500千円	
後T／B売上 1,477,500千円		

なお、前T／Bの売上自体を算定する必要はありません。

(1)三分法

（単位：千円）

	借方科目	金　額	貸方科目	金　額
①	仕　入	1,350,000	買　掛　金	1,350,000
②	買　掛　金	55,000	仕　入	55,000
③	買　掛　金	1,295,000	現　金　預　金	1,268,000
			仕　入　割　引	27,000
④	売　掛　金	1,640,000	売　上	1,640,000
⑤	売　上	145,000	売　掛　金	145,000
⑥	現　金　預　金	1,495,000	売　掛　金	1,495,000
⑦	仕　入	150,000	繰　越　商　品	150,000
	繰　越　商　品	267,500	仕　入	267,500

(2)分記法

（単位：千円）

	借方科目	金　額	貸方科目	金　額
①	商　品	1,350,000	買　掛　金	1,350,000
②	買　掛　金	55,000	商　品	55,000
③	買　掛　金	1,295,000	現　金　預　金	1,268,000
			仕　入　割　引	27,000
④	売　掛　金	1,640,000	商　品	1,230,000
			商品販売益	410,000
⑤	商　品	52,500	売　掛　金	145,000
	商品販売益	92,500		
⑥	現　金　預　金	1,495,000	売　掛　金	1,495,000
⑦	仕 訳 な し			

(3)総記法

（単位：千円）

	借方科目	金　額	貸方科目	金　額
①	商　品	1,350,000	買　掛　金	1,350,000
②	買　掛　金	55,000	商　品	55,000
③	買　掛　金	1,295,000	現　金　預　金	1,268,000
			仕　入　割　引	27,000
④	売　掛　金	1,640,000	商　品	1,640,000
⑤	商　品	145,000	売　掛　金	145,000
⑥	現　金　預　金	1,495,000	売　掛　金	1,495,000
⑦	商　品	317,500	商品販売益	317,500

(4)売上原価対立法

（単位：千円）

	借方科目	金　額	貸方科目	金　額
①	商　品	1,350,000	買　掛　金	1,350,000
②	買　掛　金	55,000	商　品	55,000
③	買　掛　金	1,295,000	現　金　預　金	1,268,000
			仕　入　割　引	27,000
④	売　掛　金	1,640,000	売　上	1,640,000
	売　上　原　価	1,230,000	商　品	1,230,000
⑤	売　上	145,000	売　掛　金	145,000
	商　品	52,500	売　上　原　価	52,500
⑥	現　金　預　金	1,495,000	売　掛　金	1,495,000
⑦	仕 訳 な し			

解説

　もっとも基本となる記帳法である三分法と分記法・総記法・売上原価対立法についての確認問題です。

(1)　甲商品のボックス図を描くと以下のようになります。

売上原価(甲商品)ボックス

期　首　150,000千円	売上原価
当　期	④売上　1,230,000千円
①仕入　1,350,000千円	⑤返品　△52,500千円
②値引　△20,000千円	1,177,500千円
返品　△35,000千円	期末(貸借差額)
1,295,000千円	267,500千円

(2)　分記法は、期中仕訳のみで商品残高・販売益を確定してしまうので、決算整理仕訳は必要ありません（棚卸減耗費・商品評価損がある場合を除く）。

(3)　総記法は、決算整理仕訳時に販売益を計上するとともに、期末の商品残高も調整します。

甲商品ボックス

期　首　150,000千円	売　上　1,640,000千円
当期仕入　1,350,000千円	値　引　△75,000千円
値　引　△20,000千円	返　品　△70,000千円
返　品　△35,000千円	
※ 前T／B　50,000千円	
期　末　267,500千円	

※商品販売益　317,500千円

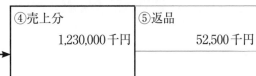

決算整理前、商品は貸方残高50,000千円となっていますが、実際有高は借方267,500千円です。実際有高に修正するには、

50,000千円 + 267,500千円 = 317,500千円

（借）商　　　　品 317,500　　（貸）商品販売益 317,500

と仕訳を行うことになります。

(4) 売上原価対立法は、販売のつど売上原価が計算され、期末時点の『**商品**』は期末商品原価を表すため、決算整理仕訳を行う必要はありません。

甲商品ボックス

期首商品原価		売上原価	
	150,000千円	④売上 1,230,000千円	
当期仕入原価		⑤返品 △52,500千円	
①仕入 1,350,000千円			1,177,500千円
②値引 △20,000千円		期末商品原価	
返品 △35,000千円			267,500千円
	1,295,000千円		

売上原価

④売上分	⑤返品
1,230,000千円	52,500千円

（問題13）（解答）

1. 決算整理前残高試算表（単位：円）

借方科目	金　額	貸方科目	金　額
現　金　預　金	68,290	買　　掛　　金	10,000
売　　掛　　金	20,000	C　　商　　品	10,700
繰 越 A 商 品	3,400	資　　本　　金	50,000
B　　商　　品	2,380	繰越利益剰余金	10,300
D　　商　　品	3,100	A 商 品 売 上	32,500
A 商 品 仕 入	27,300	B 商 品 売 上	38,000
B商品売上原価	28,500	D 商 品 販 売 益	22,000
営　　業　　費	20,530		
合　　　計	173,500	合　　　計	173,500

1 簿記一巡
2 現金預金
3 金銭債権
4 棚卸資産Ⅰ
5 有形固定資産
6 無形固定資産Ⅰ
7 営業費
8 金融商品Ⅰ

2．決算整理後残高試算表（単位：円）

借方科目	金 額	貸方科目	金 額
現 金 預 金	68,290	買 掛 金	10,000
売 掛 金	20,000	資 本 金	50,000
繰 越 A 商 品	4,700	繰越利益剰余金	10,300
B 商 品	2,380	A 商 品 売 上	32,500
C 商 品	2,800	B 商 品 売 上	38,000
D 商 品	3,100	C 商 品 販 売 益	13,500
前 払 営 業 費	530	D 商 品 販 売 益	22,000
A 商 品 仕 入	26,000		
B商品売上原価	28,500		
営 業 費	20,000		
合 計	176,300	合 計	176,300

解　説

1．商品別勘定分析

A商品仕入

仕入		期末	4,700
	27,300	売原	
期首	3,400		26,000

B　商　品

期首	2,440	売原	
仕入			28,500
	28,440	期末	2,380

C　商　品

期首	2,500	売上	
仕入			45,000
	31,800		
整理前	10,700		

→

C　商　品

期首	2,500	売上	
仕入			45,000
	31,800		
販売益			
	13,500	期末	2,800

D　商　品

期首	3,200	売原	
仕入			33,000
	32,900	期末	3,100

D商品販売益

		販売益	
			22,000

2．その他集計

現金預金

期首	41,660		5,460
	6,500		7,110
	9,500		6,360
	9,000		6,580
	13,750		95,130
	129,750		21,230
		期末	*68,290*

売　掛　金

期首	18,000		129,750
	26,000		
	28,500		
	36,000		
	41,250	期末	*20,000*

買　掛　金

	95,130	期首	10,200
			21,840
			21,330
			25,440
期末	*10,000*		26,320

営　業　費

	21,230	再振替	700
		整理前	20,530
整理前	20,530	繰延	530
		整理後	*20,000*

問題 14　解答

損　益　計　算　書　（単位：千円）

科　　目	金　　額	
Ⅰ　売　上　高		（　*21,830*）
Ⅱ　売　上　原　価		
1　期首商品棚卸高	（　*1,240*）	
2　当期商品仕入高	（　*11,250*）	
合　　　　計	（　*12,490*）	
3　〔見本品費振替高〕	（　*290*）	
4　期末商品棚卸高	（　*900*）	（　*11,300*）
売上総利益		（　*10,530*）
Ⅲ　販売費及び一般管理費		
1　〔見　本　品　費〕	（　*290*）	（　*290*）
営　業　利　益		（　*10,240*）

解説

売上高：20,080 千円 ＋（2,100 千円 − 350 千円）
　　　　　　　国内得意先　　　　　　海外得意先
　　　　　＝ 21,830 千円

※国内売上の計上基準は出荷基準なので、発送をもって売上計上しています。よって【資料2】(2) の 820 千円は前期の売上となり、当期の売上にはなりません。

※海外売上の計上基準は船積基準なので、当期中に船に積まれた分のみを売上計上します。

期首商品棚卸高：

　　1,480 千円 − 240 千円 = 1,240 千円

※仕入の計上基準は検収基準なので、期首に倉庫にあった商品在庫でも未検収のものは、帳簿上は当期の仕入として処理します。

当期商品仕入高：

　　10,750 千円 ＋ 240 千円 ＋ 120 千円 ＋ 140 千円
　　　当期仕入　　　期首未検収　　　　仕入諸掛
　　＝ 11,250 千円

※検収基準なので、当期仕入・当期検収した商品以外にも、前期仕入・当期検収した商品も含みます。また、仕入諸掛（検収費および購入事務費）も取得原価に含まれます。

1 簿記一巡
2 現金預金
3 金銭債権
4 棚卸資産Ⅰ
5 有形固定資産
6 無形固定資産Ⅰ
7 営業費
8 金融商品Ⅰ

(1)先入先出法

損益計算書（単位：千円）

Ⅰ	売　上　高		10,000,000
Ⅱ	売　上　原　価		
1	期首商品棚卸高	(150,000)	
2	当期商品仕入高	(8,400,000)	
	合　　　計	(8,550,000)	
3	期末商品棚卸高	(195,000)	
	差　　　引	(8,355,000)	
4	棚卸減耗損	(6,500)	
5	商品評価損	(2,900)	(8,364,400)
	売上総利益		(1,635,600)

貸借対照表（単位：千円）

Ⅰ	流　動　資　産	
	商　　　　品	(185,600)

(2)総平均法（月別）

損益計算書（単位：千円）

Ⅰ	売　上　高		10,000,000
Ⅱ	売　上　原　価		
1	期首商品棚卸高	(150,000)	
2	当期商品仕入高	(8,400,000)	
	合　　　計	(8,550,000)	
3	期末商品棚卸高	(189,600)	
	差　　　引	(8,360,400)	
4	棚卸減耗損	(6,320)	
5	商品評価損	(0)	(8,366,720)
	売上総利益		(1,633,280)

貸借対照表（単位：千円）

Ⅰ	流　動　資　産	
	商　　　　品	(183,280)

(3) 移動平均法

損益計算書（単位：千円）

Ⅰ	売　上　高		10,000,000
Ⅱ	売　上　原　価		
1	期首商品棚卸高	(150,000)	
2	当期商品仕入高	(8,400,000)	
	合　　　計	(8,550,000)	
3	期末商品棚卸高	(192,000)	
	差　　　引	(8,358,000)	
4	棚卸減耗損	(6,400)	
5	商品評価損	(0)	(8,364,400)
	売上総利益		(1,635,600)

貸借対照表（単位：千円）

Ⅰ	流　動　資　産	
	商　　　　品	(185,600)

解説

(1)　先入先出法

　先入先出法では、先に仕入れたものから先に払出しがあったものと仮定するので、期末商品はあとから仕入れた商品から構成されます。

商　品

月　初　　200千個	売　上
	合計700千個
仕　入	
400千個	月末（期末）
400千個	@650円×300千個

合計 1,000千個

@650円
@640円

	商品評価損　2,900千円	棚卸減耗損
	貸借対照表　商品	6,500千円
	185,600千円	
	290千個	300千個

期末商品帳簿棚卸高：

　@650円×300千個＝195,000千円

棚卸減耗損：

　＠650円×（300千個－290千個）＝6,500千円

商品評価損：

　（＠650円－＠640円）×290千個＝2,900千円

貸借対照表　商品：

　＠640円×290千個＝185,600千円

⑵総平均法（月別）

　総平均法（月別）では月ごとに商品の総平均単価を算定し、これを払出単価とします。期末商品は総平均単価で計算します。

総平均単価：

$$\frac{@600円×200千個＋@630円×400千個＋@650円×400千個}{1,000千個}$$

　＝＠632円

期末商品帳簿棚卸高：

　＠632円×300千個＝189,600千円

棚卸減耗損：

　＠632円×（300千個－290千個）＝6,320千円

商品評価損：0千円

貸借対照表　商品：

　＠632円×290千個＝183,280千円

⑶移動平均法

　移動平均法では仕入のつど、平均単価を計算します。

1回目取得時平均単価：

$$\frac{@600円×200千個＋@630円×400千個}{600千個}＝@620円$$

2回目取得時平均単価：

$$\frac{@620円×200千個＋@650円×400千個}{600千個}＝@640円$$

期末商品帳簿棚卸高：

　＠640円×300千個＝192,000千円

棚卸減耗損：

　＠640円×（300千個－290千個）＝6,400千円

商品評価損：0千円

貸借対照表　商品：

　＠640円×290千個＝185,600千円

1 簿記一巡
2 現金預金
3 金銭債権
4 棚卸資産Ⅰ
5 有形固定資産
6 無形固定資産Ⅰ
7 営業費
8 金融商品Ⅰ

損 益 計 算 書 　(単位：千円)

Ⅰ	売　上　高		(*3,252,000*)
Ⅱ	売　上　原　価		
1	期首商品棚卸高	(*330,000*)	
2	当期商品仕入高	(*2,276,000*)	
	合　　　　計	(*2,606,000*)	
3	期末商品棚卸高	(*215,600*)	(*2,390,400*)
	売 上 総 利 益		(*861,600*)
Ⅲ	営業外収益		
	〔仕 入 割 引〕		(*63,000*)
	経 常 利 益		(*924,600*)

(1)　前T／Bの科目から九分法で処理していることがわかります。

(単位：千円)

(借)	売　　　　上	68,000	(貸) 売 上 値 引	68,000
(借)	売　　　　上	80,000	(貸) 売 上 戻 り	80,000
(借)	仕 入 値 引	48,000	(貸) 仕　　　入	48,000
(借)	仕 入 戻 し	76,000	(貸) 仕　　　入	76,000
(借)	仕　　　　入	330,000	(貸) 繰 越 商 品	330,000
(借)	繰 越 商 品	215,600	(貸) 仕　　　入	215,600

　値引き・返品・割戻しについては期末において『仕入』または『売上』から控除します。

　なお、仕入割引については財務上の損益となるため、『仕入』から控除しない点に注意してください。

(2)　商品ボックス図・売上高

商品ボックス

期　首　330,000千円	売上原価
前T／B仕入　　2,400,000千円	2,390,400千円
値　引　△48,000千円	
戻　し　△76,000千円	
2,276,000千円	期　末　215,600千円

売上総利益
861,600千円

売上高

前T／B売上	3,400,000千円
値引き	△68,000千円
戻　り	△80,000千円
	3,252,000千円

損　益　計　算　書　（単位：千円）

I	売　上　高		（**2,955,000**）
II	売　上　原　価		
1	期首商品棚卸高	（　**300,000**）	
2	当期商品仕入高	（**2,560,000**）	
	合　　　計	（**2,860,000**）	
3	期末商品棚卸高	（　**460,000**）	（**2,400,000**）
	売　上　総　利　益		（　**555,000**）
III	営　業　外　収　益		
	〔仕　入　割　引〕		（　**48,000**）

解　説

⑴売上の修正

（借）売　　　　　上 255,000	（貸）売　掛　金 255,000

$$\underset{\text{値引き}}{45,000\text{ 千円}} + \underset{\text{返品}}{210,000\text{ 千円}} = 255,000\text{ 千円}$$

(4)売上の算定

①100％－利益率20％＝原価率80％

②商品ボックス図・売価

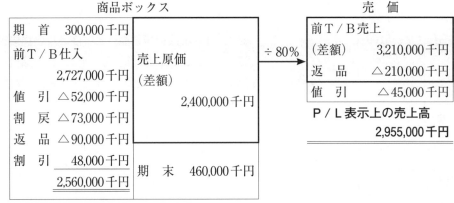

　　なお、決算整理前残高試算表の売上自体を算定する必要はありません。

⑸損益計算書の作成

　　P／L表示上の売上高は⑷で算定した2,955,000千円になります。

　　仕入割引は営業外収益になります。

⑵仕入の修正

（借）買　掛　金 215,000	（貸）仕　　　　　入 215,000

$$\underset{\text{値引き}}{52,000\text{ 千円}} + \underset{\text{割戻し}}{73,000\text{ 千円}} + \underset{\text{返品}}{90,000\text{ 千円}}$$
$$= 215,000\text{ 千円}$$

⑶仕入割引の修正

①適正な仕訳

（借）買　掛　金 48,000	（貸）仕　入　割　引 48,000

②会社の仕訳（誤った仕訳）

（借）買　掛　金 48,000	（貸）仕　　　　　入 48,000

③修正仕訳（①－②）

（借）仕　　　　　入 48,000	（貸）仕　入　割　引 48,000

1 簿記一巡

2 現金預金

3 金銭債権

4 棚卸資産 I

5 有形固定資産

6 無形固定資産 I

7 営業費

8 金融商品 I

問題 18　　解答

（単位：千円）

	借方科目	金　額	貸方科目	金　額
(1)	見 本 品 費	1,200	仕　　　入	1,200
(2)	商品災害損失	500	仕　　　入	500
(3)	商品盗難損失	20	仕　　　入	20
(4)	備　　　品	80	仕　　　入	80

※商品災害損失は、『災害損失』等の勘定科目で
　も可。

　　商品盗難損失は、『盗難損失』等の勘定科目で
　も可。

問題 19　　解答

損 益 計 算 書

自×1年4月1　至×2年3月31日　（単位：千円）

科　　　目	金　　　額	
Ⅰ　売　上　高		250,000
Ⅱ　売　上　原　価		
1　期首商品棚卸高	(48,000)	
2　当期商品仕入高	(176,400)	
3　〔商品営業譲受高〕	(5,600)	
合　　　計	(230,000)	
4　〔見本品費振替高〕	(4,000)	
5　〔商品災害損失振替高〕	(1,200)	
6　期末商品棚卸高	(50,000)	(174,800)
売上総利益		(75,200)
Ⅲ　販売費及び一般管理費		
〔見 本 品 費〕		(4,000)
：		
Ⅶ　特別損失		
〔商品災害損失〕		(1,200)

解説

　商品について、決算整理により判明した事項
を修正します（仕訳の単位：千円）。

(1)見本品についての修正

（借）見 本 品 費　4,000　（貸）仕　　　入　4,000

　『見本品費』（販売費及び一般管理費）は
P／Lの表示上、他勘定振替高の対象となります。

(2)火災による商品損失の修正

（借）商品災害損失　1,200　（貸）仕　　　入　1,200

　『商品災害損失』（特別損失）はP／Lの表示上、
他勘定振替高の対象となります。

(3)期首・期末商品の振替え

（借）仕　　　入　48,000　（貸）繰 越 商 品　48,000
（借）繰 越 商 品　50,000　（貸）仕　　　入　50,000

(4)商品ボックスの作成

商品ボックス

期首商品棚卸高　　48,000千円	売上原価　　174,800千円（貸借差額）
当期商品仕入高　　176,400千円	見本品分　4,000千円
	商品災害分 1,200千円
営業譲受高　　5,600千円	期末商品棚卸高　　50,000千円

　損益計算書の当期商品仕入高には、営業譲受
高を差し引いた額（182,000千円－5,600千円＝
176,400千円）を記入し、『商品営業譲受高』と
して、5,600千円を記入します。

　また、『見本品費振替高』と『商品災害損失振
替高』は売上原価の控除科目とし、『見本品費』
を販売費及び一般管理費、『商品災害損失』を特
別損失とします。

問題 20　解答

会社計算規則による注記

〈損益計算書に関する注記〉
関係会社との営業取引高の総額は 60,000 千円であり、営業取引以外の取引高の総額は 55,000 千円である。

解説

　会社計算規則による、関係会社との営業取引高、営業取引以外の取引高は、損益計算書に関する注記になり金額は総額で注記します。

1 簿記一巡

2 現金預金

3 金銭債権

4 棚卸資産Ⅰ

5 有形固定資産

6 無形固定資産Ⅰ

7 営業費

8 金融商品Ⅰ

Chapter 5 有形固定資産

問題1 解答

1		253,500千円	5	800,000千円
2	土地	460,800千円	6	910,000千円
	建物	259,200千円	7	350,000千円
3		82,000千円	8	360,000千円
4		200,000千円		

解説

（以下、仕訳の単位：千円）

1　$(\underset{\text{購入代金}}{250,000\text{ 千円}} - \underset{\text{値引}}{1,000\text{ 千円}}) +$
$(\underset{\text{付随費用}}{3,000\text{ 千円} + 1,500\text{ 千円}}) = 253,500\text{ 千円}$

2　取得原価総額を時価の比率で按分します。

土地：$720,000\text{ 千円} \times \dfrac{576,000\text{ 千円}}{576,000\text{ 千円} + 324,000\text{ 千円}}$
$= 460,800\text{ 千円}$

建物：$720,000\text{ 千円} \times \dfrac{324,000\text{ 千円}}{576,000\text{ 千円} + 324,000\text{ 千円}}$
$= 259,200\text{ 千円}$

3　$\underset{\text{材料費}}{40,000\text{ 千円}} + \underset{\text{労務費}}{24,000\text{ 千円}} + \underset{\text{経費}}{16,000\text{ 千円}}$
$+ \underset{\text{付随費用}}{2,000\text{ 千円}} = 82,000\text{ 千円}$

4　現物出資：取得した固定資産の時価を取得原価とします。

（借）土　　　　地 200,000　（貸）資　本　金 200,000

5　同種資産・等価交換：引渡資産の簿価を取得原価とします。

（借）土　　　　地 800,000　（貸）土　　　　地 800,000

6　同種資産・不等価交換：引渡資産の簿価に時価差額支払額を加えた額を取得原価とします。

（借）土　　　　地 910,000　（貸）土　　　　地 800,000
　　　　　　　　　　　　　　　現 金 預 金 110,000 [01]

01）時価差額：960,000 千円 － 850,000 千円
　　　　　　　＝ 110,000 千円

7　異種資産交換：有価証券の売却代金による土地の購入と考えて処理します。

（借）土　　　　地 350,000　（貸）投資有価証券 300,000
　　　　　　　　　　　　　　　投資有価証券売却益 50,000 [02]

02）売却益：$\underset{\text{時価}}{350,000\text{ 千円}} - \underset{\text{簿価}}{300,000\text{ 千円}}$
　　　　　　＝ 50,000 千円

8　贈与：時価を取得原価とし、同額を受贈益とします。

（借）備　　　　品 360,000　（貸）備品受贈益 360,000

問題2 解答

（単位：円）

	①×1年度	②×2年度
(1) 定額法	216,000	216,000
(2) 定率法	442,800	279,407
(3) 級数法	360,000	288,000
(4) 生産高比例法	162,000	216,000

解説

(1)　定額法

①×1年度：$\dfrac{1,200,000\text{ 円} \times 0.9}{5\text{ 年}} = 216,000\text{ 円}$

②×2年度：同上

(2) 定率法

① ×1年度：$1,200,000 円 × 0.369 = 442,800 円$

② ×2年度：$(1,200,000 円 - 442,800 円)$
$× 0.369 ≒ 279,407 円$

(3) 級数法

① ×1年度：

$$1,200,000 円 × 0.9 × \frac{5}{15}^{01)} = 360,000 円$$

② ×2年度：

$$1,200,000 円 × 0.9 × \frac{4}{15}^{01)} = 288,000 円$$

01) 総項数：$\dfrac{5 × (5 + 1)}{2} = 15$

(4) 生産高比例法

① ×1年度：

$$1,200,000 円 × 0.9 × \frac{30,000km}{200,000km} = 162,000 円$$

② ×2年度：

$$1,200,000 円 × 0.9 × \frac{40,000km}{200,000km} = 216,000 円$$

問題 3 解答

貸借対照表

×5年3月31日 （単位：千円）

建 物（	*100,000*）		
減価償却累計額（	*7,140*）	（	*92,860*）
備 品（	*40,000*）		
減価償却累計額（	*13,750*）	（	*26,250*）

解説

直接法は固定資産の帳簿価額を直接減らす方法です。そのため、固定資産の取得原価から前期末までの減価償却累計額を差し引いた額が前T/Bに計上されていることになります。

1 建物（定額法）

① 取得原価の算定

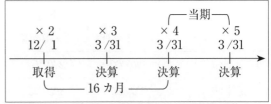

建物の取得原価をXとおき、方程式を作ります。なお、**定額法でも償却率が与えられる場合**がありますので、間違えて耐用年数で割らないように注意しましょう。

$$X - 0.9X × 0.034 × \frac{16 カ月}{12 カ月} = 95,920 千円$$

$\Rightarrow X = 100,000 千円$

② 当期の減価償却費および減価償却累計額の算定

減価償却費：

$100,000 千円 × 0.9 × 0.034 = 3,060 千円$

減価償却累計額：

$(100,000 千円 - 95,920 千円) + 3,060 千円$
$= 7,140 千円$

2 備品（定率法）

① 取得原価の算定

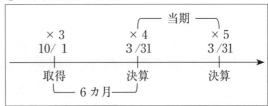

備品の取得原価をYとおき、方程式をつくります。

$$Y - Y × 0.250 × \frac{6 カ月}{12 カ月} = 35,000 千円$$

$\Rightarrow Y = 40,000 千円$

② 当期の減価償却費および減価償却累計額の算定

減価償却費：$35,000 千円 × 0.250 = 8,750 千円$

減価償却累計額：

$(40,000 千円 - 35,000 千円) + 8,750 千円$
$= 13,750 千円$

1 簿記一巡
2 現金預金
3 金銭債権
4 棚卸資産 I
5 有形固定資産
6 無形固定資産 I
7 営業費
8 金融商品 I

（単位：円）

	①×1年度	②×2年度
(1) 定額法	240,000	240,000
(2) 定率法	600,000	300,000
(3) 級数法	400,000	320,000
(4) 生産高比例法	180,000	240,000

解 説

(1) 定額法

①×1年度：$\dfrac{1,200,000\,円}{5\,年} = 240,000\,円$

②×2年度：同上

(2) 定率法

①×1年度：$1,200,000\,円 \times 0.500 = 600,000\,円$

②×2年度：$(1,200,000\,円 - 600,000\,円)$
　　　　　$\times\, 0.500 = 300,000\,円$

(3) 級数法

①×1年度：$1,200,000\,円 \times \dfrac{5}{15}^{01)} = 400,000\,円$

②×2年度：$1,200,000\,円 \times \dfrac{4}{15}^{01)} = 320,000\,円$

01) 総項数：$\dfrac{5 \times (5+1)}{2} = 15$

(4) 生産高比例法

①×1年度：

　$1,200,000\,円 \times \dfrac{30,000\text{km}}{200,000\text{km}} = 180,000\,円$

②×2年度：

　$1,200,000\,円 \times \dfrac{40,000\text{km}}{200,000\text{km}} = 240,000\,円$

決算整理後残高試算表　　（単位：円）

建　　　　物	(53,375,000)	未払金	(1,300,000)
構　築　物	(350,000)		
車　　　　両	(2,095,000)		
器 具 備 品	(2,548,000)		
(建設仮勘定)	(2,500,000)		
減価償却費	(2,977,000)		

解 説

(1) 本社建物

(借) 減価償却費 1,575,000 ⁰¹⁾ (貸) 建　　物 1,575,000

01) $70,000,000\,円 \times 0.9 \times 0.025 = 1,575,000\,円$

(2) 支社建物

(借) 建設仮勘定 2,500,000 (貸) 建　　物 2,500,000

(3) 構築物

(借) 減価償却費 180,000 (貸) 構　築　物 180,000

$2,000,000\,円 \times 0.9 \times 0.100 = 180,000\,円$

(4) 車両（×19年3月）

(借) 減価償却費 540,000 ⁰²⁾ (貸) 車　　両 540,000

02) $2,400,000\,円 \times 0.9 \times 0.250 = 540,000\,円$

(5) 車両（×19年4月）

(借) 減価償却費 500,000 ⁰³⁾ (貸) 車　　両 500,000

03) $2,000,000\,円 \times 0.250 = 500,000\,円$

(6) 車両（×20年4月）

① 適正な仕訳

　「前期首（×19年4月）に未払金を計上」とあることから、2,000,000円の車両を購入し、800,000円を支払い、1,200,000円の未払金を計上したことがわかります。

　そして、当期（×20年4月）に未払金の支払いをした時に、未払金を減少すべきものを誤って車両を二重計上していたことがわかります。

(借) 未　払　金 1,200,000 (貸) 現 金 預 金 1,200,000

② 期中仕訳(誤処理)

| (借)車 両 | 1,200,000 | (貸)現 金 預 金 | 1,200,000 |

③ 修正仕訳 (①-②)

| (借)未 払 金 | 1,200,000 | (貸)車 両 | 1,200,000 |

(7) 器具備品

| (借)減価償却費 | 182,000 [04] | (貸)器 具 備 品 | 182,000 |

04) $2,730,000 円 \times 0.200 \times \dfrac{4 \, カ月}{12 \, カ月} = 182,000 円$

1 簿記一巡

2 現金預金

3 金銭債権

4 棚卸資産 I

5 有形固定資産

6 無形固定資産 I

7 営業費

8 金融商品 I

問題 6 解答

202,000 千円

解説

$(200,000 千円 - 2,500 千円) + 4,500 千円$
$= 202,000 千円$

値引額は購入代価より差し引き、付随費用である自動車登録料は加算します。

問題 7 解答

106,500 千円

解説

$(100,000 千円 - 5,000 千円) + 8,000 千円 + 3,500 千円$
$= 106,500 千円$

値引額は購入代価より差し引き、購入手数料、試運転費などの付随費用は加算します。

問題 8 解答

土地 332,500 千円　建物 367,500 千円

解説

固定資産を一括購入した場合のそれぞれの資産の取得原価は、時価を基準として支出額700,000千円を按分します。

土地の取得原価:

$700,000 千円 \times \dfrac{380,000 \, 千円}{380,000 \, 千円 + 420,000 \, 千円}$
$= 332,500 千円$

建物の取得原価:

$700,000 千円 \times \dfrac{420,000 \, 千円}{380,000 \, 千円 + 420,000 \, 千円}$
$= 367,500 千円$

問題 9 解答

(単位：千円)

	借方科目	金　額	貸方科目	金　額
(1)	機　　械	400,000	現金預金	35,000
	前払利息	20,000	未　払　金	385,000
(2)	未　払　金	77,000	現金預金	77,000
	支払利息	4,000	前払利息	4,000

解説

(1) 購入時

割賦購入により取得した場合は、現金で購入する場合の価格 400,000 千円を取得原価とし、支払総額との差額を利息と考えます。

引取時に頭金として 35,000 千円を払っていることに注意しましょう。

前払利息：(35,000 千円 + 77,000 千円 × 5 回)
　　　　　− 400,000 千円 = 20,000 千円

(2) 代金支払時

代金支払時は未払金を減額するとともに、前払利息を支払利息へ振り替えます。利息の計算方法は、問題文の指示により定額法で計算をします。

支払利息：20,000 千円 ÷ 5 回 = 4,000 千円

問題 10 解答

科　目	金　額	科　目	金　額
機 械 装 置	80,000	建設仮勘定	80,000

解説

建設仮勘定に計上されている、頭金、残額の支払額、据付試運転費用を機械装置勘定に振り替えます。このとき、据付試運転費用も機械装置に計上されることに注意しましょう。

機械装置：

25,000 千円 + 50,000 千円 + 5,000 千円
（頭金）　　　（残額支払額）　　（据付試運転費用）
= 80,000 千円

問題 11 解答

(単位：千円)

	(1) ×1年度	(2) ×2年度
① 定額法	43,200	43,200
② 定率法	88,800	55,944
③ 級数法	72,000	57,600
④ 生産高比例法	32,400	43,200

解説

①定額法

(1) ×1年度

$$240,000 千円 × 0.9 × \frac{1 年}{5 年} = 43,200 千円$$

(2) ×2年度　　同　上

②定率法

(1) ×1年度

240,000 千円 × 0.370 = 88,800 千円

(2) ×2年度

(240,000 千円 − 88,800 千円) × 0.370
= 55,944 千円

③級数法

(1) ×1年度

$$240,000 千円 × 0.9 × \frac{5}{(5 + 4 + 3 + 2 + 1)}$$

= 72,000 千円

(2) ×2年度

$$240,000 千円 × 0.9 × \frac{4}{(5 + 4 + 3 + 2 + 1)}$$

= 57,600 千円

③生産高比例法

(1) ×1年度

$$240,000 千円 × 0.9 × \frac{60,000km}{400,000km} = 32,400 千円$$

(2) ×2年度

$$240,000 千円 × 0.9 × \frac{80,000km}{400,000km} = 43,200 千円$$

1 簿記一巡

2 現金預金

3 金銭債権

4 棚卸資産Ⅰ

5 有形固定資産

6 無形固定資産Ⅰ

7 営業費

8 金融商品Ⅰ

問題 12 解答

貸借対照表 （単位：千円）

資　産　の　部	
科　　目	金　　額
Ⅱ　固　定　資　産	
1　有形固定資産	
車　　　　両	（ 60,000 ）
減価償却累計額	（ 12,500 ）（ 47,500 ）

解説

事業の用に供した日から期末までの月数は 10 カ月であるため、定率法による 1 年分の減価償却費を計算した後、月数による按分計算を行います。

減価償却累計額：

$$60,000 千円 × 0.250 × \frac{10 カ月}{12 カ月} = 12,500 千円$$

問題 13 解答

N社　第12期

貸借対照表

× 21 年 3 月 31 日 （単位：千円）

資　産　の　部	
科　　目	金　　額
Ⅰ　流　動　資　産	
：	
Ⅱ　固　定　資　産	
建　　　　　物	（ 1,000,000 ）
減価償却累計額	（ 247,500 ）（ 752,500 ）
構　　築　　物	（ 70,000 ）
減価償却累計額	（ 14,000 ）（ 56,000 ）
器　具　備　品	（ 80,000 ）
減価償却累計額	（ 46,250 ）（ 33,750 ）

損　益　計　算　書

× 20 年 4 月 1 日～× 21 年 3 月 31 日　（単位：千円）

科　　　目	金　　額
：	
Ⅲ　販売費及び一般管理費	
：	
減　価　償　却　費	（ 40,750 ）

解説

建物

減価償却費：

$$\frac{1,000,000 千円 × 0.9}{40 年} = 22,500 千円$$

減価償却累計額：

（1,000,000 千円 – 775,000 千円） + 22,500 千円
= 247,500 千円

貸借対照表価額：

1,000,000 千円 – 247,500 千円 = 752,500 千円

構築物

減価償却費：

$$\frac{70,000 千円}{10 年} = 7,000 千円$$

減価償却累計額：

（70,000 千円 – 63,000 千円） + 7,000 千円
= 14,000 千円

貸借対照表価額：

70,000 千円 – 14,000 千円 = 56,000 千円

器具備品

減価償却費：

45,000 千円 × 0.250 = 11,250 千円

減価償却累計額：

（80,000 千円 – 45,000 千円） + 11,250 千円
= 46,250 千円

貸借対照表価額：

80,000 千円 – 46,250 千円 = 33,750 千円

(1) 貸借対照表 (単位：千円)

資 産 の 部	
科 目	金 額
Ⅱ 固 定 資 産	
1 有 形 固 定 資 産	
建 物	(250,000)
(減価償却累計額)	(50,000) (200,000)
備 品	(100,000)
(減価償却累計額)	(7,500) (92,500)

(2) 貸借対照表 (単位：千円)

資 産 の 部	
科 目	金 額
Ⅱ 固定資産	
1 有形固定資産	
建 物	(250,000)
備 品	(100,000)
(減価償却累計額)	(57,500) (292,500)

(3) 貸借対照表 (単位：千円)

資 産 の 部	
科 目	金 額
Ⅱ 固定資産	
1 有形固定資産	
建 物	(200,000)
備 品	(92,500)

〈貸借対照表等に関する注記〉
　有形固定資産から減価償却累計額がそれぞれ控除されている。
　建物　50,000千円　　備品　7,500千円

(4) 貸借対照表 (単位：千円)

資 産 の 部	
科 目	金 額
Ⅱ 固定資産	
1 有形固定資産	
建 物	(200,000)
備 品	(92,500)

〈貸借対照表等に関する注記〉
　有形固定資産から減価償却累計額57,500千円が控除されている。

解 説

　有形固定資産の貸借対照表における表示方法についての問題です。
　科目別間接控除方式（(1)の方式）が原則となりますが、本試験ではそれ以外の方式についても問われる可能性が高いので、すべての方式をマスターするようにしましょう。
　なお、間接控除方式による場合、控除項目は『減価償却累計額』とし、「○○減価償却累計額」〔例：建物減価償却累計額〕とはしない点に注意しましょう。また、減価償却累計額の金額の前に、△を付す場合もあります〔例：△50,000〕。

問題 15 解 答

科 目	金 額	科 目	金 額
減価償却費	225,000	機械減価償却累計額	225,000

解 説

　予見することのできなかった新技術等の外的事情等により、固定資産が機能的に著しく減価した場合には、会計上の見積りの変更として将来にわたって会計処理を行うことになります。

前期末減価償却累計額：

$$(800,000 \text{千円} - 80,000 \text{千円}) \times \frac{3\text{年}}{8\text{年}}$$
$$= 270,000 \text{千円}$$

当期の減価償却費：

$$\frac{(800,000 \text{千円} - 80,000 \text{千円}) - 270,000 \text{千円}}{2\text{年}}$$
$$= 225,000 \text{千円}$$

問題16　解答

貸借対照表 （単位：千円）

資　産　の　部	
科　　　　　目	金　　　　額
Ⅱ　固　定　資　産	
1　有形固定資産	
備　　　　　品	（　10,000）
減価償却累計額	（　4,352）（　5,648　）

解説

　減価償却方法の変更は、会計方針の変更に該当するものの、会計方針の変更を会計上の見積りの変更と区別することが困難な場合として取り扱われます。

　そのため、遡及適用は行わず、将来にわたり会計処理を行うことになり、当該備品は、未償却残高を残存耐用期間の5年間にわたり費用処理することになります。

未償却残高：10,000 千円 − 3,190 千円
$$= 6,810 \text{千円}$$

減価償却費：

$$(6,810 \text{千円} - 1,000 \text{千円}) \times \frac{1\text{年}}{6\text{年} - 1\text{年}}$$
$$= 1,162 \text{千円}$$

減価償却累計額：3,190 千円 + 1,162 千円
$$= 4,352 \text{千円}$$

問題17　解答

（単位：千円）

科　目	金　額	科　目	金　額
車両減価償却累計額	41,016	車　　両	60,000
減価償却費	2,373	固定資産売却益	3,389
現 金 預 金	20,000		

解説

1　期首から売却する日までの月数を数えます。この時、問題文の指示にあるとおり1カ月未満の端数は1カ月として計算します。

　　×1年4月1日～×1年9月10日
　　→　6カ月

2　売却日までの減価償却費を計算します。

$$(60,000 \text{千円} - 41,016 \text{千円}) \times 0.250$$
$$\times \frac{6\text{カ月}}{12\text{カ月}} = 2,373 \text{千円}$$

3　売却損益を求めます。

$$\underset{\text{売却価額}}{20,000 \text{千円}} - \{\underset{\text{取得原価}}{60,000 \text{千円}}$$
$$- (\underset{\text{期首減価償却累計額}}{41,016 \text{千円}} + \underset{\text{減価償却費}}{2,373 \text{千円}})\}$$
$$= 3,389 \text{千円} （売却益）$$

売却価額 − 売却時の簿価 ┬→ （＋）固定資産売却益（特別利益）
　　　　　　　　　　　　└→ （−）固定資産売却損（特別損失）

売却時の簿価＝取得原価−（期首減価償却累計額＋減価償却費）

1 簿記一巡
2 現金預金
3 金銭債権
4 棚卸資産Ⅰ
5 有形固定資産
6 無形固定資産Ⅰ
7 営業費
8 金融商品Ⅰ

	科　目	金　額	科　目	金　額
問1	車　　両	400,000	車　　両	250,000
	車両減価償却累計額	150,000	未　払　金	270,000
	減価償却費	18,750	固定資産売却益	48,750
問2	車　　両	390,000	車　　両	250,000
	車両減価償却累計額	150,000	未　払　金	270,000
	減価償却費	18,750	固定資産売却益	38,750

解説

問1

① 売却取引と購入取引に分けて考えます。

売却取引（旧車両）：

(借) 車両減価償却累計額 150,000　　(貸) 車　　両 250,000
　　 減価償却費 18,750[01]　　　　　　 固定資産売却益 48,750[02]
　　 未収入金[03] 130,000

01) $\dfrac{250,000千円×0.9}{6年} × \dfrac{6カ月}{12カ月} = 18,750千円$

02) $130,000千円 - \{250,000千円 - (150,000千円 + 18,750千円)\} = 48,750千円（売却益）$または貸借差額。

03) 便宜上用いた科目です。ここでは未収入金＝下取価格となります。

購入取引（新車両）：

(借) 車　　両 400,000　　(貸) 未 収 入 金 130,000
　　　　　　　　　　　　　　　　 未 払 金 270,000[04]

04) 未払金：新車両と未収入金（下取価格）の差額になります。
　　 $400,000千円 - 130,000千円 = 270,000千円$

② 仕訳を合算します。

(借) 車　　両 400,000　　(貸) 車　　両 250,000
　　 車両減価償却累計額 150,000　　 未 払 金 270,000
　　 減価償却費 18,750　　　　　　 固定資産売却益 48,750

問2

① 時価が判明しているため、売却損益と値引きの関係を整理します。

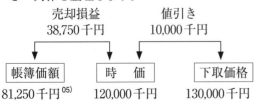

売却損益	値引き
38,750千円	10,000千円

帳簿価額　　時　価　　下取価格
81,250千円[05]　120,000千円　130,000千円

---

05) 旧車両帳簿価額：
　　 $250,000千円 - (\underset{\text{期首減価償却累計額}}{150,000千円} + \underset{\text{減価償却費（上記問1より）}}{18,750千円})$
　　 $= 81,250千円$

② 仕訳を行います。

(借) 車　　両 390,000[06]　　(貸) 車　　両 250,000
　　 車両減価償却累計額 150,000　　　 未 払 金 270,000
　　 減価償却費 18,750　　　　　　　 固定資産売却益 38,750

06) 新車両取得原価：
　　 $400,000千円 - \underset{\text{（値引き）}}{10,000千円} = 390,000千円$

(1) （単位：千円）

科　目	金　額	科　目	金　額
備品減価償却累計額	72,000	備　　品	100,000
減価償却費	6,000		
貯　蔵　品	10,000		
固定資産除却損	12,000		

(2) （単位：千円）

科　目	金　額	科　目	金　額
現 金 預 金	13,000	貯　蔵　品	10,000
		貯蔵品売却益	3,000

解説

(1) 備品の除却時の仕訳

① 期首から除却する日までの月数を数えます。
この時、問題文の指示にあるとおり日数が1カ月未満の端数は1カ月として計算します。

　　 ×1年4月1日〜×1年7月23日
　　 →　4カ月

② 除却日までの減価償却費を計算します。

$$\dfrac{100,000千円×0.9}{5年} × \dfrac{4カ月}{12カ月} = 6,000千円$$

③ 除却損益を求めます。

$\underset{\text{見積売却価額}}{10,000千円} -$
$\{100,000千円 - \underset{\text{除却時の帳簿価額}}{(72,000千円 + 6,000千円)}\}$
$= △12,000千円（除却損）$

④ 見積売却価額を貯蔵品とし、仕訳を行います。

(2) 除却資産の売却時の仕訳

売却価額から見積売却価額（貯蔵品として計上されている金額）を差し引いて、売却損益を求めます。

$$\underset{\text{売却価額}}{13,000\,千円} - \underset{\text{見積売却価額}}{10,000\,千円} = 3,000\,千円（売却益）$$

問題 20 解答

	科 目	金 額	科 目	金 額
問1	建物減価償却累計額	612,000	建 物	800,000
	減価償却費	9,000		
	火災未決算	179,000		
問2	未 収 入 金	185,000	火災未決算	179,000
			保 険 差 益	6,000

解説

問1

火災保険 200,000 千円の契約を結んでいますが、実際に保険会社から支払われる金額は確定していないため、『火災未決算』で処理を行います。また、期中に火災で焼失したため、当期における焼失までの期間（×20 年 4 月～×20 年 6 月までの 3 カ月間）は減価償却を行うことが必要になるので注意しましょう。

減価償却費：

$$\frac{800,000千円 \times 0.9}{20年} \times \frac{3カ月}{12カ月} = 9,000\,千円$$

火災未決算：

800,000 千円 －（612,000 千円 ＋ 9,000 千円）
＝ 179,000 千円

問2

保険会社より 185,000 千円の確定額の連絡を受けたため、『火災未決算』との差額を保険差益に振り替える処理を行います。

保険差益：

$$\underset{\text{保険金確定額}}{185,000\,千円} - \underset{\text{火災未決算}}{179,000\,千円} = 6,000\,千円$$

問題 21 解答

貸 借 対 照 表 （単位：千円）

資 産 の 部		
科 目	金 額	
⋮		
Ⅱ 固定資産		
1 有形固定資産		
建 物	(520,000)	
減価償却累計額	(237,150)	(282,850)

損 益 計 算 書 （単位：千円）

科 目	金 額
⋮	
Ⅱ 販売費及び一般管理費	
1 有形固定資産	
修 繕 費	(60,000)
減 価 償 却 費	(12,150)

解説

1 資本的支出と収益的支出

修繕費のうち、耐用年数の延長に対応する部分は資本的支出として固定資産の取得原価に加算し、それ以外の部分は収益的支出として修繕費で処理します。

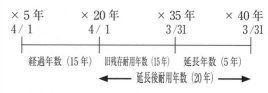

資本的支出：

$$80,000千円 \times \frac{5年}{20年} = 20,000\,千円$$

修繕費（収益的支出）：

80,000 千円 － 20,000 千円 ＝ 60,000 千円

（単位：千円）

（借）建 物 20,000	（貸）修 繕 費 20,000

2 減価償却費の計算

既償却額 225,000千円	要償却額 225,000千円	要償却額 18,000千円
残存価額 50,000千円		2,000千円
既存分 500,000千円		資本的支出分 20,000千円

① 既存分

取得原価から残存価額および既償却額を控除した残額（要償却額）を、延長後の残存耐用年数で償却します。

要償却額：

500,000 千円 − 50,000 千円 − 225,000 千円

= 225,000 千円

減価償却費：$\dfrac{225,000\,千円}{20\,年} = 11,250\,千円$

② 資本的支出分

減価償却費：$\dfrac{20,000\,千円 \times 0.9}{20\,年} = 900\,千円$

③ 減価償却費合計

11,250 千円 + 900 千円 = 12,150 千円

（単位：千円）

（借）減価償却費 12,150	（貸）建物減価償却累計額 12,150

問題 22　解答

（単位：円）

科　目	金　額	科　目	金　額
減価償却費	135,000	機械減価償却累計額	135,000

解説

前期末減価償却累計額：

$(400,000円 − 40,000円) \times \dfrac{1\,年}{4\,年} = 90,000\,円$

当期の減価償却費：

$\dfrac{400,000円 − (40,000円 + 90,000円)}{2\,年} = 135,000\,円$

問題 23　解答

減価償却費	55,188 千円

解説

本問では、取得日の資料がありませんので、減価償却累計額の金額から、取得日を推定する必要があります。

定額法による 1 年あたりの減価償却費

$(180,000\,千円 − 18,000\,千円) \times \dfrac{1\,年}{6\,年} = 27,000\,千円$

54,000 千円 ÷ 27,000 千円 = 2 年

以上から、当該機械装置は、二年前に取得していることがわかります。

また、減価償却方法の変更は、会計方針の変更に該当するものの、会計方針の変更を会計上の見積りの変更と区別することが困難な場合として取り扱われます。

そのため、遡及適用は行わず、将来にわたり会計処理を行うことになり、当該機械装置は、残存耐用期間の定率法の償却率（0.438）を用いて、4 年間で費用処理することになります。

(180,000 千円 − 54,000 千円) × 0.438

= 55,188 千円

問題 24 　解答 | 問題 25 　解答

1 簿記一巡 ｜ 2 現金預金 ｜ 3 金銭債権 ｜ 4 棚卸資産 Ⅰ ｜ 5 有形固定資産 ｜ 6 無形固定資産 Ⅰ ｜ 7 営業費 ｜ 8 金融商品 Ⅰ

問題 24 解答

減価償却費	12,875 千円

解説

本問では、備品の取得日が与えられていませんので、減価償却累計額の金額から、取得日を推定していく必要があります。

1 年目減価償却費

200,000 千円 × 0.250 = 50,000 千円

2 年目減価償却費

(200,000 千円 − 50,000 千円) × 0.250

= 37,500 千円

3 年目減価償却費

(200,000 千円 − 50,000 千円 − 37,500 千円)

× 0.250 = 28,125 千円

50,000 千円 + 37,500 千円 + 28,125 千円

= 115,625 千円

以上から、当期首時点において、3 年経過していることが判明します。

減価償却方法の変更は、会計方針の変更に該当するものの、会計方針の変更を会計上の見積りの変更と区別することが困難な場合として取り扱われます。

そのため、遡及適用は行わず、将来にわたり会計処理を行うことになり、当該備品は残存耐用年数にわたって要償却額を費用処理していくことになります。

変更年度の期首簿価：

200,000 千円 − 115,625 千円 = 84,375 千円

減価償却費：

$$\{84,375 \text{千円} − \underbrace{(200,000 \text{千円} × 0.1)}_{残存価額}\}$$

$$× \frac{1 \text{年}}{8 \text{年} − 3 \text{年}} = 12,875 \text{千円}$$

問題 25 解答

(単位：円)

	科　目	金　額	科　目	金　額
(1)	車　　両	2,400,000	車　　両	2,000,000
	車両減価償却累計額	720,000	現 金 預 金	1,120,000
	減価償却費	128,000	固定資産売却益	128,000
(2)	車　　両	2,120,000	車　　両	2,000,000
	車両減価償却累計額	720,000	現 金 預 金	1,120,000
	減価償却費	128,000		
	固定資産売却損	152,000		

解説

(1)

減価償却費：

$$(2,000,000 \text{円} − 720,000 \text{円}) × 0.200 × \frac{6 \text{カ月}}{12 \text{カ月}}$$

= 128,000 円

現金預金：

$$\underbrace{2,400,000 \text{円}}_{B車両取得原価} − \underbrace{1,280,000 \text{円}}_{下取価格} = 1,120,000 \text{円}$$

固定資産売却益：貸借差額または

$$\underbrace{1,280,000 \text{円}}_{下取価格} − \underbrace{(2,000,000 \text{円} − 720,000 \text{円} − 128,000 \text{円})}_{A車両簿価}$$

=128,000 円（売却益）

(2)

値引額：$\underbrace{1,280,000 \text{円}}_{下取価格} − \underbrace{1,000,000 \text{円}}_{A車両時価} = 280,000 \text{円}$

B 車両取得原価：

$$2,400,000 \text{円} − \underbrace{280,000 \text{円}}_{値引} = 2,120,000 \text{円}$$

固定資産売却損：貸借差額または

$$\underbrace{1,000,000 \text{円}}_{A車両時価} − \underbrace{(2,000,000 \text{円} − 720,000 \text{円} − 128,000 \text{円})}_{A車両簿価}$$

= △ 152,000 円（売却損）

問題集（Ⅰ） 解答解説　　5-12

問題 26 解答

（単位：円）

科　目	金　額	科　目	金　額
備品減価償却累計額	360,000	備　　品	600,000
減価償却費	90,000		
貯　蔵　品	100,000		
固定資産除却損	50,000		

解説

備品減価償却累計額：

$$(600,000 千円 - 60,000 千円) \times \frac{2 年}{3 年}$$
$$= 360,000 千円$$

減価償却費：

$$(600,000 千円 - 60,000 千円) \div 3 年$$
$$\times \frac{6 カ月}{12 カ月} = 90,000 千円$$

貯蔵品：見積売却価額により計上します。
固定資産除却損：貸借差額または
$$100,000 千円 - (600,000 千円 - 360,000 千円$$
$$- 90,000 千円) = \triangle 50,000 千円（除却損）$$

問題 27 解答

（単位：千円）

	科　目	金　額	科　目	金　額
(1)	建物減価償却累計額	250,000	建　　物	300,000
	火　災　損　失	50,000		
(2)	建物減価償却累計額	460,000	建　　物	800,000
	火　災　未　決　算	340,000		
(3)	未　収　入　金	500,000	火　災　未　決　算	340,000
			保　険　差　益	160,000 *
(4)	建物減価償却累計額	320,000	建　　物	600,000
	火　災　未　決　算	200,000		
	火　災　損　失	80,000		
(5)	未　収　入　金	140,000	火　災　未　決　算	200,000
	火　災　損　失	60,000 *		

＊貸借差額

解説

(1) 保険契約を結んでないため、簿価の金額がすべて火災損失となります。

(2) 保険契約額（500,000 千円）が簿価（800,000 千円 - 460,000 千円 = 340,000 千円）より大きいため、簿価全額を『火災未決算』として計上します。

(3) 保険差益は、同種の建物を購入するさい、圧縮記帳の対象となります。

(4) 保険契約額（200,000 千円）が簿価（600,000 千円 - 320,000 千円 = 280,000 千円）より小さいため、差額 80,000 千円を『火災損失』で処理します。

問題 28 解答

決算整理後残高試算表		（単位：千円）

現 金 預 金	(425,000)	建物減価償却累計額	(20,000)
建　　物	(450,000)	車両減価償却累計額	(430)
車　　両	(2,750)	備品減価償却累計額	(67,423)
備　　品	(135,000)	保 険 差 益	(10,400)
減価償却費	(30,538)		
固定資産売却損	(30)		

解説

（以下、仕訳の単位：千円）

(1) 建物 A

7/31・火災発生時（期中未処理）

（借）建物減価償却累計額 108,000 [01]（貸）建　　物 400,000
　　　減価償却費　2,400 [02]
　　　火災未決算 289,600 [03]

01) $\underset{\text{(取得原価)}}{400,000 千円} - \underset{\text{(期首簿価)}}{292,000 千円} = 108,000 千円$

02) $\frac{400,000 千円 \times 0.9}{50 年} \times \frac{4 カ月}{12 カ月} = 2,400 千円$

03) 貸借差額

3/15・保険金確定時（期中未処理）

（借）現 金 預 金 300,000 （貸）火災未決算 289,600
　　　　　　　　　　　　　　　　　保険差益 10,400 [04]

04) 貸借差額

1 簿記一巡

2 現金預金

3 金銭債権

4 棚卸資産Ⅰ

5 有形固定資産

6 無形固定資産Ⅰ

7 営業費

8 金融商品Ⅰ

(2)　建物B

3/31・決算時

（借）減価償却費　10,000 ⁰⁵⁾（貸）建物減価償却累計額　10,000

05)　$\dfrac{450,000 \text{千円}}{45 \text{年}} = 10,000 \text{千円}$

(3)　車両A・B

9/30・買換時（期中処理済）

（借）車両減価償却累計額　1,094 ⁰⁶⁾（貸）車　　　　　両　2,500

　　　減価償却費　176 ⁰⁷⁾　　　　現金預金　1,550 ⁰⁸⁾

　　　車　　　　両　2,750 ⁰⁹⁾

　　　固定資産売却損　30 ¹⁰⁾

06)　$\underset{(\text{取得原価})}{2,500 \text{千円}} - \underset{(\text{期首簿価})}{1,406 \text{千円}} = 1,094 \text{千円}$

07)　$\underset{(\text{期首簿価})}{1,406 \text{千円}} \times 0.250 \times \dfrac{6 \text{カ月}}{12 \text{カ月}} \fallingdotseq 176 \text{千円}$

08)　$\underset{(\text{取得価額})}{3,000 \text{千円}} - \underset{(\text{下取価格})}{1,450 \text{千円}} = 1,550 \text{千円}$

09)　$\underset{(\text{下取価格})}{1,450 \text{千円}} - \underset{(\text{時価})}{1,200 \text{千円}} = 250 \text{千円}$

　　　取得原価：$3,000 \text{千円} - 250 \text{千円} = 2,750 \text{千円}$

10)　貸借差額

3/31・決算時

（借）減価償却費　430 ¹¹⁾（貸）車両減価償却累計額　430

11)　$2,750 \text{千円} \times 0.313 \times \dfrac{6 \text{カ月}}{12 \text{カ月}} \fallingdotseq 430 \text{千円}$

(4)　備品

3/31・決算時

（借）減価償却費　17,532 ¹²⁾（貸）備品減価償却累計額　17,532

12)　$85,109 \text{千円} \times 0.206 \fallingdotseq 17,532 \text{千円}$

(5)　後T/B項目の算定

現金預金：

$\underset{(\text{前T/B})}{125,000 \text{千円}} + 300,000 \text{千円} = 425,000 \text{千円}$

建物：

$\underset{(\text{前T/B})}{850,000 \text{千円}} - 400,000 \text{千円} = 450,000 \text{千円}$

車両：2,750 千円（車両B取得原価）

減価償却費：

$\underset{(\text{前T/B})}{176 \text{千円}} + 2,400 \text{千円} + 10,000 \text{千円} + 430 \text{千円}$
$+ 17,532 \text{千円} = 30,538 \text{千円}$

建物減価償却累計額：

$\underset{(\text{前T/B})}{118,000 \text{千円}} - 108,000 \text{千円} + 10,000 \text{千円}$
$= 20,000 \text{千円}$

車両減価償却累計額：430 千円（車両B）

備品減価償却累計額：

$\underset{(\text{前T/B})}{49,891 \text{千円}} + 17,532 \text{千円} = 67,423 \text{千円}$

問題 29　解答

×1年4月1日　　　　　　　　　　　　　　（単位：千円）

科　目	金　額	科　目	金　額
現　金　預　金	600,000	国庫補助金受贈益⁰¹⁾	600,000

×1年10月1日　　　　　　　　　　　　　（単位：千円）

科　目	金　額	科　目	金　額
備　　　　　品	1,000,000	現　金　預　金	1,000,000
固定資産圧縮損⁰²⁾	600,000	備　　　　　品	600,000

×2年3月31日　　　　　　　　　　　　（単位：千円）

科　目	金　額	科　目	金　額
減価償却費	36,000	備品減価償却累計額	36,000

01)　P/L 特別利益

02)　P/L 特別損失

解説

　圧縮記帳の適用は、企業の任意とされていますが、これを行うことによって課税上、国庫補助金受贈益（利益）と固定資産圧縮損（損失）が相殺され、課税を繰り延べることができます⁰³⁾。

減価償却費：

$\dfrac{(1,000,000 \text{千円} - 600,000 \text{千円}) \times 0.9}{5 \text{年}} \times \dfrac{6 \text{カ月}}{12 \text{カ月}}$
$= 36,000 \text{千円}$

03)　圧縮記帳を行うと取得原価が小さくなり減価償却費が減少するので、次期以降の課税金額は大きくなります。

問題 30　解答

決算整理後残高試算表　（単位：千円）

建　　　物	（ 220,000 ）	建物減価償却累計額	（ 87,200 ）
減価償却費	（ 6,200 ）	工事負担金	（ 20,000 ）
固定資産圧縮損	（ 20,000 ）		

解説

(1)　圧縮記帳の処理

（借）固定資産圧縮損　20,000　　（貸）建　　　物　20,000

(2)　減価償却費の計算

　建物の取得原価を既存分180,000千円（＝240,000千円−60,000千円）と新規分60,000千円に分けて計算します。

減価償却費（既存分）：

$$\frac{180,000 \text{千円} \times 0.9}{30 \text{年}} = 5,400 \text{千円}$$

減価償却費（新規分）：

$$\frac{(60,000 \text{千円} - \text{圧縮} 20,000 \text{千円}) \times 0.9}{30 \text{年}} \times \frac{8 \text{カ月}}{12 \text{カ月}}$$
$$= 800 \text{千円}$$

減価償却費合計額：

5,400 千円 ＋ 800 千円 ＝ 6,200 千円

建物減価償却累計額：

$\underset{(\text{前T/B})}{81,000 \text{千円}}$ ＋ 6,200 千円 ＝ 87,200 千円

問題 31　解答

貸借対照表（一部）　（単位：千円）

	：		
Ⅱ	固 定 資 産		
1	有形固定資産		
	建　　　物	（ 515,000 ）	
	減価償却累計額	（ 162,540 ）	（ 352,460 ）

損益計算書（一部）　（単位：千円）

	：	
Ⅲ	販売費及び一般管理費	
	修　　繕　　費	（ 60,000 ）
	減 価 償 却 費	（ 12,540 ）

解説

（以下、仕訳の単位：千円）

1　修繕費の按分

　改修費用のうち、耐用年数の延長に対応する部分は資本的支出として固定資産の取得原価に加算し、それ以外の部分は収益的支出として『修繕費』で処理します。期中は改修費用の全額を『修繕費』として処理しているので、資本的支出の部分を固定資産の取得原価に振り替えます。

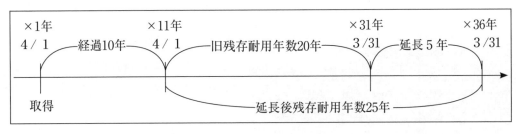

資本的支出：$75,000$ 千円 $\times \dfrac{5\,年}{25\,年} = 15,000$ 千円

（借）建　　　　物	15,000	（貸）修　繕　費	15,000

2　減価償却費

既償却額 150,000 千円	要償却額 300,000 千円	要償却額 13,500 千円
残存価額　50,000 千円		残存価額　1,500 千円

既存分
500,000 千円

資本的支出分
15,000 千円

（1）　既存分

取得原価から残存価額および既償却額を控除した残額（要償却額）を残存耐用年数で償却します。

要償却額：500,000 千円（取得原価）－50,000 千円（残存価額）－150,000 千円（既償却額）

　　　　　＝300,000 千円

減価償却費：要償却額 300,000 千円÷25 年＝12,000 千円

（2）　資本的支出分

資本的支出分から残存価額を控除した残額（要償却額）を残存耐用年数で償却します。

減価償却費：$\dfrac{15,000\,千円 \times 0.9}{25\,年} = 540$ 千円

（3）　合計

12,000 千円＋540 千円＝12,540 千円

（借）減 価 償 却 費	12,540	（貸）建物減価償却累計額	12,540

1 簿記一巡
2 現金預金
3 金銭債権
4 棚卸資産Ⅰ
5 有形固定資産
6 無形固定資産Ⅰ
7 営業費
8 金融商品Ⅰ

Chapter 6
無形固定資産 I

問題 1 解答

決算整理後残高試算表 （単位：千円）

特　許　権（	172,500 ）
商　標　権（	297,000 ）
鉱　業　権（	510,000 ）
特許権償却（	7,500 ）
商標権償却（	36,000 ）
鉱業権償却（	90,000 ）

解説

（以下、仕訳の単位：千円）

(1)　特許権

（借）特許権償却　7,500　（貸）特　許　権　7,500

当期償却額：$180,000 千円 \times \dfrac{4 カ月}{96 カ月^{01)}}$

$= 7,500$ 千円

01) 12 カ月 × 8 年 =96 カ月

特許権：$180,000 千円 - 7,500 千円 = 172,500 千円$

(2)　商標権

　商標権は前期に取得しており、前期において9 カ月分（×1. 7. 1 ～×2. 3.31）が償却済みのため、残り 111 カ月分（＝12 カ月×10 年 − 9 カ月）が前 T/B に計上されています。

（借）商標権償却 36,000　（貸）商　標　権 36,000

当期償却額：$333,000 千円 \times \dfrac{12 カ月}{111 カ月}$

$= 36,000$ 千円

商標権：$333,000 千円 - 36,000 千円 = 297,000 千円$

(3)　鉱業権

（借）鉱業権償却 90,000　（貸）鉱　業　権 90,000

当期償却額：$600,000 千円 \times \dfrac{1,500 トン}{10,000 トン}$

$= 90,000$ 千円

鉱業権：$600,000 千円 - 90,000 千円 = 510,000 千円$

問題 2 解答

（単位：千円）

	借方科目	金　　額	貸方科目	金　　額
(1)	諸　資　産	288,000	諸　負　債	160,000
	の　れ　ん	22,000 [01)]	現 金 預 金	150,000
(2)	のれん償却額	1,100 [02)]	の　れ　ん	1,100

01) 貸借差額

02) $\dfrac{22,000 千円}{20 年} = 1,100 千円$

解説

(1)　企業を買収した場合、支払金額と受入純資産額（＝諸資産−諸負債）との差額を『のれん』として計上します。

(2)　期末において、のれんを定額法により償却します。

問題 3 解答

×1年度の減価償却費	5,500	千円
×2年度の減価償却費	6,000	千円

解説

（以下、仕訳の単位：千円）

各年度の減価償却額
×1 年度

（借）ソフトウェア償却　5,500　（貸）ソフトウェア　5,500

当期償却額：$30,000 千円 \times \dfrac{11 カ月}{12 カ月 \times 5 年}$

$= 5,500$ 千円

×2年度

| (借)ソフトウェア償却 | 6,000 | (貸)ソフトウェア | 6,000 |

当期償却額：$30,000 \text{千円} \times \dfrac{12 \text{カ月}}{12 \text{カ月} \times 5 \text{年}}$

$\qquad = 6,000 \text{千円}$

問題4 解答

×3年度 ソフトウェア償却	**40,000**	千円
×4年度 ソフトウェア償却	**40,000**	千円
×5年度 ソフトウェア償却	**60,000**	千円
×6年度 ソフトウェア償却	**60,000**	千円

解説

　×3年度及び×4年度の減価償却費の計算は、取得当初に見積もられた、利用可能期間5年により行います。

×3年度

$200,000 \text{千円} \times \dfrac{1 \text{年}}{5 \text{年}} = 40,000 \text{千円}$

×4年度

$(200,000 \text{千円} - 40,000 \text{千円}) \times \dfrac{1 \text{年}}{5 \text{年} - 1 \text{年}}$

$= 40,000 \text{千円}$

　×5年度および×6年度の減価償却費の計算は、変更後の利用可能期間の2年により行います。

×5年度

$(200,000 \text{千円} - 80,000 \text{千円}^{01)}) \times \dfrac{1 \text{年}}{2 \text{年}}$

$= 60,000 \text{千円}$

01) $40,000 \text{千円} + 40,000 \text{千円} = 80,000 \text{千円}$

×6年度

$(200,000 \text{千円} - 140,000 \text{千円}^{02)}) \times \dfrac{1 \text{年}}{2 \text{年} - 1 \text{年}}$

$= 60,000 \text{千円}$

02) $80,000 \text{千円} + 60,000 \text{千円} = 140,000 \text{千円}$
　　または
　　$200,000 \text{千円} - 140,000 \text{千円} = 60,000 \text{千円}$

問題5 解答

【P／Lに計上される金額】

（単位：千円）

公共施設負担金償却	*320*
共同施設負担金償却	*400*

【B／Sに表示される金額】

（単位：千円）

公共施設負担金	*4,480*
共同施設負担金	*2,960*

解説

　償却方法と表示方法については、問題2の解説を確認してください。

(1) 公共施設負担金償却：

$4,800 \text{千円} \times \dfrac{8 \text{カ月}}{\underset{残存期間}{12 \text{カ月} \times 10 \text{年}}} = 320 \text{千円}$

公共施設負担金：

$\underset{負担金支出額}{4,800 \text{千円}} - \underset{当期償却額}{320 \text{千円}} = 4,480 \text{千円}$

(2) 共同施設負担金償却：

$3,360 \text{千円} \times \dfrac{10 \text{カ月}}{\underset{残存期間}{12 \text{カ月} \times 7 \text{年}}} = 400 \text{千円}$

共同施設負担金：

$3,360 \text{千円} - 400 \text{千円} = 2,960 \text{千円}$

※　なお、税法上の繰延資産である「公共施設負担金」や「共同施設負担金」は、投資その他の資産の区分に「長期前払費用」の科目で計上することもあります。その場合の償却額は「長期前払費用償却」の科目で、販売費及び一般管理費の区分に計上することとなります。

【P／Lに計上される金額】

（単位：千円）

の れ ん 償 却 額	80
特 許 権 償 却	288
実 用 新 案 権 償 却	120
商 標 権 償 却	150
借 地 権 償 却	0

【B／Sに表示される金額】

（単位：千円）

の れ ん	920
特 許 権	912
実 用 新 案 権	220
商 標 権	1,350
借 地 権	3,000

解説

1　償却方法

　無形固定資産は、原則として有形固定資産の取得の場合と同様に支払対価（取得原価）で計上します。無形固定資産は、有形固定資産と同様に規則的、計画的な償却が行われます。しかし、有形固定資産のように様々な配分基準が認められているわけではなく、原則的には定額法で償却します。

無形固定資産の種類	償却方法
法律上の権利	残存価額をゼロとして、法定存続期間にわたり、定額法により月割償却 ※本問では法定償却期間（法人税法で定めている償却期間）での償却を指示しています。
の れ ん	残存価額をゼロとして、20年以内の効果の及ぶ期間にわたり、定額法その他合理的な方法により月割償却

　①　残存価額はゼロとします。
　②　原則として定額法による償却が行われます。
　③　製造にかかるもの（製造経費）を除き、販売費及び一般管理費となります。

2　表示方法

　有形固定資産の減価償却累計額は、その有形固定資産が属する科目ごとに控除する形式で表示することが原則です（間接法）。また、減価償却累計額を直接、有形固定資産から控除する方法（直接法）による場合は、減価償却累計額を注記することが必要となります。

　これに対し、無形固定資産の償却額は、当該無形固定資産から直接控除し、未償却残高（控除後残高）が無形固定資産として計上されます（直接法）。

(1)　のれん償却額：

$$1,000 千円 \times \frac{12 カ月}{\underbrace{12 カ月 \times 20 年 - 90 カ月}_{残存期間}}$$

　＝ 80 千円

　のれん：1,000 千円 － 80 千円 ＝ 920 千円

(2)　特許権償却：

$$1,200 千円 \times \frac{12 カ月}{\underbrace{12 カ月 \times 8 年 - 46 カ月}_{残存期間}}$$

　＝ 288 千円

　特許権：1,200 千円 － 288 千円 ＝ 912 千円

1 簿記一巡

2 現金預金

3 金銭債権

4 棚卸資産 I

5 有形固定資産

6 無形固定資産 I

7 営業費

8 金融商品 I

(3) 実用新案権償却：

$$340 \text{千円} \times \frac{12 \text{カ月}}{\underset{\text{残存期間}}{\underline{12 \text{カ月} \times 5 \text{年} - 26 \text{カ月}}}}$$

= 120 千円

実用新案権：340 千円 - 120 千円 = 220 千円

(4) 商標権償却：

$$1,500 \text{千円} \times \frac{12 \text{カ月}}{\underset{\text{残存期間}}{\underline{12 \text{カ月} \times 10 \text{年}}}}$$

= 150 千円

商標権：1,500 千円 - 150 千円 = 1,350 千円

(5) 借地権は、指示がない限り償却は不要です。

ソフトウェア償却：

$$60,000 \text{千円} \times \frac{1 \text{年}}{4 \text{年} - 2 \text{年}} = 30,000 \text{千円}$$

ソフトウェア：

100,000 千円 - 40,000 千円 - 30,000 千円

= 30,000 千円

問題 7 解答

貸借対照表 (単位：千円)

Ⅱ 固定資産	
2 無形固定資産	
ソフトウェア	(*30,000*)

損益計算書 (単位：千円)

⋮	
Ⅲ 販売費及び一般管理費	
ソフトウェア償却	(*30,000*)

解説

　本問においては、期首に利用可能期間の見直しが行われていることから、×5年度のソフトウェア償却の計算は、未償却残高を変更後の残存利用可能期間にわたって費用処理することになります。そのため、本問では、変更後の利用可能期間の4年のうち2年はすでに経過済みであるため残存利用可能期間の2年で計算します。

×5年度期首の未償却残高の計算

$$100,000 \text{千円} \times \frac{2 \text{年}}{5 \text{年}} = 40,000 \text{千円}$$

100,000 千円 - 40,000 千円 = 60,000 千円

Chapter 7 営業費

問題 1 解答

(単位：千円)

		借方科目	金額	貸方科目	金額
(1)		給　料	700,000	預り金	70,000
				現金預金	630,000
(2)		預り金	35,000	現金預金	53,000
		法定福利費	18,000		
(3)		賞　与	41,000	現金預金	41,000
(4)	①	賞与引当金繰入	30,000	賞与引当金	30,000
	②	賞与引当金	30,000	現金預金	45,000
		賞　与	15,000		

解説

(1) 源泉徴収額は、『預り金』（流動負債）とし
ていったん計上しておき、後日、会社が従業
員の代わりに支払います。
(2) 社会保険料を納付するさいには、従業員か
ら預かった源泉徴収額とあわせて会社負担
分（法定福利費）を納付します。
(3) 当期負担分の賞与については『賞与』で処
理します。
(4) ① 支給対象期間が当期と翌期にまたが
っているので、支給総額を期間按分して
当期に属する部分を『賞与引当金繰入』
として費用計上します。

$$45,000 千円 \times \frac{4 カ月（12月～3月）}{6 カ月（12月～5月）} = 30,000 千円$$

② 翌期の賞与支払時には、まず『賞与
引当金』を取り崩し、残額（翌期に属
する部分）を『賞与』として翌期の費
用として計上します。

問題 2 解答

(単位：千円)

	借方科目	金額	貸方科目	金額
(1)	役員報酬	80,000	現金預金	80,000
(2)	役員賞与引当金繰入	165,000	役員賞与引当金	165,000
(3)	役員賞与引当金	165,000	現金預金	165,000

解説

(1) 役員報酬は従業員の給料と同じく、支払額
を費用処理します。
(2) 役員賞与については、当期の職務にかかる
役員賞与を、翌期の株主総会の決議を経て支
給するので、期末時点では当該株主総会決議
事項とする額またはその見込額を『役員賞与
引当金』として繰り入れます。『役員賞与引
当金繰入』については月割計算がないため、
従業員賞与の場合より計算は容易です。
(3) 役員賞与の支払いにつき、前期に設定した
引当金を取り崩します。

問題 3 解答

（単位：円）

		借方科目	金　額	貸方科目	金　額
(1)	①	消耗品費	20,000	現金預金	20,000
	②	消耗品	1,000 [01]	消耗品費	1,000
(2)	①	消耗品	20,000	現金預金	20,000
	②	消耗品費	19,000	消耗品	19,000
(3)	①	通信費	17,500	現金預金	17,500
	②	貯蔵品	2,000	通信費	2,000

01) 20,000 円（当期購入）－ 19,000 円（当期使用）
＝ 1,000 円

解説

(1)と(2)：消耗品の期末未使用分は、『**消耗品**』と
して資産計上します。なお、この消耗
品は、短期で消費される財として棚卸
資産に該当します。

(3)：郵便切手の期末残高は、『**貯蔵品**』として計
上します。

問題 4 解答

決算整理後残高試算表 （単位：千円）

科　目	金　額	科　目	金　額
現 金 預 金	(110,000)	預 り 金	(5,900)
貯 蔵 品	(200)	未 払 費 用	(2,810)
給 料	(329,300)		
法 定 福 利 費	(33,720)		
通 信 費	(12,550)		

解説

（以下、仕訳の単位：千円）

1 通信費

期末において、期首繰越分を当期の費用に振
り替え、期末未使用分を『**貯蔵品**』として資産
計上します。

（借）通 信 費 250 （貸）貯 蔵 品 250

（借）貯 蔵 品 200 （貸）通 信 費 200

2 仮払金

「2月に『預り金』として処理した源泉徴収額」
および「2月分の会社負担社会保険料」につい
て支払いが済んでいますが、期中は『**仮払金**』
で処理しているので、適切な処理に改めます。

（借）預 り 金 5,400 （貸）仮 払 金 8,210
　　　法定福利費 2,810

3 給料

期中は差引支給額しか費用計上していないた
め、源泉徴収額（所得税・住民税・社会保険料）
を含めた総額に修正します。なお、3月分の会
社負担社会保険料は、期末現在未納かつ支払期
間が到来していないので『**未払費用**』で処理し
ます。

（借）給 料 5,300 （貸）預 り 金 5,300

（借）法定福利費 2,810 [01] （貸）未 払 費 用 2,810

01) 給料明細の社会保険料の金額と同額を計上します。

問題 5 解答

①	エ	②	ウ	③	キ	④	ク
⑤	コ	⑥	ウ	⑦	オ		

解説

販売費と一般管理費をわざわざ区別するメリ
ットは小さいので、一括で処理します。ただし、
営業費であっても臨時的なものや異常な原因に
よるものは、特別損失に計上されることもあり
ます。

問題 6 解答

（単位：千円）

科　目	金　額
給 料	(163,000)
役 員 報 酬	(50,000)
賞 与 引 当 金 繰 入 額	(14,000)

人件費に関する問題です。人件費の処理は、期中取引に該当しますので、決算における処理は、引当金の計上と期中処理の修正が中心になってきます。

1 給料

(1) 役員報酬の計上

役員報酬は従業員の給料と区別して計上します。

(借) 役 員 報 酬 50,000 (貸) 給 料 50,000

(2) 給料の計上

期中処理の訂正を行います。

①期中に行った仕訳

(借) 仮 払 金 12,250 (貸) 現 金 預 金 12,250

②正しい仕訳

(借) 給 料 13,000 (貸) 現 金 預 金 12,250
預 り 金 750

③修正仕訳（＝①の逆仕訳＋②）

(借) 給 料 13,000 (貸) 仮 払 金 12,250
預 り 金 750

よって、給料の後T／B金額は次のようになります。

給料：$\underset{(\text{前T／B})}{200,000}$ 千円 － 50,000 千円 + 13,000 千円
　　　＝ 163,000 千円

2 賞与

問題文の指示に従い、『**賞与引当金**』を計上します。

(借) 賞与引当金繰入 14,000 (貸) 賞与引当金 14,000

販売費及び一般管理費の内訳

（単位：千円）

科　　　　　目	金　　　額
給 料 手 当	(400,000)
賞 与	(46,500)
〔退 職 給 付 費 用〕	(56,000)
租 税 公 課	23,300
通 信 費	(32,250)
事 務 用 消 耗 品 費	(5,050)
賞 与 引 当 金 繰 入 額	(18,000)
〔研 究 開 発 費〕	(100,000)
そ の 他 の 費 用	318,900
合 計	(1,000,000)

販売費及び一般管理費の内訳に関する問題です。一つひとつの処理を丁寧に行うように心がけましょう。

1 貯蔵品に関する事項

郵便切手の未使用分は『**通信費**』に加減します。

(1)前期末未使用分の処理（貯蔵品 →通信費）

(借) 通 信 費 260 (貸) 貯 蔵 品 260

(2)当期末未使用分の処理（通信費 → 貯蔵品）

(借) 貯 蔵 品 310 (貸) 通 信 費 310

通 信 費：32,300 千円 + 260 千円 － 310 千円
　　　　　＝ 32,250 千円

2 事務用消耗品に関する事項

未使用分以外は、『**事務用消耗品費**』として費用計上します。

(借) 事務用消耗品費 5,050 [01] (貸) 事務用消耗品 5,050

01) 5,540 千円－ 490 千円（未使用分）＝ 5,050 千円

3 仮払金に関する事項

研究開発にかかる支出は、『**研究開発費**』として費用計上します。

(借) 研究開発費 100,000 (貸) 仮 払 金 100,000

4　給料手当に関する事項

退職給付にかかる費用は、給料手当には含めずに『退職給付費用』として計上します。

（借）退職給付費用 56,000	（貸）給 料 手 当 56,000

給料手当：456,000 千円 − 56,000 千円

$$= 400,000 \text{ 千円}$$

5　賞与に関する事項

(1)賞与引当金の取崩し

前T／Bに計上されている 11,000 千円については、当期中の賞与の支払いに備えた引当金であるため、これを取り崩す処理を行います。

（借）賞与引当金 11,000	（貸）賞　　　与 11,000

賞与：57,500 千円 − 11,000 千円 = 46,500 千円

(2)賞与引当金の設定

問題文の指示に従い、当期負担分につき『賞与引当金』を計上します。

（借）賞与引当金繰入 18,000	（貸）賞与引当金 18,000

1 簿記一巡

2 現金預金

3 金銭債権

4 棚卸資産Ⅰ

5 有形固定資産

6 無形固定資産Ⅰ

7 営業費

8 金融商品Ⅰ

Chapter 8

金融商品 I

（単位：千円）

	借方科目	金　額	貸方科目	金　額
(1)	有価証券[01]	61,000	現金預金	61,000
(2)	有価証券	32,000	現金預金	32,000
(3)	仕訳なし			
(4)	現金預金	70,050	有価証券	69,750
			有価証券売却損益	300

01）日商簿記などで使った、『売買目的有価証券』でも、
　　仕訳は正解です。ただし、本試験や総合問題では『有
　　価証券』として記載されることが多いので、問題文
　　の指示に注意してください。

※有価証券売却損益は『有価証券売却益』や『有
　価証券運用損益』でも可

解　説

(1) @500千円 × 120株 + 1,000千円 = 61,000千円

(2) @525千円 × 60株 + 500千円 = 32,000千円

(3) 無償取得は「株式数のみの増加」としてと
　　らえ、仕訳は行いません。ただし、株式の単
　　価は計算しなおします。

　　無償取得後の株式単価：

$$\frac{61,000 千円 + 32,000 千円}{120 株 + 60 株 + 20 株} = @465 千円$$

(4) 売却額：

　　@475千円 × 150株 − 手数料1,200千円

　　= 70,050千円

　　売却原価：@465千円 × 150株 = 69,750千円

　　売却額 ⎫
　　売却原価 ⎭ 差額：売却損益

(1)　総平均法

売却損益　　△322　千円

期末株式単価　126.4　千円

(2)　移動平均法

売却損益　　110　千円

期末株式単価　128　千円

解　説

　売却にともなう手数料を売却損益の修正とし
て処理しているので、売却額と売却原価（帳簿
価額）との差額が売却損益になります。

　売却額：@126千円 × 180株 − 250千円（手
数料）= 22,430千円

(1) 総平均法

（単位：千円）

	取　得			払　出			残　高		
	株式数	単価	合計	株式数	単価	合計	株式数	単価	合計
期首	100	120.0	12,000						
6/30	250	125.6	31,400 *01)						
9/30				180	?	?			
1/31	100	134.8	13,480 *02)						
期末	450	**126.4**	56,880	180	**126.4**	22,752	270	**126.4**	34,128

*01）@125 千円×250株＋150 千円（手数料）＝31,400 千円
*02）@133 千円×100株＋180 千円（手数料）＝13,480 千円

期末株式単価：$\dfrac{56,880 \text{千円}}{450 \text{株}} = @126.4 \text{千円}$

売却損益：22,430 千円－@126.4 千円×180 株＝△ 322 千円（売却損）

(2) 移動平均法

（単位：千円）

	取　得			払　出			残　高		
	株式数	単価	合計	株式数	単価	合計	株式数	単価	合計
期首	100	120.0	12,000				100	120.0	12,000
6/30	250	125.6	31,400				350	124.0	43,400
9/30				180	**124.0**	**22,320**	170	124.0	21,080
1/31	100	134.8	13,480				270	128.0	34,560
期末							270	**128.0**	**34,560**

売却損益：22,430 千円－@124.0 千円×180 株＝110 千円（売却益）
期末株式単価：

$$\frac{21,080 \text{千円（9/30 の残高）} + 13,480 \text{千円（1/31 購入合計）}}{270 \text{株（1/31 の残高）}} = @128 \text{千円}$$

1 簿記一巡

2 現金預金

3 金銭債権

4 棚卸資産Ⅰ

5 有形固定資産

6 無形固定資産Ⅰ

7 営業費

8 金融商品Ⅰ

（単位：円）

	借方科目	金　額	貸方科目	金　額
(1)	有　価　証　券	237,500	現　金　預　金	241,250
	有価証券利息	3,750		
(2)	現　金　預　金	7,500	有価証券利息	7,500
(3)	現　金　預　金	245,000	有　価　証　券	237,500
			有価証券売却損益	5,000
			有価証券利息	2,500

解説

　債券の売買取引にともない生じる端数利息（経過利息）の処理に関する問題です。端数利息の処理は日商2級で学習した内容でもあるので、ここで一度復習しておきましょう。

＜タイムテーブル＞

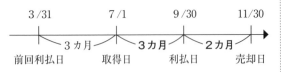

3/31	7/1	9/30	11/30
前回利払日	取得日	利払日	売却日

（1）取得日

　有価証券購入額：$250,000 \text{円} \times \dfrac{@95\text{円}}{@100\text{円}}$
$= 237,500 \text{円}$

　有価証券利息：$250,000 \text{円} \times 0.06 \times \dfrac{3\text{カ月}}{12\text{カ月}}$
$= 3,750 \text{円}$（端数利息支払額）

　現金支払額＝有価証券購入額＋端数利息支払額

（2）利払日

　有価証券利息：$250,000 \text{円} \times 0.06 \times \dfrac{6\text{カ月}}{12\text{カ月}}$
$= 7,500 \text{円}$（クーポン利息受取額）

（3）売却日

　有価証券売却額：$250,000 \text{円} \times \dfrac{@97\text{円}}{@100\text{円}}$
$= 242,500 \text{円}$

　有価証券利息：$250,000 \text{円} \times 0.06 \times \dfrac{2\text{カ月}}{12\text{カ月}}$
$= 2,500 \text{円}$（端数利息受取額）

　現金受取額＝有価証券売却額＋端数利息受取額
　売却損益：貸借差額

問題④　解答

（1）切放法を採用した場合

（単位：円）

	借方科目	金　額	貸方科目	金　額
①	有　価　証　券	564,300	現　金　預　金	564,300
②	有　価　証　券	5,700	有価証券評価損益	5,700
③	仕　訳　な　し			
④	有　価　証　券	960,000	現　金　預　金	960,000
⑤	現　金　預　金	1,150,000	有　価　証　券	1,147,500
	支払手数料	3,500	有価証券売却益	6,000
⑥	有価証券評価損益	1,500	有　価　証　券	1,500

（2）洗替法を採用した場合

（単位：円）

	借方科目	金　額	貸方科目	金　額
①	有　価　証　券	564,300	現　金　預　金	564,300
②	有　価　証　券	5,700	有価証券評価損益	5,700
③	有価証券評価損益	5,700	有　価　証　券	5,700
④	有　価　証　券	960,000	現　金　預　金	960,000
⑤	現　金　預　金	1,150,000	有　価　証　券	1,143,225
	支払手数料	3,500	有価証券売却益	10,275
⑥	有価証券評価損益	75	有　価　証　券	75

解説

　売買目的有価証券の評価につき、(1)切放法および(2)洗替法を採用した場合を比較します。

（1）切放法の場合
　①　取得原価：
　　　@3,750円×150株＋1,800円（手数料）
　　　= 564,300円

② 評価損益：

@3,800 円（時価）× 150 株 − 564,300 円
（簿価）＝ 5,700 円（評価益）

③ 振戻仕訳：行いません

④ 取得原価：

@3,825 円 × 250 株 + 3,750 円（手数料）
＝ 960,000 円

⑤ 売却額：

@3,845 円 × 300 株 ＝ 1,153,500 円

単価：$\dfrac{564,300 円 + 5,700 円 + 960,000 円}{150 株 + 250 株}$
＝ @3,825 円

∴売却原価：@3,825 円 × 300 株
＝ 1,147,500 円

売却損益：1,153,500 円 − 1,147,500 円
＝ 6,000 円（売却益）

⑥ 評価損益：

@3,810 円（時価）× 100 株 − @3,825 円（簿価）[01]
× 100 株 ＝ △ 1,500 円（評価損）

01）⑤の売却単価計算より。

(2) 洗替法の場合

① 取得原価：

@3,750 円 × 150 株 + 1,800 円（手数料）
＝ 564,300 円

② 評価損益：

@3,800 円（時価）× 150 株 − 564,300 円（簿価）
＝ 5,700 円（評価益）

③ 振戻仕訳：

前期末の仕訳の逆仕訳を行います

④ 取得原価：

@3,825 円 × 250 株 + 3,750 円（手数料）
＝ 960,000 円

⑤ 売却額：

@3,845 円 × 300 株 ＝ 1,153,500 円

単価：$\dfrac{564,300 円 + 5,700 円 − 5,700 円^{\text{02)}} + 960,000 円}{150 株 + 250 株}$
＝ @3,810.75 円

02）前期末に計上した評価益 5,700 円を当期首に振戻
処理するため、5,700 円をマイナスします。

∴売却原価：@3,810.75 円 × 300 株 ＝ 1,143,225 円

売却損益：1,153,500 円 − 1,143,225 円
＝ 10,275 円（売却益）

⑥ 評価損益：

@3,810 円（時価）× 100 株 − @3,810.75（簿価）[03]
× 100 株 ＝ △ 75 円（評価損）

03）⑤の売却単価計算より。

問題 ⑤ 解答

(1) 利息法を用いた場合

（単位：円）

	借方科目	金 額	貸方科目	金 額
①	投資有価証券	282,000	現金預金	282,000
②	現金預金	9,000	有価証券利息	11,703
	投資有価証券	2,703		
③	現金預金	9,000	有価証券利息	11,815
	投資有価証券	2,815		
④	仕訳なし			

(2) 定額法を用いた場合

（単位：円）

	借方科目	金 額	貸方科目	金 額
①	投資有価証券	282,000	現金預金	282,000
②	現金預金	9,000	有価証券利息	9,000
③	現金預金	9,000	有価証券利息	9,000
④	投資有価証券	6,000	有価証券利息	6,000

解説

利払日が年に2回のため、実効利子率や券面利子率は半年分に換算して計算する点に注意が必要です。

(1) 利息法の場合

利息法を採用した場合、利息計上時に（期中仕訳として）償却額も計上します。

1 簿記一巡

2 現金預金

3 金銭債権

4 棚卸資産 I

5 有形固定資産

6 無形固定資産 I

7 営業費

8 金融商品 I

利払日	(1)調整前帳簿価額	(2)利息配分額 $=(1)×$実効利子率	(3)券面利息額	(4)償 却 額 $=(2)-(3)$	(5)調整後帳簿価額 $=(1)+(4)$
×1.9.30	282,000	11,703	9,000	2,703	284,703
×2.3.31	284,703	11,815	9,000	2,815	287,518
9.30	287,518	11,932	9,000	2,932	290,450
×3.3.31	290,450	12,054	9,000	3,054	293,504
9.30	293,504	12,180	9,000	3,180	296,684
×4.3.31	296,684	12,316	9,000	3,316 *01)	300,000

01) ×4.3.31 の利払日の償却額の計算は、額面金額と×3.9.30 の調整後帳簿価額との差額で計算します。
300,000 円－296,684 円＝3,316 円

② ×1年9月30日（第1回利払日）

利息配分額：282,000 円(調整前簿価)×0.083(実効利子率)× $\dfrac{6 カ月}{12 カ月}$ ＝11,703 円

券面利息額：300,000 円(額面)×0.06(券面利子率)× $\dfrac{6 カ月}{12 カ月}$ ＝9,000 円

償 却 額：11,703 円(利息配分額)－9,000 円(券面利息額)＝2,703 円

調整後帳簿価額：282,000 円(調整前簿価)＋2,703 円(償却額)＝284,703 円

③ ×2年3月31日（第2回利払日）

利息配分額：284,703 円(調整前簿価)×0.083(実効利子率)× $\dfrac{6 カ月}{12 カ月}$ ≒ 11,815 円

券面利息額：300,000 円(額面)×0.06(券面利子率)× $\dfrac{6 カ月}{12 カ月}$ ＝9,000 円

償 却 額：11,815 円(利息配分額)－9,000 円(券面利息額)＝2,815 円

④ ×2年3月31日(当社の決算日)
利払日と決算日が一致している場合は、利息法の決算整理仕訳はありません。

(2) 定額法の場合
定額法を採用した場合、償却額の計上は、決算日に決算整理仕訳として行います。
よって、利払日には券面利息額の仕訳のみ行います。

定額法による償却額：｛300,000 円(額面)－282,000 円(取得原価)｝× $\dfrac{12 カ月}{36 カ月}$ ＝6,000 円

1 簿記一巡

2 現金預金

3 金銭債権

4 棚卸資産Ⅰ

5 有形固定資産

6 無形固定資産Ⅰ

7 営業費

8 金融商品Ⅰ

問題 6　解答

解説

問題5と同様に、利払日が年に2回のため、実効利子率や券面利子率は半年分に換算して計算する点に注意が必要です。

(1)　利息法を用いた場合

(単位：円)

	借方科目	金　額	貸方科目	金　額
①	投資有価証券	282,000	現金預金	282,000
②	現金預金	9,000	有価証券利息	11,703
	投資有価証券	2,703		
③	未収収益	3,000	有価証券利息	3,938
	投資有価証券	938		
④	有価証券利息	3,000	未収収益	3,000
⑤	現金預金	9,000	有価証券利息	10,877
	投資有価証券	1,877		

(2)　定額法を用いた場合

(単位：円)

	借方科目	金　額	貸方科目	金　額
①	投資有価証券	282,000	現金預金	282,000
②	現金預金	9,000	有価証券利息	9,000
③	未収収益	3,000	有価証券利息	7,000
	投資有価証券	4,000		
④	有価証券利息	3,000	未収収益	3,000
⑤	現金預金	9,000	有価証券利息	9,000

(1)　利息法の場合

利息法を採用した場合、利息計上時に償却額も計上します。さらに、決算整理仕訳として未収分の券面（クーポン）利息および償却原価法による償却額を認識します。

なお、期末における処理は、問題の指示により、決算日の次にくる利払日（本問では毎年7月31日）の利息配分額を求め、そこから期間按分（ $\frac{2カ月}{6カ月}$ ）で求めます。

(単位：円)

利払日	(1)調整前帳簿価額	(2)利息配分額 =(1)×実効利子率	(3)券面利息額	(4)償却額 =(2)−(3)	(5)調整後帳簿価額 =(1)+(4)
×2.1.31	282,000	11,703	9,000	2,703	284,703
7.31	284,703	11,815	9,000	2,815	287,518
×3.1.31	287,518	11,932	9,000	2,932	290,450
7.31	290,450	12,054	9,000	3,054	293,504
×4.1.31	293,504	12,180	9,000	3,180	296,684
7.31	296,684	12,316	9,000	3,316 [01]	300,000

01)　×4.7.31の利払日の償却額の計算は、額面金額と×4.1.31の調整後帳簿価額との差額で計算します。
　　300,000円−296,684円＝3,316円

②　×2年1月31日（第1回利払日）

利息配分額：282,000円（調整前簿価）×0.083（実効利子率）× $\frac{6カ月}{12カ月}$ ＝11,703円

券面利息額：300,000円（額面）×0.06（券面利子率）× $\frac{6カ月}{12カ月}$ ＝9,000円

償　却　額：11,703円（利息配分額）−9,000円（券面利息額）＝2,703円

調整後帳簿価額：282,000円（調整前簿価）＋2,703円（償却額）＝284,703円

③ ×2年3月31日（決算日）

まず、次の利払日（×2年7月31日）における利息配分額および受取予定の券面利息額を求めます。

利息配分額：284,703円（調整前簿価）× 0.083（実効利子率）× $\dfrac{6\text{カ月}}{12\text{カ月}}$ ≒ 11,815円

券面利息額：300,000円（額面）× 0.06（券面利子率）× $\dfrac{6\text{カ月}}{12\text{カ月}}$ = 9,000円

償　却　額：11,815円（利息配分額）− 9,000円（券面利息額）= 2,815円

次に、この計算結果をもとに期間按分により、償却額と未収利息を求めます。

償　却　額：2,815円 × $\dfrac{2\text{カ月}}{6\text{カ月}}$ ≒ 938円　未 収 利 息：9,000円 × $\dfrac{2\text{カ月}}{6\text{カ月}}$ = 3,000円

④ ×2年4月1日（翌期首）

未収利息について、再振替仕訳を行います。

⑤ ×2年7月31日（第2回利払日）

③で求めた金額から決算日に計上した償却額を控除して償却額を求めます。

償　却　額：2,815円 − 938円 = 1,877円　　券面利息額：9,000円（実際受取額）

(2)　定額法の場合

定額法を採用した場合、償却額の計上は、決算日に決算整理仕訳として行います。

よって、利払日には券面利息額の仕訳のみ行います。

定額法による償却額：｛300,000円（額面）− 282,000円（取得原価）｝× $\dfrac{8\text{カ月}}{36\text{カ月}}$ = 4,000円

問 題 7　　　　　　　　　　　　　　　　　　　　　　　　　　　　　　　**解 答**

①	925,000
②	940,000
③	15,137
④	2,846,463
⑤	7,777

1 第x1回国債

(単位：円)

利払日	(1)調整前帳簿価額	(2)利息配分額 =(1)×実効利子率	(3)券面利息額	(4)償却額 =(2)−(3)	(5)調整後帳簿価額 =(1)+(4)
×2. 3.31	925,000	55,685	50,000	5,685	930,685
×3. 3.31	930,685	56,027	50,000	6,027	936,712
×4. 3.31	936,712	56,390	50,000	6,390	943,102

＜×2. 3.31＞

利息配分額＝調整前帳簿価額×実効利子率なので、

調整前帳簿価額（取得原価）： $\dfrac{55,685 円（利息配分額）}{0.0602（実効利子率）} = 925,000 円$

クーポン利息額：1,000,000 円（額面）×0.05（金利）＝50,000 円

償　却　額：55,685 円−50,000 円＝5,685 円

調整後帳簿価額：925,000 円＋5,685 円＝930,685 円

＜×3. 3.31＞

利息配分額：930,685 円×0.0602≒56,027 円

償　却　額：56,027 円−50,000 円＝6,027 円

調整後帳簿価額：930,685 円＋6,027 円＝936,712 円

＜×4. 3.31＞

利息配分額：936,712 円×0.0602≒56,390 円

償　却　額：56,390 円−50,000 円＝6,390 円

調整後帳簿価額：936,712 円＋6,390 円＝943,102 円

2 第x2回国債

(単位：円)

利払日	(1)調整前帳簿価額	(2)利息配分額 =(1)×実効利子率	(3)券面利息額	(4)償却額 =(2)−(3)	(5)調整後帳簿価額 =(1)+(4)
×3. 3.31	940,000	54,614	50,000	4,614	944,614
×4. 3.31	944,614	54,882	50,000	4,882	949,496

＜×3. 3.31＞

利息配分額：110,641 円（合計額）−56,027 円（第x1回国債分）＝54,614 円

調整前帳簿価額（取得原価）： $\dfrac{54,614 円（利息配分額）}{0.0581（実効利子率）} = 940,000 円$

償　却　額：54,614 円−50,000 円＝4,614 円

調整後帳簿価額：940,000 円＋4,614 円＝944,614 円

＜×4. 3.31＞

利息配分額：944,614 円×0.0581≒54,882 円

償　却　額：54,882 円−50,000 円＝4,882 円

調整後帳簿価額：944,614 円＋4,882 円＝949,496 円

右側縦タブ：
1 簿記一巡
2 現金預金
3 金銭債権
4 棚卸資産Ⅰ
5 有形固定資産
6 無形固定資産Ⅰ
7 営業費
8 金融商品Ⅰ

3 第 x 3 回国債

(単位：円)

利払日	(1)調整前帳簿価額	(2)利息配分額 ＝(1)×実効利子率	(3)券面利息額	(4)償 却 額 ＝(2)−(3)	(5)調整後帳簿価額 ＝(1)+(4)
×4. 3.31	950,000	53,865	50,000	3,865	953,865

　　＜×4. 3.31＞

　　　　利息配分額：165,137 円（合計額）− 56,390 円（第 x 1 回国債分）− 54,882 円（第 x 2 回国債分）

　　　　　　　　　　＝53,865 円

　　　　調整前帳簿価額（取得原価）： $\dfrac{53,865 \text{ 円（利息配分額）}}{0.0567 \text{（実効利子率）}}$ ＝950,000 円

　　　　償　　却　　額：53,865 円 − 50,000 円 ＝ 3,865 円

　　　　調整後帳簿価額：950,000 円 + 3,865 円 ＝ 953,865 円

4　解答要求事項の算定

　① 第 x 1 回国債取得原価：925,000 円

　② 第 x 2 回国債取得原価：940,000 円

　③ ×4 年 3 月末計上の償却額：6,390 円 + 4,882 円 + 3,865 円 ＝ 15,137 円

　④ ×4 年 3 月末時点の合計額：943,102 円 + 949,496 円 + 953,865 円 ＝ 2,846,463 円

　⑤ 時価合計と④との差額：(945,670 円 + 952,220 円 + 956,350 円) − 2,846,463 円 ＝ 7,777 円

問題 8　解答

(1)　全部純資産直入法によった場合

　① 時価が 275,000 円の場合

(単位：円)

	借 方 科 目	金 額	貸 方 科 目	金 額
当期末	投 資 有 価 証 券 [01]	25,000	その他有価証券評価差額金	25,000
翌期首	その他有価証券評価差額金	25,000	投 資 有 価 証 券	25,000

　　01）日商簿記などで使った『その他有価証券』でも、仕訳は正解です。ただし、本試験や総合問題では『投資有価証券』として記載されることが多いので、問題文の指示に注意してください。

　② 時価が 230,000 円の場合

(単位：円)

	借 方 科 目	金 額	貸 方 科 目	金 額
当期末	その他有価証券評価差額金	20,000	投 資 有 価 証 券	20,000
翌期首	投 資 有 価 証 券	20,000	その他有価証券評価差額金	20,000

1 簿記一巡
2 現金預金
3 金銭債権
4 棚卸資産Ⅰ
5 有形固定資産
6 無形固定資産Ⅰ
7 営業費
8 金融商品Ⅰ

(2) 部分純資産直入法によった場合

① 時価が 275,000 円の場合 (単位：円)

	借方科目	金額	貸方科目	金額
当期末	投資有価証券	25,000	その他有価証券評価差額金	25,000
翌期首	その他有価証券評価差額金	25,000	投資有価証券	25,000

② 時価が 230,000 円の場合 (単位：円)

	借方科目	金額	貸方科目	金額
当期末	投資有価証券評価損益	20,000	投資有価証券	20,000
翌期首	投資有価証券	20,000	投資有価証券評価損益	20,000

解説

部分純資産直入法で評価損が生じたときは、『投資有価証券評価損益』で処理します。

問題 9 解答

(単位：千円)

	借方科目	金額	貸方科目	金額
(1)	現金預金	18,000	有価証券利息	18,000
	投資有価証券	6,000	有価証券利息	6,000
	投資有価証券	7,000	その他有価証券評価差額金	7,000
(2)	その他有価証券評価差額金	7,000	投資有価証券	7,000

解説

(以下、仕訳の単位：千円)

(1) ×2年3月31日（第1回利払日・決算日）

（期中仕訳の金額）

クーポン利息額：300,000 千円（額面）

$$\times\ 0.06 = 18{,}000\ 千円$$

（決算整理仕訳）

まず「①償却原価法適用」の仕訳を行い、その後「②時価評価」の仕訳を行います。

① 償却原価法適用

償却額：$(300{,}000\ 千円\ \underset{(額面)}{} - 282{,}000\ 千円\ \underset{(取得原価)}{})$

$$\times\ \frac{12\ カ月}{36\ カ月} = 6{,}000\ 千円$$

（借）投資有価証券 6,000　（貸）有価証券利息 6,000

調整後帳簿価額（償却原価）：

282,000 千円（原価）＋ 6,000 千円（償却額）

＝ 288,000 千円

② 時価評価

（借）投資有価証券 7,000　（貸）その他有価証券評価差額金 7,000[01]

01) 295,000 千円（期末の時価）－ 288,000 千円（期末の簿価）＝ 7,000 千円

なお、（①＋②）にクーポン利息の処理を加えた以下の仕訳も正解となります。

（借）現金預金 18,000　（貸）有価証券利息 24,000
（借）投資有価証券 13,000　（貸）その他有価証券評価差額金 7,000

(2) ×2年4月1日（翌期首）

(1) の仕訳のうち、決算整理事項②の仕訳のみ振り戻します。

問 題 10　　解 答

3,986	千円

解 説

（以下、仕訳の単位：千円）

（1）　A社株式（売買目的有価証券）

　①　売却時（×2.9.10）

　　切放法を採用しているために、前期末時価にもとづき計算します。

（借）現 金 預 金　5,700　（貸）有 価 証 券　5,300 [01]
　　　　　　　　　　　　　（貸）有価証券売却損益　400

　01）売却原価：26,500 千円× 0.2 ＝ 5,300 千円

　②　決算時

（借）有価証券評価損益　700 [02]　（貸）有 価 証 券　700

　02）評価損益：20,500 千円－（26,500 千円－ 5,300 千円）＝△ 700 千円

（2）　B社社債（満期保有目的債券）

　・利払日（×3.3.31）

（借）現 金 預 金　2,100　（貸）有 価 証 券 利 息　2,786 [03]
（借）投資有価証券　686 [04]

　03）利息配分額：39,796 千円× 0.07 ≒ 2,786 千円

　04）償却額：2,786 千円－ 2,100 千円（クーポン利息）＝ 686 千円

（3）　C社株式（その他有価証券）

　①　期首（振戻仕訳）

（借）投資有価証券　1,500　（貸）投資有価証券評価損益　1,500 [05]

　05）評価損益：19,500 千円（前期末時価）－ 21,000 千円（原価）＝△ 1,500 千円

　②　決算時

　　決算時に評価替えを行います。

（借）投資有価証券　500　（貸）その他有価証券評価差額金　500 [06]

　06）評価損益：21,500 千円（当期末時価）－ 21,000 千円（原価）＝ 500 千円

（4）　解答の金額の算定

　①　営業外収益：4,686 千円 [07]

　②　営業外費用：　　700 千円

　　　　　　　　　 3,986 千円

　07）400 千円＋ 2,786 千円＋ 1,500 千円

問 題 11　　解 答

科　目	金　額	科　目	金　額
投資有価証券評価損	45,000	投資有価証券	45,000

貸借対照表価額　| 35,000 | 千円

解 説

1　実質価額（B／S価額）：

$$\frac{420,000 \text{千円（A社純資産）}^{01)}}{120 \text{株（発行済株式数）}} \times 10 \text{株} = 35,000 \text{千円}$$

　01）1,050,000 千円（諸資産）－ 630,000 千円（諸負債）＝ 420,000 千円

2　投資有価証券評価損：

$$\underset{\text{（実質価額）}}{35,000 \text{千円}} - \underset{\text{（取得原価）}}{80,000 \text{千円}}^{02)} = \triangle 45,000 \text{千円}$$

　02）@8,000 千円× 10 株＝ 80,000 千円

問 題 12　　解 答

決算整理後残高試算表			（単位：千円）
有 価 証 券（ 179,000 ）		その他有価証券評価差額金（ 5,200 ）
投資有価証券（ 665,000 ）		有価証券利息（ 4,950 ）
関係会社株式（ 315,000 ）		有価証券評価損益（ 3,000 ）
投資有価証券評価損（ 135,000 ）		
関係会社株式評価損（ 525,000 ）		

解 説

（以下、仕訳の単位：千円）

（1）　A社株式（売買目的有価証券）

（借）有 価 証 券　3,000　（貸）有価証券評価損益　3,000 [01]

　01）評価損益：$\underset{\text{（時価）}}{30,000 \text{千円}} - \underset{\text{（簿価）}}{27,000 \text{千円}} = 3,000 \text{千円}$

（2）　B社株式（その他有価証券・減損処理の対象）

（借）投資有価証券評価損 135,000 [02]　（貸）投資有価証券 135,000

　02）評価損：$\underset{\text{（時価）}}{85,000 \text{千円}} - \underset{\text{（簿価）}}{220,000 \text{千円}}$
　　　　　　　＝△ 135,000 千円

(3) C社株式（その他有価証券）

(借) 投資有価証券 5,000 ⁰³⁾ (貸) その他有価証券評価差額金 5,000

 03) 評価差額：80,000 千円 − 75,000 千円
       (時価)   (簿価)
       ＝ 5,000 千円

(4) D社社債（その他有価証券）

 期末時価は帳簿価額（額面金額）と一致しています。

(5) E社社債（その他有価証券・償却原価法適用）

 ① 取得原価の計算

$$150{,}000 \text{ 千円} \times \frac{@96 \text{ 千円}}{@100 \text{ 千円}} = 144{,}000 \text{ 千円}$$

 ② 券面利息受取の処理（未処理事項）

(借) 現 金 預 金 3,750 (貸) 有価証券利息 3,750 ⁰⁴⁾

 04) 150,000 千円 × 0.025 ＝ 3,750 千円
    (額面金額)
 ③ 決算整理事項の処理
(ⅰ) 償却原価法の適用

(借) 投資有価証券 1,200 (貸) 有価証券利息 1,200 ⁰⁵⁾

$$05)\ (150{,}000 \text{ 千円} - 144{,}000 \text{ 千円}) \times \frac{12 \text{ カ月}}{60 \text{ カ月}}$$
     (額面)   (取得原価)
    ＝ 1,200 千円

(ⅱ) 時価評価

(借) 投資有価証券 200 ⁰⁶⁾ (貸) その他有価証券評価差額金 200

 06) 149,000 千円 −（147,600 千円 ＋ 1,200 千円）
    (時価)   (償却原価)
    ＝ 200 千円

(ⅲ) 有価証券への振替え

 問題文の指示により、翌期に満期日が到来するため『有価証券』に期末時価で振り替えます。

(借) 有 価 証 券 149,000 (貸) 投資有価証券 149,000

Point

 この有価証券の振替えは「有価証券の保有目的の変更」とは違います。満期日が1年以内の有価証券は、B/S表示上「有価証券（流動資産）」に含めて表示するための仕訳です。そのため、保有目的は「その他」から変更がないので、翌期首における評価差額の振戻仕訳は行うことになります。

(6) F社株式（子会社株式）

(借) 関係会社株式評価損 525,000 (貸) 関係会社株式 525,000

評価損：840,000 千円（簿価）

$$- \frac{450{,}000 \text{ 千円（純資産）}}{\text{発行済 15,000 株}} \times 10{,}500 \text{ 株}$$
      期末における実質価額 315,000 千円

   ＝ 525,000 千円

問題 13

(1) 約定日基準

貸 借 対 照 表
×2年3月31日 （単位：千円）

資産の部		負債の部	
科　目	金　額	科　目	金　額
Ⅰ　流動資産		Ⅰ　流動負債	
（有価証券）	(29,000)	（未払金）	(26,000)
（未収入金）	(24,500)	：	：

損 益 計 算 書
自×1年4月1日
至×2年3月31日 （単位：千円）

：	：
Ⅳ　営 業 外 収 益	
（有価証券評価益）	(3,000)
（有価証券売却益）	(2,500)

(2) 修正受渡日基準

貸 借 対 照 表
×2年3月31日 （単位：千円）

資産の部		負債の部	
科　目	金　額	科　目	金　額
Ⅰ　流動資産		Ⅰ　流動負債	
（有価証券）	(27,500)	（ － ）	(－)
（ － ）	(－)	：	：

損 益 計 算 書
自×1年4月1日
至×2年3月31日 （単位：千円）

：	：
Ⅳ　営 業 外 収 益	
（有価証券評価益）	(3,000)
（有価証券売却益）	(2,500)

1 簿記一巡
2 現金預金
3 金銭債権
4 棚卸資産Ⅰ
5 有形固定資産
6 無形固定資産Ⅰ
7 営業費
8 金融商品Ⅰ

（1）約定日基準

1　A社株式

有価証券の購入契約をしたときに有価証券の発生を認識します。期末には時価評価します。

（借）有 価 証 券 26,000　（貸）未 払 金 26,000
（借）有 価 証 券 3,000　（貸）有価証券評価損益 3,000

2　B社株式

有価証券の売却契約をしたときに有価証券の消滅を認識します。

（借）未 収 入 金 24,500　（貸）有 価 証 券 22,000
　　　　　　　　　　　　　　有価証券売却損益 2,500

（2）修正受渡日基準

1　A社株式

約定日から決算日までの時価の変動のみを認識します。

（借）有 価 証 券 3,000　（貸）有価証券評価損益 3,000

2　B社株式

約定日に売却損益のみを認識します。

（借）有 価 証 券 2,500　（貸）有価証券売却損益 2,500

貸 借 対 照 表

×2年3月31日　　（単位：千円）

資産の部		負債の部	
科　目	金　額	科　目	金　額
Ⅰ　流動資産		：	：
（有価証券）	（21,250）	純 資 産 の 部	
Ⅱ　固定資産		：	：
3　投資その他の資産		Ⅱ　評価・換算差額等	
投資有価証券	（14,000）	（その他有価証券評価差額金）	（1,000）
（関係会社株式）	（11,500）	：	：

損 益 計 算 書

自×1年4月1日
至×2年3月31日　　（単位：千円）

：	：
Ⅳ　営 業 外 収 益	
（有 価 証 券 利 息）	（300）
（有価証券評価益）	（500）
：	：
Ⅶ　特 別 損 失	
（関係会社株式評価損）	（4,500）

銘柄	種類	貸借対照表価額	表示区分	評価差額	表示区分
A社株式	売買目的有価証券	16,500千円	流動資産	500千円	営業外収益
B社株式	その他有価証券	14,000千円	固定資産	1,000千円	純資産（B／S）
C社社債	満期保有目的の債券	4,750千円	流動資産	―	―
D社株式	関連会社株式	2,500千円	固定資産	△4,500千円	特別損失
E社株式	子会社株式	9,000千円	固定資産	―	―

A社株式

売買目的なので時価で評価します。

（借）有価証券　500　　（貸）有価証券評価損益　500

B社株式

その他有価証券で時価があるので、時価で評価します。全部純資産直入法によるので、評価差額は貸借対照表の純資産の部に表示します。

（借）投資有価証券　1,000　　（貸）その他有価証券評価差額金　1,000

C社社債

満期保有目的の債券で、取得原価と額面金額との差額が金利の調整ではないので取得原価で評価します。また、貸借対照表日の翌日から1年以内に満期が到来するので、流動資産に表示します。

（借）現金預金　300　　（貸）有価証券利息　300[01]

01)　5,000千円 × 0.06 ＝ 300千円

D社株式

発行済株式の30%を保有しているので、関連会社株式です。時価が取得原価の50%以上下落し、回復の可能性が不明なので減損処理します。

（借）関係会社株式評価損　4,500　　（貸）関係会社株式　4,500

E社株式

発行済株式の80%を保有しているので、子会社株式であり取得原価で評価します。

貸借対照表

有価証券：

$$\underset{\text{A社株式}}{16,500\text{千円}} + \underset{\text{C社社債}}{4,750\text{千円}} = 21,250\text{千円}$$

関係会社株式：

$$\underset{\text{D社株式}}{2,500\text{千円}} + \underset{\text{E社株式}}{9,000\text{千円}} = 11,500\text{千円}$$

問題15　解答

貸借対照表

×2年3月31日　　（単位：千円）

資産の部		負債の部	
科目	金額	科目	金額
Ⅰ　流動資産	:	:	:
（未収収益）　（80）		純資産の部	
Ⅱ　固定資産	:	:	:
3　投資その他の資産		Ⅱ　評価・換算差額等	
（投資有価証券）（29,000）		（その他有価証券評価差額金）（200）	
関係会社株式　（9,600）		:	:

〈貸借対照表等に関する注記〉

親会社株式が投資その他の資産に6,300千円計上されている。

損益計算書

自×1年4月1日
至×2年3月31日　　（単位：千円）

:	:
Ⅳ　営業外収益	
（有価証券利息）（840）	
Ⅴ　営業外費用	
（投資有価証券評価損）（400）	
:	:
Ⅶ　特別損失	
（関係会社株式評価損）（4,700）	

1 簿記一巡
2 現金預金
3 金銭債権
4 棚卸資産Ⅰ
5 有形固定資産
6 無形固定資産Ⅰ
7 営業費
8 金融商品Ⅰ

銘　　柄	種　　類	貸借対照表価額	表示区分	評価差額	表示区分
Ｐ社株式	その他有価証券	15,600千円	固定資産	△400千円	営業外費用
Ｑ社株式	子会社株式	3,300千円	固定資産	△4,700千円	特別損失
Ｒ社社債	満期保有目的の債券	13,400千円	固定資産	―	―
Ｓ社株式	親会社株式	6,300千円	固定資産	200千円	純資産(B/S)

Ｐ社株式

部分純資産直入法によるので、時価が取得原価を下回る評価差額は、当期の損失とします。

（借）投資有価証券評価損益　400 [01]　（貸）投資有価証券　400

01）　15,600千円－16,000千円＝△400千円

Ｑ社株式

市場価格がありません。ただし、財政状態の悪化により実質価額が著しく低下しているので、実質価額を貸借対照表価額とし、評価差額は当期の損失とし特別損失として表示します。また、議決権の60％を保有しているので、関係会社株式になります。

（借）関係会社株式評価損　4,700 [02]　（貸）関係会社株式　4,700

02）　（18,000千円－12,500千円）× 0.6
　　　＝ 3,300千円（実質価額）
　　　3,300千円－8,000千円＝△4,700千円

Ｒ社社債

償却原価法（定額法）によります。償還日が×5年6月30日なので、取得原価と額面金額との差額を4年で償却します。当期の7月1日に取得したので、9カ月分を当期に償却します。また、利払日と決算日が異なるので、未収利息の計算が必要です。

（借）投資有価証券　600　（貸）有価証券利息　600 [03]
（借）未収収益　80　（貸）有価証券利息　80 [04]

03）　（16,000千円－12,800千円）× $\dfrac{9カ月}{48カ月}$
　　　＝ 600千円

04）　16,000千円× 0.02 × $\dfrac{3カ月}{12カ月}$ ＝ 80千円

Ｓ社株式

時価が取得原価を上回る評価差額は、貸借対照表の純資産の部に表示します。また、親会社株式になるのでその旨の注記をします。

（借）関係会社株式　200　（貸）その他有価証券評価差額金　200 [05]

05）　6,300千円－6,100千円＝200千円

貸借対照表

投資有価証券：

$\underset{\text{Ｐ社株式}}{15,600千円} + \underset{\text{Ｒ社社債}}{13,400千円} = 29,000千円$

関係会社株式：

$\underset{\text{Ｑ社株式}}{3,300千円} + \underset{\text{Ｓ社株式}}{6,300千円} = 9,600千円$

損益計算書

有価証券利息：

$16,000千円 × 0.02 × \dfrac{9カ月}{12カ月} + 600千円$
$= 840千円$

税理士試験教材のラインナップ

● 税理士試験に合格するためのメイン教材

税理士試験教科書・問題集・理論集

ネットスクール税理士 WEB 講座の講師陣が自ら「確実に合格できる教材づくり」をコンセプトに執筆・監修した教材です。

税理士試験の合格に必要な内容を効率よく、かつ、挫折しないように工夫した『教科書』、計算力を身に付ける『問題集』、理論問題対策の『理論集』から構成されており、どの科目の教材も、豊富な図解と受験生がつまずきやすいポイントを押さえた、ネットスクール税理士 WEB 講座でも使用している教材です。

簿記論・財務諸表論の教材

税理士試験教科書　簿記論・財務諸表論I　基礎導入編【2025年度版】	3,630円（税込）	好評発売中
税理士試験問題集　簿記論・財務諸表論I　基礎導入編【2025年度版】	3,300円（税込）	好評発売中
税理士試験教科書　簿記論・財務諸表論II　基礎完成編【2025年度版】	2024 年 9 月発売	
税理士試験問題集　簿記論・財務諸表論II　基礎完成編【2025年度版】	2024 年 9 月発売	
税理士試験教科書　簿記論・財務諸表論III　応用編【2025年度版】	2024 年11月発売	
税理士試験問題集　簿記論・財務諸表論III　応用編【2025年度版】	2024 年11月発売	
税理士試験教科書　財務諸表論　理論編【2025年度版】	2024 年12月発売	

☆簿記論・財務諸表論の方はこちらもオススメ！☆

穂坂式 つながる会計理論

税理士 財務諸表論 穂坂式 つながる会計理論【第2版】	2,640円（税込）	好評発売中

過去問ヨコ解き問題集

税理士試験過去問ヨコ解き問題集 簿記論【第3版】	3,740 円（税込）	好評発売中
税理士試験過去問ヨコ解き問題集 財務諸表論【第 5 版】	3,740 円（税込）	好評発売中

● 試験前の総仕上げには必須のアイテム！

ラストスパート模試　　毎年5〜6月ごろ発売予定

試験直前期は、出題予想に基づいた『ラストスパート模試』で総仕上げ！
全3回分の本試験さながらの模擬試験を収載。
分かりやすい解説とともに直前期の得点力 UP をサポートします。

※ 画像や内容は 2024 年度版をベースにしたものです。変更となる場合もございます。

● 税理士試験の学習を本格的に始める前に…

知識ゼロでも大丈夫！　税理士試験のための簿記入門

税理士試験向けの独自の内容で簿記の基本が学習できる1冊です。
本書を読むことで、税理士試験の簿記論に直結した基礎学習が可能なので、簿記の学習経験が無い方や基礎が不安な方にオススメです。
2,640 円（税込）好評発売中！

法人税法の教材

税理士試験教科書・問題集　法人税法I　基礎導入編【2025年度版】	3,300円（税込）	好評発売中
税理士試験教科書　法人税法II　基礎完成編【2025年度版】	2024 年 9 月発売	
税理士試験問題集　法人税法II　基礎完成編【2025年度版】	2024 年 9 月発売	
税理士試験教科書　法人税法III　応用編【2025年度版】	2024 年12月発売	
税理士試験問題集　法人税法III　応用編【2025年度版】	2024 年12月発売	
税理士試験理論集　法人税法【2025年度版】	2024 年 9 月発売	

相続税法の教材

税理士試験教科書・問題集　相続税法I　基礎導入編【2025年度版】	3,300円（税込）	好評発売中
税理士試験教科書　相続税法II　基礎完成編【2025年度版】	2024 年 9 月発売	
税理士試験問題集　相続税法II　基礎完成編【2025年度版】	2024 年 9 月発売	
税理士試験教科書　相続税法III　応用編【2025年度版】	2024 年12月発売	
税理士試験問題集　相続税法III　応用編【2025年度版】	2024 年12月発売	
税理士試験理論集　相続税法【2025年度版】	2024 年 9 月発売	

消費税法の教材

税理士試験教科書・問題集　消費税法I　基礎導入編【2025年度版】	3,300円（税込）	好評発売中
税理士試験教科書　消費税法II　基礎完成編【2025年度版】	2024 年 9 月発売	
税理士試験問題集　消費税法II　基礎完成編【2025年度版】	2024 年 9 月発売	
税理士試験教科書　消費税法III　応用編【2025年度版】	2024 年12月発売	
税理士試験問題集　消費税法III　応用編【2025年度版】	2024 年12月発売	
税理士試験理論集　消費税法【2025年度版】	2024 年 9 月発売	

国税徴収法の教材

税理士試験教科書　国税徴収法【2025年度版】	4,620円（税込）	好評発売中
税理士試験理論集　国税徴収法【2025年度版】	2024 年 9 月発売	

書籍のお求めは全国の書店・インターネット書店、またはネットスクールWEB-SHOPをご利用ください。

ネットスクール WEB-SHOP

https://www.net-school.jp/

ネットスクール WEB-SHOP ｜ 検索

※ 書名・価格・発行年月は変更する場合もございますので、予めご了承ください。（2024 年 8 月現在)

本書の発行後に公表された法令等及び試験制度の改正情報、並びに判明した誤りに関する訂正情報については、弊社WEBサイト内の『読者の方へ』にてご案内しておりますので、ご確認下さい。

https://www.net-school.co.jp/

なお、万が一、誤りではないかと思われる箇所のうち、弊社WEBサイトにて掲載がないものにつきましては、**書名（ＩＳＢＮコード）と誤りと思われる内容**のほか、お客様の**お名前及び郵送の場合**はご返送先の郵便番号とご住所を明記の上、弊社まで**郵送またはe‐mail**にてお問い合わせ下さい。

＜郵送先＞ 〒101－0054
東京都千代田区神田錦町3－23メットライフ神田錦町ビル３階
ネットスクール株式会社　正誤問い合わせ係

＜e‐mail＞ seisaku@net-school.co.jp

※正誤に関するもの以外のご質問、本書に関係のないご質問にはお答えできません。
※**お電話によるお問い合わせはお受けできません。**ご了承下さい。

税理士試験　問題集

簿記論・財務諸表論Ⅰ　基礎導入編　【2025年度版】

2024年8月8日　初版　第1刷

著　　　　者	ネットスクール株式会社	
発　行　者	桑原知之	
発　行　所	ネットスクール株式会社　出版本部	
	〒101－0054　東京都千代田区神田錦町3－23	
	電 話　03（6823）6458（営業）	
	ＦＡＸ　03（3294）9595	
	https://www.net-school.co.jp	
執 筆 総 指 揮	熊取谷貴志	
表紙デザイン	株式会社オセロ	
編　　　　集	吉川史織　加藤由季	
ＤＴＰ制作	中嶋典子　石川祐子　吉永絢子	
	有限会社ドアーズ本舎　長谷川正晴	
印 刷 ・ 製 本	日経印刷株式会社	

©Net-School 2024　Printed in Japan　ISBN 978-4-7810-3822-3

落丁・乱丁本はお取り替えいたします。

〈別冊〉答案用紙

ご利用方法

以下の答案用紙は、この紙を残したまま
ていねいに抜き取りご利用ください。
なお、抜取りのさいの損傷によるお取替
えはご遠慮願います。

解き直しのさいには…
答案用紙ダウンロードサービス

ネットスクール HP（https://www.net-school.co.jp/）➡ 読者の方へ
をクリック

Chapter 1 簿記一巡

➡問題 P.1-2　　➡解答・解説 P.1-1

問題 1　損益勘定と残高勘定　簿A（6分）　　基本

問1　（単位：千円）

損　益

月日	摘　　　要	金　額	月日	摘　　　要	金　額

問2　（単位：千円）

残　高

月日	摘　　　要	金　額	月日	摘　　　要	金　額

➡問題 P.1-2　　➡解答・解説 P.1-1

問題 2　損益整理1　簿A（7分）　　基本

問1　[　　　　　　] 円

問2　[　　　　　　] 円

問3　[　　　　　　] 円

問4　[　　　　　　] 円

問5

支　払　利　息　　（単位：円）

月日	摘　　　要	金　額	月日	摘　　　要	金　額

➡問題 P.1-3　　➡解答・解説 P.1-2

問題 3　損益整理2　簿A（5分）

基本

（単位：円）

	借　方　科　目	金　　額	貸　方　科　目	金　　額
1				
2				

➡問題 P.1-4　　➡解答・解説 P.1-3

問題 4　簿記一巡1　簿A（10分）

基本

(1)

（単位：千円）

借　方　科　目	金　　額	貸　方　科　目	金　　額

(2)

（単位：千円）

	借　方　科　目	金　　額	貸　方　科　目	金　　額
①				
②				
③				
④				
⑤				
⑥				

1 簿記一巡
2 現金預金
3 金銭債権
4 棚卸資産Ⅰ
5 有形固定資産
6 無形固定資産Ⅰ
7 営業費
8 金融商品Ⅰ

(3)

① 損益振替仕訳

(単位：千円)

借　方　科　目	金　　額	貸　方　科　目	金　　額

② 利益振替仕訳

(単位：千円)

借　方　科　目	金　　額	貸　方　科　目	金　　額

③ 残高振替仕訳

(単位：千円)

借　方　科　目	金　　額	貸　方　科　目	金　　額

問題 5　簿記一巡 2　簿 A（30分）　応用

問1　決算整理前残高試算表

決算整理前残高試算表
×2年3月31日　　　　　　　　　　（単位：千円）

現　　　　　金	（　　　）	支　払　手　形	（　　　）
当　座　預　金	（　　　）	買　　掛　　金	（　　　）
受　取　手　形	（　　　）	借　　入　　金	（　　　）
売　　掛　　金	（　　　）	貸　倒　引　当　金	（　　　）
繰　越　商　品	（　　　）	建物減価償却累計額	（　　　）
建　　　　　物	（　　　）	備品減価償却累計額	（　　　）
備　　　　　品	（　　　）	資　　本　　金	（　　　）
仕　　　　　入	（　　　）	利　益　準　備　金	（　　　）
営　　業　　費	（　　　）	繰越利益剰余金	（　　　）
貸　倒　損　失	（　　　）	売　　　　　上	（　　　）
支　払　利　息	（　　　）		
	（　　　）		（　　　）

問2　決算整理後残高試算表

決算整理後残高試算表
×2年3月31日　　　　　　　　　　（単位：千円）

現　　　　　金	（　　　）	支　払　手　形	（　　　）
当　座　預　金	（　　　）	買　　掛　　金	（　　　）
受　取　手　形	（　　　）	借　　入　　金	（　　　）
売　　掛　　金	（　　　）	未　払　法　人　税　等	（　　　）
繰　越　商　品	（　　　）	未　払　利　息	（　　　）
前　払　営　業　費	（　　　）	貸　倒　引　当　金	（　　　）
建　　　　　物	（　　　）	建物減価償却累計額	（　　　）
備　　　　　品	（　　　）	備品減価償却累計額	（　　　）
売　上　原　価	（　　　）	資　　本　　金	（　　　）
営　　業　　費	（　　　）	利　益　準　備　金	（　　　）
貸倒引当金繰入	（　　　）	繰越利益剰余金	（　　　）
貸　倒　損　失	（　　　）	売　　　　　上	（　　　）
減　価　償　却　費	（　　　）		
支　払　利　息	（　　　）		
法　人　税　等	（　　　）		
	（　　　）		（　　　）

問3 損益勘定、繰越利益剰余金勘定および繰越試算表

損　　　益　　　　　　　　（単位：千円）

3/31	売 上 原 価	（　　　）	3/31 売　　　上 （　　　）
〃	営 業 費	（　　　）	
〃	貸倒引当金繰入	（　　　）	
〃	貸 倒 損 失	（　　　）	
〃	減 価 償 却 費	（　　　）	
〃	支 払 利 息	（　　　）	
〃	法 人 税 等	（　　　）	
〃	繰越利益剰余金	（　　　）	
		（　　　）	（　　　）

繰越利益剰余金　　　　　　（単位：千円）

3/31 次 期 繰 越 （　　　）	4/1 前 期 繰 越 （　　　）	
	3/31 損　　　益 （　　　）	
（　　　）	（　　　）	

繰 越 試 算 表
×2年3月31日　　　　　（単位：千円）

現　　　　金	（　　　）	支 払 手 形	（　　　）
当 座 預 金	（　　　）	買 掛 金	（　　　）
受 取 手 形	（　　　）	借 入 金	（　　　）
売 掛 金	（　　　）	未 払 法 人 税 等	（　　　）
繰 越 商 品	（　　　）	未 払 利 息	（　　　）
前 払 営 業 費	（　　　）	貸 倒 引 当 金	（　　　）
建　　　　物	（　　　）	建物減価償却累計額	（　　　）
備　　　　品	（　　　）	備品減価償却累計額	（　　　）
		資 本 金	（　　　）
		利 益 準 備 金	（　　　）
		繰 越 利 益 剰 余 金	（　　　）
	（　　　）		（　　　）

問4　損益計算書および貸借対照表

損 益 計 算 書

自 ×1年4月1日　至 ×2年3月31日（単位：千円）

Ⅰ　売上高　　　　　　　　　　　　　　　　　　　（　　　　　）
Ⅱ　売上原価
　　1　期首商品棚卸高　　　　　（　　　　　）
　　2　当期商品仕入高　　　　　（　　　　　）
　　　　　合　　計　　　　　　　（　　　　　）
　　3　期末商品棚卸高　　　　　（　　　　　）　（　　　　　）
　　　　売 上 総 利 益　　　　　　　　　　　　　（　　　　　）
Ⅲ　販売費及び一般管理費
　　1　営　業　費　　　　　　　（　　　　　）
　　2　貸倒引当金繰入　　　　　（　　　　　）
　　3　貸 倒 損 失　　　　　　　（　　　　　）
　　4　減 価 償 却 費　　　　　（　　　　　）　（　　　　　）
　　　　営 業 利 益　　　　　　　　　　　　　　（　　　　　）
Ⅳ　営業外費用
　　1　支 払 利 息　　　　　　　　　　　　　　（　　　　　）
　　　　税引前当期純利益　　　　　　　　　　　（　　　　　）
　　　　法 人 税 等　　　　　　　　　　　　　　（　　　　　）
　　　　当 期 純 利 益　　　　　　　　　　　　（　　　　　）

貸 借 対 照 表

×2年3月31日　　　　　　　　（単位：千円）

現　　　　　金	（　　　）	支 払 手 形	（　　　）
当 座 預 金	（　　　）	買 掛 金	（　　　）
受 取 手 形 （　　）		借 入 金	（　　　）
売 掛 金 （　　）		未払法人税等	（　　　）
貸倒引当金（　　　）	（　　　）	未 払 費 用	（　　　）
商　　　　　品	（　　　）	資 本 金	（　　　）
前 払 費 用	（　　　）	利 益 準 備 金	（　　　）
建　　　　　物 （　　）		繰越利益剰余金	（　　　）
減価償却累計額 （　　）	（　　　）		
備　　　　　品 （　　）			
減価償却累計額 （　　）	（　　　）		
	（　　　）		（　　　）

1 簿記一巡
2 現金預金
3 金銭債権
4 棚卸資産Ⅰ
5 有形固定資産
6 無形固定資産Ⅰ
7 営業費
8 金融商品Ⅰ

問題 6　簿記一巡 3　簿A（30分）　応用

	損			益			（単位：千円）
9/30	仕 入	（ ）		9/30	売 上	（ ）	
〃	貸倒引当金繰入	（ ）		〃	受 取 利 息	（ ）	
〃	減 価 償 却 費	（ ）					
〃	支 払 家 賃	（ ）					
〃	法 人 税 等	（ ）					
〃	繰越利益剰余金	（ ）					
		（ ）				（ ）	

	繰越利益剰余金						（単位：千円）
12/25	未 払 配 当 金	（ ）		10/1	前 期 繰 越	（ ）	
〃	別 途 積 立 金	（ ）		9/30	損 益	（ ）	
〃	利 益 準 備 金	（ ）					
9/30	残 高	（ ）					
		（ ）				（ ）	

	残			高			（単位：千円）
9/30	現 金 預 金	（ ）		9/30	支 払 手 形	（ ）	
〃	受 取 手 形	（ ）		〃	買 掛 金	（ ）	
〃	売 掛 金	（ ）		〃	未 払 法 人 税 等	（ ）	
〃	繰 越 商 品	（ ）		〃	貸 倒 引 当 金	（ ）	
〃	貸 付 金	（ ）		〃	前 受 金	（ ）	
〃	前 払 金	（ ）		〃	未 払 家 賃	（ ）	
〃	未 収 利 息	（ ）		〃	資 本 金	（ ）	
〃	備 品	（ ）		〃	利 益 準 備 金	（ ）	
				〃	別 途 積 立 金	（ ）	
				〃	繰越利益剰余金	（ ）	
		（ ）				（ ）	

問題 7　貸借対照表の作成　集計A（5分）　基本

1 簿記一巡

2 現金預金

3 金銭債権

4 棚卸資産Ⅰ

5 有形固定資産

6 無形固定資産Ⅰ

7 営業費

8 金融商品Ⅰ

貸借対照表

甲株式会社　　　×2年3月31日現在　　　（単位：千円）

	（　　　　　　）			（　　　　　　）	
Ⅰ（　　　　　　　）			Ⅰ（　　　　　　　）		
現 金 預 金		45,000	買 掛 金		30,000
売 掛 金	20,000		短 期 借 入 金		15,000
貸 倒 引 当 金	△ 400	19,600	未 払 費 用		700
有 価 証 券		4,500	（　　　　　）合計		（　　　　）
商 品		3,800	Ⅱ（　　　　　　　）		
短 期 貸 付 金		10,000	長 期 借 入 金		7,000
未 収 収 益		800	退 職 給 付 引 当 金		3,800
（　　　　　）合計		（　　　　）	（　　　　　）合計		（　　　　）
Ⅱ（　　　　　　　）			（　　　　　）合計		（　　　　）
1（　　　　　　　）			（　　　　　　）		
建 物	24,000		Ⅰ 株 主 資 本		
減価償却累計額	△ 2,500	21,500	1（　　　　　　　）		50,000
土 地		15,000	2（　　　　　　　）		
（　　　　　）合計		（　　　　）	(1)（　　　　　）	5,000	
2（　　　　　　　）			(2)その他資本剰余金	500	
特 許 権		3,000	（　　　　　）合計		（　　　　）
（　　　　　）合計		（　　　　）	3（　　　　　　　）		
3（　　　　　　　）			(1)（　　　　　）	1,500	
投 資 有 価 証 券		4,000	(2)その他利益剰余金		
長 期 貸 付 金		7,000	別 途 積 立 金	5,000	
（　　　　　）合計		（　　　　）	（　　　　　）	17,700	
（　　　　　）合計		（　　　　）	（　　　　　）合計		（　　　　）
Ⅲ（　　　　　　　）			株 主 資 本 合 計		（　　　　）
開 発 費		2,000	（　　　　　）合計		（　　　　）
（　　　　　）合計		（　　　　）	（　　　　　）合計		（　　　　）
（　　　　　）合計		（　　　　）			

Chapter 2　現金預金

→問題 P.2-2　→解答・解説 P.2-1

問題 1　現金の範囲と現金過不足　簿A（3分）　基本

決算整理後残高試算表　　　　　　　　（単位：千円）

現　　　　　金	（　　　）	受 取 配 当 金	（　　　）
貯　蔵　品	（　　　）	有 価 証 券 利 息	（　　　）
租 税 公 課	（　　　）		
通　信　費	（　　　）		
雑　損　失	（　　　）		

→問題 P.2-3　→解答・解説 P.2-2

問題 2　銀行勘定調整表の作成 1　簿A（5分）　基本

問1

銀行勘定調整表

甲銀行	×2年3月31日		（単位：千円）
当座預金残高	（　　　）	銀行残高証明書残高	（　　　）
加算：		加算：	
〔　　　〕	（　　　）	〔　　　〕 （　　　）	
		〔　　　〕 （　　　）	（　　　）
減算：		減算：	
〔　　　〕	（　　　）	〔　　　〕	（　　　）
	（　　　）		（　　　）

問2

（単位：千円）

借　方　科　目	金　　額	貸　方　科　目	金　　額

問3

　　当座預金の金額　[　　　　　]　千円

問 題 3 　銀行勘定調整表の作成2 　簿C（3分）　　基本

（1）銀行残高基準法

銀行勘定調整表

×2年3月31日　　　　　（単位：千円）

銀行残高証明書残高　　　　　　　　　　　（　　　　　）

　　加算：　〔　　　　　〕（　　　　　）

　　　　　　〔　　　　　〕（　　　　　）

　　　　　　〔　　　　　〕（　　　　　）（　　　　　）

　　減算：　〔　　　　　〕（　　　　　）

　　　　　　〔　　　　　〕（　　　　　）（　　　　　）

　　当座預金残高　　　　　　　　　　　　（　　　　　）

（2）企業残高基準法

銀行勘定調整表

×2年3月31日　　　　　（単位：千円）

当座預金残高　　　　　　　　　　　　　　（　　　　　）

　　加算：　〔　　　　　〕（　　　　　）

　　　　　　〔　　　　　〕（　　　　　）（　　　　　）

　　減算：　〔　　　　　〕（　　　　　）

　　　　　　〔　　　　　〕（　　　　　）

　　　　　　〔　　　　　〕（　　　　　）（　　　　　）

　　銀行残高証明書残高　　　　　　　　　（　　　　　）

問 題 4 　現金過不足1 　簿A（4分）　　基本

（単位：円）

借　方　科　目	金　　額	貸　方　科　目	金　　額

問 題 5　現金過不足2　簿A（8分）　基本

（単位：円）

借　方　科　目	金　　額	貸　方　科　目	金　　額

問 題 6　銀行勘定調整及び現金過不足　簿A（10分）　応用

（設問1）

修正後残高試算表（一部）　　　　（単位：円）

現　金　預　金	（　　　　）	買　掛　金	（　　　　）
受　取　手　形	（　　　　）	⋮	
売　掛　金	（　　　　）	⋮	
有　価　証　券	300,000	⋮	
⋮		（　　　）（　　　　）	
支　払　利　息	1,800	（　　　）（　　　　）	
（　　　）	（　　　　）	⋮	
⋮		⋮	

（設問2）

現　　　金 _____ 円　　　　当 座 預 金 _____ 円

定 期 預 金 _____ 円

問 題 7　当座借越　簿計B（3分）　基本

貸 借 対 照 表　　　　（単位：千円）

資　産　の　部		負　債　の　部	
科　　目	金　　額	科　　目	金　　額
（　　　　）	（　　　　）	（　　　　）	（　　　　）

問題 8 現金の範囲 統A (3分) 基本

貸借対照表 (単位：千円)

資　産　の　部		負　債　の　部	
科　　目	金　　額	科　　目	金　　額
現　金　預　金	（　　　　　）	買　　掛　　金	（　　　　　）
（　　　　　　　　）	（　　　　　）	長　期　借　入　金	1,200
長　期　性　預　金	（　　　　　）		

〈貸借対照表等に関する注記〉

問題 9 当座預金と小口現金 簿B (5分) 応用

決算整理後残高試算表 (単位：千円)

借　方　科　目	金　　額	貸　方　科　目	金　　額
現　金　預　金		買　　掛　　金	
売　　掛　　金			
営　　業　　費			

1 簿記一巡
2 現金預金
3 金銭債権
4 棚卸資産 I
5 有形固定資産
6 無形固定資産 I
7 営業費
8 金融商品 I

問題 10　総合問題　簿A（8分）　応用

問1

現金の実際有高の金額　　[　　　　　]　千円

問2

決算整理後の当座預金残高　[　　　　　]　千円

決算整理前の当座預金残高　[　　　　　]　千円

問3

決算整理後残高試算表　　　　　　（単位：千円）

借　方　科　目	金　　額	貸　方　科　目	金　　額
現　金　預　金		支　払　手　形	
受　取　手　形		買　　掛　　金	
売　　掛　　金		未　　払　　金	
貯　　蔵　　品		受　取　配　当　金	
租　税　公　課		雑　　収　　入	
通　　信　　費			
雑　　損　　失			

問題 11　預金の処理　簿A（8分）　（本試験改題）応用

決算整理後残高試算表　　　　　　（単位：千円）

借	方	貸	方
科　　　　目	金　　額	科　　　　目	金　　額
現　　　　金		買　　掛　　金	
当　座　預　金		借　　入　　金	
定　期　預　金		受　取　利　息	
売　　掛　　金			
未　収　収　益			
営　　業　　費			

Chapter 3　金銭債権

➡問題 P.3-2　➡解答・解説 P.3-1

問題 1　手形取引の処理 簿A（3分）　基本

（単位：千円）

	借方科目	金　額	貸方科目	金　額
(1)				
(2)				
(3)				
(4)				

➡問題 P.3-2　➡解答・解説 P.3-1

問題 2　手形の割引・裏書と保証債務 簿B（3分）　基本

決算整理後残高試算表　　　（単位：千円）

受 取 手 形		支 払 手 形	
売 　掛 　金		買 　掛 　金	
手 形 売 却 損		保 証 債 務	
保 証 債 務 費 用		保証債務取崩益	

➡問題 P.3-3　➡解答・解説 P.3-2

問題 3　保証債務 簿B（10分）　基本

決算整理前残高試算表　　　（単位：円）

受 取 手 形	（　　　　　）	買 　掛 　金	（　　　　　）
売 　掛 　金	（　　　　　）	貸 倒 引 当 金	（　　　　　）
繰 越 商 品	100,000	保 証 債 務	（　　　　　）
仕 　　　入	1,000,000	売 　　　上	1,500,000
手 形 売 却 損	（　　　　　）	保証債務取崩益	（　　　　　）
保 証 債 務 費 用	（　　　　　）	貸倒引当金戻入	（　　　　　）

問 題 4　手形取引 簿A（8分）　　　　　　（本試験改題）応用

3月末決算整理前残高試算表　　　　　　（単位：千円）

借　方　科　目	金　　　額	貸　方　科　目	金　　　額
現　金　預　金		支　払　手　形	
受　取　手　形		買　　掛　　金	
売　　掛　　金		営業外支払手形	
器　具　備　品		減価償却累計額	
仕　　　　　入		売　　　　　上	
手　形　売　却　損			

問 題 5　営業外手形 簿B（3分）　　　　　　（本試験改題）基本

(1)　A社の販売時仕訳

（単位：千円）

借　方　科　目	金　　　額	貸　方　科　目	金　　　額
中　古　車　両	1,000		

(2)　B社の購入時仕訳

（単位：千円）

借　方　科　目	金　　　額	貸　方　科　目	金　　　額
減価償却累計額	1,800	車　両　運　搬　具	3,200
車　両　運　搬　具	6,000		

→問題 P.3-5 →解答・解説 P.3-4

問題 6 　電子記録債権・電子記録債務1 （5分）

（単位：円）

	借方科目	金　額	貸方科目	金　額
(1)				
(2)				
(3)				
(4)				
(5)				
(6)				

→問題 P.3-5 →解答・解説 P.3-5

問題 7 　割引現在価値の計算 （3分）

問 1	千円
問 2	千円
問 3	千円

→問題 P.3-6 →解答・解説 P.3-5

問題 8 　貸倒れの処理と貸倒引当金の設定  （5分）

（単位：千円）

	借方科目	金　額	貸方科目	金　額
(1)				
(2)				
(3)				
(4)				
(5)				

1 簿記一巡
2 現金預金
3 金銭債権
4 棚卸資産I
5 有形固定資産
6 無形固定資産I
7 営業費
8 金融商品I

問題 9 貸倒実績率法による貸倒見積高の算定 簿A（3分）基本

(1)　貸倒実績率：〔　　　〕％

(2)

決算整理後残高試算表　　　　　　（単位：千円）

借　方　科　目	金　　額	貸　方　科　目	金　　額
現　金　預　金		貸 倒 引 当 金	
売　　掛　　金			
貸倒引当金繰入			

(3)　売掛金の貸借対照表価額：〔　　　　　〕千円

問題 10 財務内容評価法による貸倒見積高の算定 簿A（5分）応用

決算整理後残高試算表　　　　　　（単位：千円）

受 取 手 形		預 り 保 証 金	
売 　 掛 　 金		貸 倒 引 当 金	
破 産 更 生 債 権 等			
貸 倒 引 当 金 繰 入			

➡問題 P.3-9　➡解答・解説 P.3-7

問題 11 キャッシュ・フロー見積法 簿B（5分）

（本試験改題） 基本

①		②		③		④	

➡問題 P.3-10　➡解答・解説 P.3-10

問題 12 総合問題 簿C（8分）

（本試験改題） 応用

①	千円	②	千円	③	千円	④	千円

➡問題 P.3-11　➡解答・解説 P.3-11

問題 13 割引手形の会計処理 財計B（3分）

基本

（単位：千円）

借　方　科　目	金　　　額	貸　方　科　目	金　　　額

〈貸借対照表等に関する注記〉

1.

➡問題 P.3-11　➡解答・解説 P.3-12

問題 14 不渡手形の会計処理 財計B（3分）

基本

貸　借　対　照　表　（単位：千円）

I　流　動　資　産	
受　取　手　形	(　　　　　　　)
⋮	
II　固　定　資　産	
不　渡　手　形	(　　　　　　　)

1 簿記一巡
2 現金預金
3 金銭債権
4 棚卸資産 I
5 有形固定資産
6 無形固定資産 I
7 営業費
8 金融商品 I

問題 15 電子記録債権・電子記録債務2　附計B（5分）　基本

貸　借　対　照　表

×5年3月31日　　　　　　　　　（単位：円）

資　産　の　部		負　債　の　部	
I　流　動　資　産		I　流　動　負　債	
現　金　預　金　　　　（　　　　）		支　払　手　形　　　　（　　　　）	
受　取　手　形　（　　　）		（　　　　　　　）　　（　　　　）	
（　　　　　　）（　　　　）		買　　掛　　金　　　（　　　　）	
売　　掛　　金　（　　　）			
貸倒引当金　（　　　）（　　　）			

問題 16 関係会社に対する金銭債権・金銭債務1　集計 A （3分）基本

(1) 独立科目表示方式

貸 借 対 照 表 　　　　　　　　（単位：千円）

資　産　の　部		負　債　の　部	
科　　目	金　　額	科　　目	金　　額
I　流　動　資　産		I　流　動　負　債	
（　　　　　）	（　　　　　）	（　　　　　）	（　　　　　）
（　　　　　）	（　　　　　）	（　　　　　）	（　　　　　）
（　　　　　）	（　　　　　）		
（　　　　　）	（　　　　　）		

〈貸借対照表等に関する注記〉

1.

(2) 科目別注記方式

貸 借 対 照 表 　　　　　　　　（単位：千円）

資　産　の　部		負　債　の　部	
科　　目	金　　額	科　　目	金　　額
I　流　動　資　産		I　流　動　負　債	
（　　　　　）	（　　　　　）	（　　　　　）	（　　　　　）
（　　　　　）	（　　　　　）		

〈貸借対照表等に関する注記〉

1.

2.

3.

問題 17　関係会社に対する金銭債権・金銭債務2　財計A（3分）応用

(1)独立科目表示方式

貸借対照表　　（単位：千円）

資　産　の　部		負　債　の　部	
科　　目	金　　額	科　　目	金　　額
I　流　動　資　産		I　流　動　負　債	
受　取　手　形	（　　　　）	支　払　手　形	（　　　　）
（　　　　　）	（　　　　）	（　　　　　）	（　　　　）
売　掛　金	（　　　　）	買　掛　金	（　　　　）
（　　　　　）	（　　　　）	（　　　　　）	（　　　　）
短　期　貸　付　金	（　　　　）	短　期　借　入　金	（　　　　）
（　　　　　）	（　　　　）	前　受　金	（　　　　）

(2)科目別注記方式

貸借対照表　　（単位：千円）

資　産　の　部		負　債　の　部	
科　　目	金　　額	科　　目	金　　額
I　流　動　資　産		I　流　動　負　債	
受　取　手　形	（　　　　）	支　払　手　形	（　　　　）
売　掛　金	（　　　　）	買　掛　金	（　　　　）
短　期　貸　付　金	（　　　　）	短　期　借　入　金	（　　　　）
		前　受　金	（　　　　）

〈貸借対照表等に関する注記〉

1.

2.

(3)一括注記方式

〈貸借対照表等に関する注記〉

1.
2.

問題 18 貸倒引当金の会計処理 財計A（3分） 基本

損 益 計 算 書 （単位：千円）

⋮	
Ⅲ 販売費及び一般管理費	
（　　　　　　　）	（　　　　　　）
⋮	
Ⅴ 営 業 外 費 用	
（　　　　　　　）	（　　　　　　）

問題 19 貸倒引当金1 財計A（3分） 基本

損 益 計 算 書 （単位：千円）

⋮	
Ⅲ 販売費及び一般管理費	
（　　　　　　　）	（　　　　　　）
（　　　　　　　）	（　　　　　　）
⋮	
Ⅴ 営 業 外 費 用	
（　　　　　　　）	（　　　　　　）
⋮	

問題 20 貸倒引当金2 財計B（3分） 応用

損 益 計 算 書 （単位：千円）

⋮	
Ⅲ 販売費及び一般管理費	
（　　　　　　　）	（　　　　　　）
（　　　　　　　）	（　　　　　　）
⋮	
Ⅳ 営 業 外 収 益	
（　　　　　　　）	（　　　　　　）
Ⅴ 営 業 外 費 用	
（　　　　　　　）	（　　　　　　）
⋮	

問題 21 貸倒懸念債権 財計 A （5分） 応用

問1

（単位：千円）

貸 借 対 照 表		損 益 計 算 書	
⋮		⋮	
Ⅱ　固　定　資　産		Ⅳ　営 業 外 収 益	
⋮		受 取 利 息	7,000
3　投資その他の資産		Ⅴ　営 業 外 費 用	
⋮		貸倒引当金繰入額	（　　　　　）
長 期 貸 付 金	（　　　　　）	⋮	
貸 倒 引 当 金	（△　　　　）	⋮	

問2

（単位：千円）

借 方 科 目	金 額	貸 方 科 目	金 額

問題 22 貸倒懸念債権（財務内容評価法）と破産更生債権等 財計 A （5分） 応用

貸 借 対 照 表

（単位：千円）

資　産　の　部		負　債　の　部	
科　　　目	金　額	科　　　目	金　額
Ⅰ　流 動 資 産		Ⅰ　流 動 負 債	
受 取 手 形	（　　　　　）	⋮	
売 　掛 　金	（　　　　　）	Ⅱ　固 定 負 債	
短 期 貸 付 金	（　　　　　）	⋮	
貸 倒 引 当 金	（△　　　　）	預 り 保 証 金	（　　　　　）
Ⅱ　固 定 資 産			
⋮			
3　投資その他の資産			
破 産 更 生 債 権 等	（　　　　　）		
貸 倒 引 当 金	（△　　　　）		

損　益　計　算　書　（単位：千円）

⋮	
Ⅲ　販売費及び一般管理費	
（　　　　　　　　　　）	（　　　　　　　）
⋮	
Ⅴ　営　業　外　費　用	
（　　　　　　　　　　）	（　　　　　　　）
⋮	
Ⅶ　特　別　損　失	
（　　　　　　　　　　）	（　　　　　　　）
⋮	

〈重要な会計方針に係る事項に関する注記〉

１．引当金の計上基準

　　貸倒引当金は売上債権、貸付金の貸倒損失に備えるため、債権の区分に応じ、以下のように設定している。

(1)　一般債権は、

(2)　貸倒懸念債権は、

(3)　破産更生債権等は、

2 現金預金
3 金銭債権
4 棚卸資産Ⅰ
5 有形固定資産
6 無形固定資産Ⅰ
7 営業費
8 金融商品Ⅰ

Chapter 4　棚卸資産 I

➡問題 P.4-2　　➡解答・解説 P.4-1

問題 1　払出単価の計算方法　簿A（8分）　　基本

	売 上 原 価	期末商品棚卸高
(1) 先 入 先 出 法	円	円
(2) 移 動 平 均 法	円	円
(3) 総 平 均 法	円	円

➡問題 P.4-2　　➡解答・解説 P.4-2

問題 2　商品の期末評価 1　簿A（3分）　　基本

(1)	棚卸減耗損	円
(2)	商品評価損	円

（単位：円）

	借 方 科 目	金 額	貸 方 科 目	金 額
(3)				

➡問題 P.4-2　　➡解答・解説 P.4-3

問題 3　商品の期末評価 2　簿A（3分）　　基本

損 益 計 算 書　　（単位：円）

```
Ⅰ 売　　上　　高　　　　　　　　　　（　　　　　　　）
Ⅱ 売　上　原　価
　1 期首商品棚卸高　　　（　　　　　　）
　2 当期商品仕入高　　　（　　　　　　）
　　　合　　　計　　　　（　　　　　　）
　3 期末商品棚卸高　　　（　　　　　　）
　　　差　　　引　　　　（　　　　　　）
　4 （　　　　　　）　　（　　　　　　）
　5 （　　　　　　）　　（　　　　　　）（　　　　　　）
　　　売上総利益　　　　　　　　　　（　　　　　　）
```

問題 4　商品の期末評価 3　薄B（3分）　応用

貸借対照表　　　　　（単位：円）

売　掛　金（　　　　）
商　　　品（　　　　）

損 益 計 算 書　　　（単位：円）

Ⅰ　売　上　高　　　　　　　　　（　　　　　）
Ⅱ　売　上　原　価
　1　期首商品棚卸高　　（　　　　　）
　2　当期商品仕入高　　（　　　　　）
　　　　合　　　計　　　（　　　　　）
　3　期末商品棚卸高　　（　　　　　）
　　　　差　　　引　　　（　　　　　）
　4　棚 卸 減 耗 損　　（　　　　　）（　　　　　　）
　　　売上総利益　　　　　　　　　（　　　　　）
Ⅲ　営　業　外　費　用
　　　棚 卸 減 耗 損　　（　　　　　）
Ⅳ　特　別　損　失
　　　商 品 評 価 損　　（　　　　　）

問題 5　商品の期末評価 4　薄B（3分）　応用

損 益 計 算 書　　　（単位：円）

Ⅰ　売　上　高　　　　　　　　　（　　　　　）
Ⅱ　売　上　原　価
　1　期首商品棚卸高　　（　　　　　）
　2　当期商品仕入高　　（　　　　　）
　　　　合　　　計　　　（　　　　　）
　3　期末商品棚卸高　　（　　　　　）
　　　　差　　　引　　　（　　　　　）
　4　（　　　　　）　　（　　　　　）
　5　（　　　　　）　　（　　　　　）（　　　　　　）
　　　売上総利益　　　　　　　　　（　　　　　）

問題 6　洗替法と切放法・P/L（減耗・評価損）　簿B（8分）　基本

1. 洗替法

損 益 計 算 書　　　　（単位：円）

Ⅰ 売　　上　　高　　　　　　　　　　（　　　　　　　）

Ⅱ 売　上　原　価

　　1. 期首商品棚卸高　　（　　　　　　）

　　2. 当期商品仕入高　　（　　　　　　）

　　　　　合　　　計　　（　　　　　　）

　　3. 期末商品棚卸高　　（　　　　　　）

　　　　　差　　　引　　（　　　　　　）

　　4. 商品棚卸減耗損　　（　　　　　　）

　　5. 商品評価損　　　　（　　　　　　）　（　　　　　　　）

　　　　売 上 総 利 益　　　　　　　　（　　　　　　　）

2. 切放法

損 益 計 算 書　　　　（単位：円）

Ⅰ 売　　上　　高　　　　　　　　　　（　　　　　　　）

Ⅱ 売　上　原　価

　　1. 期首商品棚卸高　　（　　　　　　）

　　2. 当期商品仕入高　　（　　　　　　）

　　　　　合　　　計　　（　　　　　　）

　　3. 期末商品棚卸高　　（　　　　　　）

　　　　　差　　　引　　（　　　　　　）

　　4. 商品棚卸減耗損　　（　　　　　　）

　　5. 商品評価損　　　　（　　　　　　）　（　　　　　　　）

　　　　売 上 総 利 益　　　　　　　　（　　　　　　　）

問題 7　原価率などの算定 1　簿A（3分）　基本

(1)	％	(2)	％	(3)	％

問題 8　原価率などの算定 2　簿A（3分）　基本

(1)		％	(2)		％	(3)		％

(4)

損 益 計 算 書　（単位：千円）

科　　目	金　　額	
Ⅰ　売　上　高		（　　　　）
Ⅱ　売　上　原　価		
1　期首商品棚卸高	（　　　　）	
2　当期商品仕入高	（　　　　）	
合　　計	（　　　　）	
3　期末商品棚卸高	（　　　　）	（　　　　）
売　上　総　利　益		（　　　　）

問題 9　売上原価などの算定 1　簿A（3分）　基本

(1)

（単位：千円）

借　方　科　目	金　　額	貸　方　科　目	金　　額

(2)

①		千円	②		千円

1 簿記一巡
2 現金預金
3 金銭債権
4 棚卸資産Ⅰ
5 有形固定資産
6 無形固定資産Ⅰ
7 営業費
8 金融商品Ⅰ

問題 **10　売上原価などの算定 2**　簿**B**（10分）　基本

(1)

（単位：千円）

借　方　科　目	金　　額	貸　方　科　目	金　　額

(2)

原価率	％	利益加算率	％

(3)

損　益　計　算　書　　（単位：千円）

科　　目	金　　額	
Ⅰ　売　上　高		（　　　　　　）
Ⅱ　売　上　原　価		
1　期首商品棚卸高	（　　　　　）	
2　当期商品仕入高	（　　　　　）	
合　　計	（　　　　　）	
3　期末商品棚卸高	（　　　　　）	（　　　　　）
売　上　総　利　益		（　　　　　）
Ⅲ　営　業　外　収　益		
〔　　　　　　　〕		（　　　　　）
経　常　利　益		（　　　　　）

問題 11　売上原価などの算定 3　簿A（10分）　基本

決算整理後残高試算表　　　　　　　（単位：千円）

勘 定 科 目	金 額	勘 定 科 目	金 額
売 掛 金	（　　　　）	買 掛 金	（　　　　）
繰 越 商 品	（　　　　）	売 上	（　　　　）
仕 入	（　　　　）	仕 入 割 引	（　　　　）

1 簿記一巡
2 現金預金
3 金銭債権
4 棚卸資産 I
5 有形固定資産
6 無形固定資産 I
7 営業費
8 金融商品 I

問 題 12 商品売買の各会計処理 A（15分）　基本

(1)三分法

（単位：千円）

	借 方 科 目	金 額	貸 方 科 目	金 額
①				
②				
③				
④				
⑤				
⑥				
⑦				

(2)分記法

（単位：千円）

	借 方 科 目	金 額	貸 方 科 目	金 額
①				
②				
③				
④				
⑤				
⑥				
⑦				

(3)総記法

	借　方　科　目	金　　額	貸　方　科　目	金　　額
①				
②				
③				
④				
⑤				
⑥				
⑦				

(4)売上原価対立法

	借　方　科　目	金　　額	貸　方　科　目	金　　額
①				
②				
③				
④				
⑤				
⑥				
⑦				

1 簿記一巡

2 現金預金

3 金銭債権

4 棚卸資産 I

5 有形固定資産

6 無形固定資産 I

7 営業費

8 金融商品 I

問題 13　一般商品売買の会計処理（前T / Bと後T / B作成）　簿 A（12分）　基本

1. 決算整理前残高試算表（単位：円）

借方科目	金　額	貸方科目	金　額
現　金　預　金		買　　掛　　金	
売　　　掛　　　金			
繰　越　A　商　品		資　　本　　金	
B　　商　　品		繰　越　利　益　剰　余　金	
D　　商　　品		A　商　品　売　上	
A　商　品　仕　入		B　商　品　売　上	
		D　商　品　販　売　益	
営　　業　　費			
合　　　計		合　　　計	

2. 決算整理後残高試算表（単位：円）

借方科目	金　額	貸方科目	金　額
現　金　預　金		買　　掛　　金	
売　　　掛　　　金		資　　本　　金	
繰　越　A　商　品		繰　越　利　益　剰　余　金	
B　　商　　品		A　商　品　売　上	
		B　商　品　売　上	
D　　商　　品			
前　払　営　業　費		D　商　品　販　売　益	
A　商　品　仕　入			
営　　業　　費			
合　　　計		合　　　計	

問題 14 仕入・売上の計上基準 簿C（5分） 応用

損 益 計 算 書 （単位：千円）

科　　目	金　　額	
Ⅰ　売　上　高		（　　　　　）
Ⅱ　売　上　原　価		
1　期首商品棚卸高	（　　　　　）	
2　当期商品仕入高	（　　　　　）	
合　　　計	（　　　　　）	
3〔　　　　　　　〕	（　　　　　）	
4　期末商品棚卸高	（　　　　　）	（　　　　　）
売上総利益		（　　　　　）
Ⅲ　販売費及び一般管理費		
1〔　　　　　　　〕	（　　　　　）	（　　　　　）
営　業　利　益		（　　　　　）

問題 15 棚卸資産の単価計算 簿B（8分） 基本

(1)先入先出法

損 益 計 算 書 （単位：千円）

Ⅰ　売　上　高		10,000,000
Ⅱ　売　上　原　価		
1　期首商品棚卸高	（　　　　　）	
2　当期商品仕入高	（　　　　　）	
合　　　計	（　　　　　）	
3　期末商品棚卸高	（　　　　　）	
差　　　引	（　　　　　）	
4　棚卸減耗損	（　　　　　）	
5　商品評価損	（　　　　　）	（　　　　　）
売上総利益		（　　　　　）

貸 借 対 照 表 （単位：千円）

Ⅰ　流　動　資　産	
商　　　品	（　　　　　）

(2) 総平均法（月別）

損 益 計 算 書　　　　（単位：千円）

I　売　上　高		10,000,000
II　売　上　原　価		
1　期首商品棚卸高	（　　　　　　）	
2　当期商品仕入高	（　　　　　　）	
合　　　計	（　　　　　　）	
3　期末商品棚卸高	（　　　　　　）	
差　　　引	（　　　　　　）	
4　棚　卸　減　耗　損	（　　　　　　）	
5　商　品　評　価　損	（　　　　　　）	（　　　　　　）
売上総利益		（　　　　　　）

貸 借 対 照 表　　　　（単位：千円）

I　流　動　資　産	
商　　　　品	（　　　　　　）

(3) 移動平均法

損 益 計 算 書　　　　（単位：千円）

I　売　上　高		10,000,000
II　売　上　原　価		
1　期首商品棚卸高	（　　　　　　）	
2　当期商品仕入高	（　　　　　　）	
合　　　計	（　　　　　　）	
3　期末商品棚卸高	（　　　　　　）	
差　　　引	（　　　　　　）	
4　棚　卸　減　耗　損	（　　　　　　）	
5　商　品　評　価　損	（　　　　　　）	（　　　　　　）
売上総利益		（　　　　　　）

貸 借 対 照 表　　　　（単位：千円）

I　流　動　資　産	
商　　　　品	（　　　　　　）

問題 16　値引きと割引の表示1　 A（3分）　基本

損益計算書　　　　　（単位：千円）

科　　目	金　　額	
I　売　上　高		（　　　　　）
II　売　上　原　価		
1　期首商品棚卸高	（　　　　　）	
2　当期商品仕入高	（　　　　　）	
合　　計	（　　　　　）	
3　期末商品棚卸高	（　　　　　）	（　　　　　）
売上総利益		（　　　　　）
III　営　業　外　収　益		
〔　　　　　　　〕		（　　　　　）
経　常　利　益		（　　　　　）

問題 17　値引きと割引の表示2　A（5分）　応用

損益計算書
自×1年4月1日　至×2年3月31日　（単位：千円）

科　　目	金　　額	
I　売　上　高		（　　　　　）
II　売　上　原　価		
1　期首商品棚卸高	（　　　　　）	
2　当期商品仕入高	（　　　　　）	
合　　計	（　　　　　）	
3　期末商品棚卸高	（　　　　　）	（　　　　　）
売　上　総　利　益		（　　　　　）
：		
IV　営　業　外　収　益		
〔　　　　　　　〕		（　　　　　）

問題 18 他勘定振替 簿A（3分）　基本

（単位：千円）

	借　方　科　目	金　額	貸　方　科　目	金　額
(1)				
(2)				
(3)				
(4)				

問題 19 他勘定振替高の表示 財計C（3分）　応用

損　益　計　算　書
自×1年4月1日　至×2年3月31日　（単位：千円）

科　　目	金　　額	
Ⅰ　売　　上　　高		250,000
Ⅱ　売　上　原　価		
1　期首商品棚卸高	（　　　　　）	
2　当期商品仕入高	（　　　　　）	
3〔　　　　　　〕	（　　　　　）	
合　　　計	（　　　　　）	
4〔　　　　　　〕	（　　　　　）	
5〔　　　　　　〕	（　　　　　）	
6　期末商品棚卸高	（　　　　　）	（　　　　　）
売　上　総　利　益		（　　　　　）
Ⅲ　販売費及び一般管理費		
〔　　　　　　　　〕		（　　　　　）
：		
Ⅶ　特　別　損　失		
〔　　　　　　　　〕		（　　　　　）

問 題 20　損益計算書に関する注記　財計 B（3分）　基本

会社計算規則による注記

〈損益計算書に関する注記〉

1 簿記一巡
2 現金預金
3 金銭債権
4 棚卸資産Ⅰ
5 有形固定資産
6 無形固定資産Ⅰ
7 営業費
8 金融商品Ⅰ

Chapter 5　有形固定資産

➡問題 P.5-2　➡解答・解説 P.5-1

問題 1　取得原価の決定 簿A（5分）　基本

			千円	5		千円
2	土地		千円	6		千円
	建物		千円	7		千円
3			千円	8		千円
4			千円			

➡問題 P.5-2　➡解答・解説 P.5-1

問題 2　減価償却費の計算 簿A（5分）　基本

（単位：円）

	① ×1年度	② ×2年度
(1) 定　額　法		
(2) 定　率　法		
(3) 級　数　法		
(4) 生産高比例法		

➡問題 P.5-3　➡解答・解説 P.5-2

問題 3　直接法による記帳 簿B（3分）　応用

貸借対照表
×5年3月31日　　　　（単位：千円）

建　　　　物	（　　　　）		
減価償却累計額	（　　　　）	（　　　　）	
備　　　　品	（　　　　）		
減価償却累計額	（　　　　）	（　　　　）	

問題 4　減価償却費の計算（残存価額0の場合）　簿 A （5分）　基本

（単位：円）

	①　×1年度	②　×2年度
(1) 定　額　法		
(2) 定　率　法		
(3) 級　数　法		
(4) 生産高比例法		

問題 5　総合問題 1　簿 B （8分）　（本試験改題）　応用

決算整理後残高試算表　（単位：円）

建　　　　　物（　　　　　）	未　払　　金（　　　　　）
構　築　　物（　　　　　）	
車　　　　　両（　　　　　）	
器　具　備　品（　　　　　）	
（　　　　　）（　　　　　）	
減　価　償　却　費（　　　　　）	

問題 6　取得原価の計算1（購入の場合）　財計 A （2分）　基本

[　　　　　　　　　] 千円

問題 7　取得原価の計算2（購入の場合）　財計 A （2分）　基本

[　　　　　　　　　] 千円

問題 8　取得原価の計算（一括購入により取得した場合）　財計 C （2分）　基本

土地 [　　　　　　　　] 千円　　　建物 [　　　　　　　　] 千円

1 簿記一巡
2 現金預金
3 金銭債権
4 棚卸資産Ⅰ
5 有形固定資産
6 無形固定資産Ⅰ
7 営業費
8 金融商品Ⅰ

問題 9　取得原価の計算（割賦購入により取得した場合）　財計 C（3分）応用

（単位：千円）

	借　方　科　目	金　　額	貸　方　科　目	金　　額
(1)				
(2)				

問題 10　建設仮勘定　財計 A（3分）　基本

（単位：千円）

借　方　科　目	金　　額	貸　方　科　目	金　　額

問題 11　減価償却（定額法・定率法・級数法・生産高比例法）　財計 A（5分）基本

（単位：千円）

	(1)×1年度	(2)×2年度
① 定額法		
② 定率法		
③ 級数法		
④ 生産高比例法		

問 題 12 期中取得の場合 財計A（3分）　基本

貸 借 対 照 表　　（単位：千円）

資 産 の 部	
科　　目	金　　額
Ⅱ　固 定 資 産	
1　有 形 固 定 資 産	
車　　　　両	（　　　　　）
減価償却累計額	（　　　　　）（　　　　　）

問 題 13 減価償却（定額法・定率法）財計A（3分）　応用

N社　第12期

貸 借 対 照 表
× 21 年 3 月 31 日　　（単位：千円）

資 産 の 部	
科　　目	金　　額
Ⅰ　流 動 資 産	
:	
Ⅱ　固 定 資 産	
建　　　　物	（　　　　　）
減価償却累計額	（　　　　　）（　　　　　）
構　築　物	（　　　　　）
減価償却累計額	（　　　　　）（　　　　　）
器 具 備 品	（　　　　　）
減価償却累計額	（　　　　　）（　　　　　）

損 益 計 算 書
× 20 年 4 月 1 日～× 21 年 3 月 31 日（単位：千円）

科　　目	金　　額
:	
Ⅲ　販売費及び一般管理費	
:	
減 価 償 却 費	（　　　　　）

問題 14　有形固定資産の表示方法　財計 A（5分）　基本

(1)

貸借対照表　（単位：千円）

資　産　の　部		
科　　目	金　　額	
Ⅱ　固　定　資　産		
1　有形固定資産		
建　　　物	（　　　　　）	
（　　　　　）	（　　　　　）	（　　　　　）
備　　　品	（　　　　　）	
（　　　　　）	（　　　　　）	（　　　　　）

(2)

貸借対照表　（単位：千円）

資　産　の　部		
科　　目	金　　額	
Ⅱ　固　定　資　産		
1　有形固定資産		
建　　　物	（　　　　　）	
備　　　品	（　　　　　）	
（　　　　　）	（　　　　　）	（　　　　　）

(3)

貸借対照表　（単位：千円）

資　産　の　部		
科　　目	金　　額	
Ⅱ　固　定　資　産		
1　有形固定資産		
建　　　物	（　　　　　）	
備　　　品	（　　　　　）	

〈貸借対照表等に関する注記〉

(4)

貸 借 対 照 表 （単位：千円）

資 産 の 部	
科　　　目	金　　　額
Ⅱ　固　定　資　産	
1　有形固定資産	
建　　　　物	（　　　　　）
備　　　　品	（　　　　　）

〈貸借対照表等に関する注記〉

➡問題 P.5-7　　➡解答・解説 P.5-7

問題 15 耐用年数の短縮 財計 A （3分） 基本

（単位：千円）

借　方　科　目	金　　　額	貸　方　科　目	金　　　額

➡問題 P.5-8　　➡解答・解説 P.5-8

問題 16 減価償却方法の変更（定率法から定額法） 財計 A （3分） 基本

	取得価額	減価償却累計額	残存価額	耐用年数
備　　品	10,000千円	3,190千円	1,000千円	6年

年　　　数	5年	6年
定率法償却率	0.369	0.319

貸 借 対 照 表 （単位：千円）

資 産 の 部		
科　　　目	金　　　額	
Ⅱ　固　定　資　産		
1　有形固定資産		
備　　　　品	（　　　　　）	
減価償却累計額	（　　　　　）	（　　　　　）

1 簿記一巡
2 現金預金
3 金銭債権
4 棚卸資産Ⅰ
5 有形固定資産
6 無形固定資産Ⅰ
7 営業費
8 金融商品Ⅰ

問題 17　固定資産の売却　財計A（3分）　基本

（単位：千円）

借　方　科　目	金　　額	貸　方　科　目	金　　額

問題 18　買換えにともなう会計処理　財計A（3分）　応用

（単位：千円）

	借　方　科　目	金　　額	貸　方　科　目	金　　額
問1				
問2				

問題 19　固定資産の除却および除却資産の売却　財計A（3分）　基本

（1）　　　　　　　　　　　　　　　　　　　　（単位：千円）

借　方　科　目	金　　額	貸　方　科　目	金　　額

（2）　　　　　　　　　　　　　　　　　　　　（単位：千円）

借　方　科　目	金　　額	貸　方　科　目	金　　額

問題 20　災害にともなう会計処理　財計A（3分）　基本

（単位：千円）

	借　方　科　目	金　　額	貸　方　科　目	金　　額
問1				
問2				

問題 21　資本的支出と収益的支出　財計A（3分）　基本

貸　借　対　照　表　（単位：千円）

資　産　の　部		
科　　目	金　　額	
：		
Ⅱ　固　定　資　産		
1　有　形　固　定　資　産		
建　　　　　物	（　　　　　　）	
減価償却累計額	（　　　　　　）	（　　　　　　）

損　益　計　算　書　（単位：千円）

科　　目	金　　額
：	
Ⅲ　販売費及び一般管理費	
修　　繕　　費	（　　　　　　）
減　価　償　却　費	（　　　　　　）

1 簿記一巡
2 現金預金
3 金銭債権
4 棚卸資産Ⅰ
5 有形固定資産
6 無形固定資産Ⅰ
7 営業費
8 金融商品Ⅰ

➡問題 P.5-10　➡解答・解説 P.5-11

問題 22　耐用年数の短縮　薄A（3分）　応用

（単位：円）

借　方　科　目	金　　額	貸　方　科　目	金　　額

➡問題 P.5-11　➡解答・解説 P.5-11

問題 23　減価償却方法の変更（定額法から定率法）　薄B（3分）　応用

減価償却費	千円

➡問題 P.5-11　➡解答・解説 P.5-12

問題 24　減価償却方法の変更（定率法から定額法）　薄B（3分）　応用

減価償却費	千円

➡問題 P.5-12　➡解答・解説 P.5-12

問題 25　有形固定資産の買換え　薄B（3分）　基本

（単位：円）

	借　方　科　目	金　　額	貸　方　科　目	金　　額
(1)				
(2)				

問題 26　有形固定資産の除却　簿B（3分）　基本

（単位：千円）

借　方　科　目	金　　額	貸　方　科　目	金　　額

問題 27　災害発生時の処理　簿B（5分）　基本

（単位：千円）

	借　方　科　目	金　　額	貸　方　科　目	金　　額
(1)				
(2)				
(3)				
(4)				
(5)				

1 簿記一巡
2 現金預金
3 金銭債権
4 棚卸資産 I
5 有形固定資産
6 無形固定資産 I
7 営業費
8 金融商品 I

問題 28 総合問題2 薄C（8分）　応用

決算整理後残高試算表　　　（単位：千円）

現　金　預　金 （　　　　　）	建物減価償却累計額 （　　　　　　）
建　　　　　物 （　　　　　）	車両減価償却累計額 （　　　　　　）
車　　　　　両 （　　　　　）	備品減価償却累計額 （　　　　　　）
備　　　　　品 （　　　　　）	保　険　差　益 （　　　　　　）
減　価　償　却　費 （　　　　　）	
固　定　資　産　売　却　損 （　　　　　）	

問題 29 国庫補助金の受入・有形固定資産の取得 薄A（3分）　基本

×1年4月1日　　　　　　　　　　　　　　　　　（単位：千円）

借　方　科　目	金　額	貸　方　科　目	金　額

×1年10月1日　　　　　　　　　　　　　　　　　（単位：千円）

借　方　科　目	金　額	貸　方　科　目	金　額

×2年3月31日　　　　　　　　　　　　　　　　　（単位：千円）

借　方　科　目	金　額	貸　方　科　目	金　額

問題 30 圧縮記帳の処理 薄B（3分）　基本

決算整理後残高試算表　　　（単位：千円）

建　　　　　物 （　　　　　）	建物減価償却累計額 （　　　　　　）
減　価　償　却　費 （　　　　　）	工　事　負　担　金 （　　　　　　）
固　定　資　産　圧　縮　損 （　　　　　）	

問 題 31　**資本的支出と収益的支出**　簿A（3分）　基本

貸借対照表（一部）　　　　　　　　（単位：千円）

Ⅱ　固 定 資 産
　1　有 形 固 定 資 産
　　　建　　　　物（　　　　　　　）
　　　減価償却累計額（　　　　　　　　　　）（　　　　　　　　）

損益計算書（一部）　　　　　　　　（単位：千円）

Ⅲ　販売費及び一般管理費
　　修　　繕　　費（　　　　　　　　）
　　減 価 償 却 費（　　　　　　　　）

Chapter 6　無形固定資産 I

➡問題 P.6-2　　➡解答・解説 P.6-1

問題 1　無形固定資産の減価償却 簿A（3分）　基本

| 決算整理後残高試算表 | （単位：千円） |

特　許　権	（　　　　）	
商　標　権	（　　　　）	
鉱　業　権	（　　　　）	
特 許 権 償 却	（　　　　）	
商 標 権 償 却	（　　　　）	
鉱 業 権 償 却	（　　　　）	

➡問題 P.6-2　　➡解答・解説 P.6-1

問題 2　のれんの処理 簿B（3分）　基本

（単位：千円）

	借 方 科 目	金　額	貸 方 科 目	金　額
(1)				
(2)				

➡問題 P.6-3　　➡解答・解説 P.6-1

問題 3　自社利用のソフトウェア 簿A（3分）　基本

×1年度の減価償却費 [　　　　] 千円

×2年度の減価償却費 [　　　　] 千円

➡問題 P.6-3　　➡解答・解説 P.6-2

問題 4　自社利用のソフトウェア（耐用年数の変更） 簿A（3分）　基本

×3年度　ソフトウェア償却 [　　　　] 千円

×4年度　ソフトウェア償却 [　　　　] 千円

×5年度　ソフトウェア償却 [　　　　] 千円

×6年度　ソフトウェア償却 [　　　　] 千円

問題 5　無形固定資産の償却1　財計 B （3分）　基本

【P／Lに計上される金額】

（単位：千円）

公共施設負担金償却	
共同施設負担金償却	

【B／Sに表示される金額】

（単位：千円）

公 共 施 設 負 担 金	
共 同 施 設 負 担 金	

問題 6　無形固定資産の償却2　財計 A （5分）　基本

【P／Lに計上される金額】

（単位：千円）

の れ ん 償 却 額	
特 許 権 償 却	
実 用 新 案 権 償 却	
商 標 権 償 却	
借 地 権 償 却	

【B／Sに表示される金額】

（単位：千円）

の　　れ　　ん	
特　　許　　権	
実 用 新 案 権	
商　標　権	
借　地　権	

1 簿記一巡

2 現金預金

3 金銭債権

4 棚卸資産 I

5 有形固定資産

6 無形固定資産 I

7 営業費

8 金融商品 I

問題 7　自社利用のソフトウェア(耐用年数の変更)　計B　(3分) 基本

貸　借　対　照　表　(単位：千円)

Ⅱ　固　定　資　産	
2　無形固定資産	
ソフトウェア	(　　　　　　)

損　益　計　算　書　(単位：千円)

⋮	
Ⅲ　販売費及び一般管理費	
ソフトウェア償却	(　　　　　　)

Chapter 7　営業費

➡問題 P.7-2　　➡解答・解説 P.7-1

問題 1　従業員給与・賞与の処理　簿A（3分）　基本

（単位：千円）

		借　方　科　目	金　　額	貸　方　科　目	金　　額
(1)					
(2)					
(3)					
(4)	①				
	②				

➡問題 P.7-2　　➡解答・解説 P.7-1

問題 2　役員報酬・役員賞与　簿C（3分）　基本

（単位：千円）

	借　方　科　目	金　　額	貸　方　科　目	金　　額
(1)				
(2)				
(3)				

➡問題 P.7-2　　➡解答・解説 P.7-2

問題 3　諸経費の処理 1　簿B（3分）　基本

（単位：円）

		借　方　科　目	金　　額	貸　方　科　目	金　　額
(1)	①				
	②				
(2)	①				
	②				
(3)	①				
	②				

1 簿記一巡
2 現金預金
3 金銭債権
4 棚卸資産Ⅰ
5 有形固定資産
6 無形固定資産Ⅰ
7 営業費
8 金融商品Ⅰ

問題 4　諸経費の処理 2　簿B（5分）　（本試験改題）　応用

決算整理後残高試算表　　　　　　　（単位：千円）

勘 定 科 目	金 額	勘 定 科 目	金 額
現 金 預 金	（　　　　）	預 り 金	（　　　　）
貯 蔵 品	（　　　　）	未 払 費 用	（　　　　）
給 料	（　　　　）		
法 定 福 利 費	（　　　　）		
通 信 費	（　　　　）		

問題 5　営業費とは　財計B（3分）　基本

①		②		③		④	
⑤		⑥		⑦			

問題 6　人件費の処理　財計B（3分）　基本

（単位：千円）

科 目	金 額
給 料	（　　　　）
役 員 報 酬	（　　　　）
賞 与 引 当 金 繰 入 額	（　　　　）

問題 7　販売費及び一般管理費　財計A（10分）　応用

販売費及び一般管理費の内訳

(単位：千円)

科　　目	金　　額
給 料 手 当	（　　　　　　　）
賞　　　　　与	（　　　　　　　）
〔　　　　　　　〕	（　　　　　　　）
租 税 公 課	23,300
通 信 費	（　　　　　　　）
事 務 用 消 耗 品 費	（　　　　　　　）
賞 与 引 当 金 繰 入 額	（　　　　　　　）
〔　　　　　　　〕	（　　　　　　　）
そ の 他 の 費 用	318,900
合　　　　　計	（　　　　　　　）

Chapter 8　金融商品Ⅰ

➡問題 P.8-2　　➡解答・解説 P.8-1

問題 1　有価証券の取得・売却 簿A（3分） 基本

（単位：千円）

	借 方 科 目	金 額	貸 方 科 目	金 額
(1)				
(2)				
(3)				
(4)				

➡問題 P.8-2　　➡解答・解説 P.8-1

問題 2　有価証券の売却単価の算定 簿A（5分） 基本

(1)　総平均法

　　売 却 損 益 　[　　　　　]　千円

　　期末株式単価 　[　　　　　]　千円

(2)　移動平均法

　　売 却 損 益 　[　　　　　]　千円

　　期末株式単価 　[　　　　　]　千円

➡問題 P.8-3　　➡解答・解説 P.8-3

問題 3　債券の売買（端数利息の処理） 簿B（3分） 基本

（単位：円）

	借 方 科 目	金 額	貸 方 科 目	金 額
(1)				
(2)				
(3)				

問題 4　売買目的有価証券の期末評価　簿A（5分）　基本

(1)　切放法を採用した場合

（単位：円）

	借　方　科　目	金　　額	貸　方　科　目	金　　額
①				
②				
③				
④				
⑤				
⑥				

(2)　洗替法を採用した場合

（単位：円）

	借　方　科　目	金　　額	貸　方　科　目	金　　額
①				
②				
③				
④				
⑤				
⑥				

1 簿記一巡

2 現金預金

3 金銭債権

4 棚卸資産Ⅰ

5 有形固定資産

6 無形固定資産Ⅰ

7 営業費

8 金融商品Ⅰ

問題 5　満期保有目的の債券1　薄A（5分）　基本

(1)　利息法を用いた場合

（単位：円）

	借　方　科　目	金　　額	貸　方　科　目	金　　額
①				
②				
③				
④				

(2)　定額法を用いた場合

（単位：円）

	借　方　科　目	金　　額	貸　方　科　目	金　　額
①				
②				
③				
④				

問 題 6　満期保有目的の債券2　簿C（8分）　応用

(1) 利息法を用いた場合

（単位：円）

	借 方 科 目	金 額	貸 方 科 目	金 額
①				
②				
③				
④				
⑤				

(2) 定額法を用いた場合

（単位：円）

	借 方 科 目	金 額	貸 方 科 目	金 額
①				
②				
③				
④				
⑤				

問 題 7　総合問題1　簿B（10分）　（本試験改題）　応用

①
②
③
④
⑤

問題 8　その他有価証券1　簿 A（3分）　基本

（1）　全部純資産直入法によった場合

①　時価が 275,000 円の場合　　　　　　　　　　　　　　　　　　（単位：円）

	借　方　科　目	金　　額	貸　方　科　目	金　　額
当期末				
翌期首				

②　時価が 230,000 円の場合　　　　　　　　　　　　　　　　　　（単位：円）

	借　方　科　目	金　　額	貸　方　科　目	金　　額
当期末				
翌期首				

（2）　部分純資産直入法によった場合

①　時価が 275,000 円の場合　　　　　　　　　　　　　　　　　　（単位：円）

	借　方　科　目	金　　額	貸　方　科　目	金　　額
当期末				
翌期首				

②　時価が 230,000 円の場合　　　　　　　　　　　　　　　　　　（単位：円）

	借　方　科　目	金　　額	貸　方　科　目	金　　額
当期末				
翌期首				

問題 9　その他有価証券2　簿 A（3分）　基本

（単位：千円）

	借　方　科　目	金　　額	貸　方　科　目	金　　額
（1）				
（2）				

➡️問題 P.8-7　➡️解答・解説 P.8-11

問 題 10 総合問題2 簿B（5分）　応用

☐☐☐☐☐☐ 千円

➡️問題 P.8-7　➡️解答・解説 P.8-11

問 題 11 有価証券の減損 簿A（3分）　基本

（単位：千円）

借 方 科 目	金 額	貸 方 科 目	金 額

貸借対照表価額 ☐☐☐☐☐☐ 千円

➡️問題 P.8-8　➡️解答・解説 P.8-11

問 題 12 総合問題3 簿B（8分）　応用

決算整理後残高試算表　（単位：千円）

有 価 証 券		その他有価証券評価差額金	
投 資 有 価 証 券		有 価 証 券 利 息	
関 係 会 社 株 式		有 価 証 券 評 価 損 益	
投資有価証券評価損			
関係会社株式評価損			

1 簿記一巡

2 現金預金

3 金銭債権

4 棚卸資産Ⅰ

5 有形固定資産

6 無形固定資産Ⅰ

7 営業費

8 金融商品Ⅰ

問題 13 有価証券の認識基準　財計B（3分）　応用

(1) 約定日基準

貸 借 対 照 表
×2年3月31日　　　　　　　　　（単位：千円）

資　産　の　部		負　債　の　部	
科　　目	金　　額	科　　目	金　　額
I　流　動　資　産		I　流　動　負　債	
（　　　　　　）	（　　　　　　）	（　　　　　　）	（　　　　　　）
（　　　　　　）	（　　　　　　）	：	：

損 益 計 算 書
自×1年4月1日
至×2年3月31日　（単位：千円）

：	：
IV　営　業　外　収　益	
（　　　　　　）	（　　　　　　）
（　　　　　　）	（　　　　　　）

(2) 修正受渡日基準

貸 借 対 照 表
×2年3月31日　　　　　　　　　（単位：千円）

資　産　の　部		負　債　の　部	
科　　目	金　　額	科　　目	金　　額
I　流　動　資　産		I　流　動　負　債	
（　　　　　　）	（　　　　　　）	（　　　　　　）	（　　　　　　）
（　　　　　　）	（　　　　　　）	：	：

損 益 計 算 書
自×1年4月1日
至×2年3月31日　（単位：千円）

：	：
IV　営　業　外　収　益	
（　　　　　　）	（　　　　　　）
（　　　　　　）	（　　　　　　）

問題 14 有価証券の分類と評価1 財計A（3分）　基本

貸 借 対 照 表

×2年3月31日　　　　　　　　　　　　　（単位：千円）

資 産 の 部		負 債 の 部		
科　　目	金　　額	科　　目	金　　額	
Ⅰ　流 動 資 産		：	：	
（　　　　　　　　）	（　　　　　　　　）	純 資 産 の 部		
Ⅱ　固 定 資 産		：	：	
3　投資その他の資産		Ⅱ　評価・換算差額等		
投 資 有 価 証 券	（　　　　　　）	（　　　　　　　）	（　　　　　　　）	
（　　　　　　　　）	（　　　　　　）	：	：	

損 益 計 算 書

自×1年4月1日

至×2年3月31日　（単位：千円）

：	：
Ⅳ　営 業 外 収 益	
（　　　　　　　）	（　　　　　　　）
（　　　　　　　）	（　　　　　　　）
：	：
Ⅶ　特 別 損 失	
（　　　　　　　）	（　　　　　　　）

1 簿記一巡
2 現金預金
3 金銭債権
4 棚卸資産Ⅰ
5 有形固定資産
6 無形固定資産Ⅰ
7 営業費
8 金融商品Ⅰ

問題 15 有価証券の分類と評価2 A（5分） 基本

貸借対照表
×2年3月31日 （単位：千円）

資　産　の　部		負　債　の　部	
科　　目	金　　額	科　　目	金　　額
Ⅰ　流　動　資　産		：	：
（　　　　　）	（　　　　　）	純　資　産　の　部	
Ⅱ　固　定　資　産		：	：
3　投資その他の資産		Ⅱ　評価・換算差額等	
（　　　　　）	（　　　　　）	（　　　　　）	（　　　　　）
関　係　会　社　株　式	（　　　　　）	：	：

〈貸借対照表等に関する注記〉

損　益　計　算　書
自×1年4月1日
至×2年3月31日 （単位：千円）

：	：
Ⅳ　営　業　外　収　益	
（　　　　　）	（　　　　　）
Ⅴ　営　業　外　費　用	
（　　　　　）	（　　　　　）
：	：
Ⅶ　特　別　損　失	
（　　　　　）	（　　　　　）

•••••••• *Memorandum Sheet* ••••••••

Ⓢ ネットスクール出版